Pra quando você acordar

Bettina Bopp

Pra quando você acordar

Copyright © Bettina Bopp, 2022
Copyright © Editora Planeta do Brasil, 2022
Todos os direitos reservados.

Preparação: Laura Vecchioli
Revisão: Fernanda França e Fernanda Guerriero Antunes
Projeto gráfico e diagramação: Negrito Produção Editorial
Fotos de miolo: arquivo pessoal da família
Capa: Daniel Justi
Imagem de capa: Flávia Arruda

Dados Internacionais de Catalogação na Publicação (CIP)
Angélica Ilacqua CRB-8/7057

Bopp, Bettina
　　Pra quando você acordar / Bettina Bopp. – São Paulo: Planeta do Brasil, 2022.
　　320 p.

　　ISBN 978-65-5535-647-2

　　1. Crônicas brasileiras 2. Família – Crônicas 3. Irmãos – Crônicas
I. Título

22-0939   CDD B869.8

Índice para catálogo sistemático:
1. Crônicas brasileiras

Frases do conto "A terceira margem do rio": Guimarães Rosa.
Primeiras Estórias, 1962.

 Ao escolher este livro, você está apoiando o manejo responsável das florestas do mundo

2022
Todos os direitos desta edição reservados à
Editora Planeta do Brasil Ltda.
Rua Bela Cintra 986, 4º andar – Consolação
São Paulo – SP – 01415-002
www.planetadelivros.com.br
faleconosco@editoraplaneta.com.br

Para o Ita

SUMÁRIO

Uma apresentação
11

Playlist para acompanhar a leitura
17

Você não vai acreditar, mas...
21

Conta comigo
291

Uma despedida
305

Agradecimentos
311

"Sem alegria nem cuidado, decidiu um adeus para a gente.

E a canoa saiu se indo."

"Ele não tinha ido a nenhuma parte.
Só executava a invenção de se permanecer naqueles espaços do rio, de meio a meio, sempre dentro da canoa, para dela não saltar, nunca mais."

"A terceira margem do rio".
Guimarães Rosa. *Primeiras Estórias*, 1962.

UMA APRESENTAÇÃO

Este livro começou a ser escrito anos atrás, ainda em formato de blog. Todo domingo, eu postava um texto novo, que nada mais era do que conversas que eu gostaria de ter com o meu irmão mais velho, Itamar, ou Ita, que estava em coma desde 2005.

Foi numa sexta-feira de setembro que a nossa vida mudou. O Ita saiu para trabalhar. Ele tinha 41 anos. No fim da tarde, minha mãe recebeu um telefonema avisando que ele estava hospitalizado. Meus pais correram para lá, sem saber o que tinha acontecido. Eu cheguei pouco tempo depois, desesperada, e encontrei o Fabio, nosso irmão mais novo, na porta do hospital.

Tenho flashes desse fim de tarde confuso, triste, irreal. O Ita tinha sofrido um infarto, seguido de sete paradas cardíacas. O estado dele era muito grave. Nos primeiros dias, o coração era o mais preocupante. O Ita ficou em coma induzido por uma semana e, quando a função cardíaca evoluiu, os médicos resolveram diminuir a sedação. Só que o Ita não acordou.

Os médicos disseram que poderia demorar um pouco mais, já que ele não tinha morte cerebral e sim uma lentificação nos estímulos. Mas, conforme o tempo foi passando, os prognósticos não eram bons.

O Ita ficou quatro meses no hospital e depois foi para a casa dos meus pais com uma estrutura de home care e enfermagem vinte e quatro horas. Naqueles primeiros tempos, não sei se tínhamos muita esperança ou falta de noção da extensão do problema. Acho que a gente faz uma seleção do que consegue ouvir. Precisávamos nos acostumar com a nova rotina: sessões diárias de fisioterapia, fonoaudiologia, visitas de médicos e nutricionistas, alimentação por meio de uma sonda.

Um pouquinho de creme, uma gelatina, um Danoninho oferecidos pela fonoaudióloga eram mais para estimular a deglutição – e aplacar o coração dolorido da minha mãe.

Aliás, minha mãe me surpreendeu. Ela nunca perdeu a fé, queria o Ita do jeito que fosse, contanto que estivesse ao lado dela. Meu pai mostrou resiliência e aceitou o que tivesse de ser.

Coube a mim realizar as coisas mais práticas, o contato diário com os médicos, o dia a dia com os enfermeiros. Queria poupar meus pais. Fazia muitas perguntas, mas sabia o que queria escutar. E isso os médicos não podiam me dizer.

O tempo vai passando e você vai entendendo que algumas mudanças são definitivas. Entendi, então, que o Ita não era mais aquele irmão que eu amava e conhecia. Aquele tinha morrido naquela tarde de setembro de 2005. Havia outro que eu precisava amar, mas que eu nem conhecia.

Os médicos diziam que ele tinha uma interação diferente comigo, por menor que fosse. "O tônus muscular dele muda quando ele ouve a sua voz", eles diziam. Mas isso era tão, tão pouco perto do que nós tínhamos antes.

Nós três, Fabio, Itamar e eu, sempre fomos muito agarrados. Mas eu era ainda mais próxima do Ita por gostarmos das mesmas coisas – filmes, shows, viagens. Na juventude, fazíamos parte da mesma turma. Casei com um dos seus melhores amigos, pai dos meus três filhos, Bruna, Lucca e Maria.

Dividíamos também o mesmo gosto musical. O Ita cantava bem e aprendeu violão na infância. Pela escolha da música que botava para tocar, eu sabia quando ele estava especialmente feliz. Sempre me mostrava canções novas de que eu poderia gostar e muitas vezes me telefonava e colocava um CD inteiro para tocar.

E agora ele estava ali, naquele quarto, em silêncio. Como no conto "A Terceira Margem do Rio", de Guimarães Rosa, "ele não tinha ido a nenhuma parte. Só executava a invenção de se permanecer naqueles espaços do rio, de meio a meio, sempre dentro da canoa, para dela não saltar, nunca mais". Para mim era como se o Ita tivesse resolvido viver assim e eu não pudesse mais alcançá-lo.

De alguma forma, eu também entrei em coma com ele durante esse processo. Terminei um namoro, parei de escrever, de encontrar amigos, de viajar. Precisava lidar com novos sentimentos que passei a viver depois do que aconteceu com o meu irmão: raiva, insegurança, medo, culpa, inveja. Sim, inveja. Inveja de quem tinha irmãos acordados por perto.

Demorei um tempo para finalmente escrever como tudo isso me afetou. Há uns anos, no dia do aniversário do Ita, ampliei uma das últimas fotos que ele tinha tirado enquanto estava bem. Era uma foto 3×4 que encontrei no bolso da calça que ele usava no dia em que foi para o hospital. Postei nas minhas redes sociais e escrevi um post como se fosse para ele. Muita gente comentou. Amigos meus, dele, do Fabio, da minha mãe, do meu pai, familiares distantes... Era como se o Ita estivesse de volta nas rodas de conversa. Durante semanas, ele passeou pelas minhas redes, por meio de lembranças e orações.

Foi ali que entendi que escrever "organizava meu caos", como diz Antônio Candido. Criei o blog *Pra quando você acordar*, um diário de bordo ao contrário, pra quando o Ita voltasse. Passei a incluir nos textos muitas citações de autores que diziam exatamente o que eu queria dizer e não sabia como. E, pouco a pouco, os sentimentos pesados foram dando lugar à leveza, ao alívio e à cura.

Passei a escrever muito. Contei para ele quem tinha casado, quem tinha nascido, quem tinha morrido. Avisei sobre as lojas que fecharam, os filmes que foram lançados, as redes sociais e os aplicativos. Falei de governos, atentados e desgovernos. O que mais me deixava feliz era que, por meio dessas conversas e reflexões, eu sentia o Ita fora das paredes do quarto onde ele dormia havia tantos anos. Ele passou a me acompanhar nas mudanças cotidianas, nos acontecimentos da nossa família, nas transformações do mundo.

Para cada uma das conversas, escolhi trechos de músicas. Músicas de que ele gostava, músicas que ele ainda não conhecia. E a música, que sempre foi parte importante da nossa relação, voltou a ser nossa interlocução.

Uma amiga me disse uma vez que o Ita acordou o que em mim dormia. Acho que foi isso mesmo. E o resultado é este livro aqui.

PRA QUANDO
VOCÊ ACORDAR

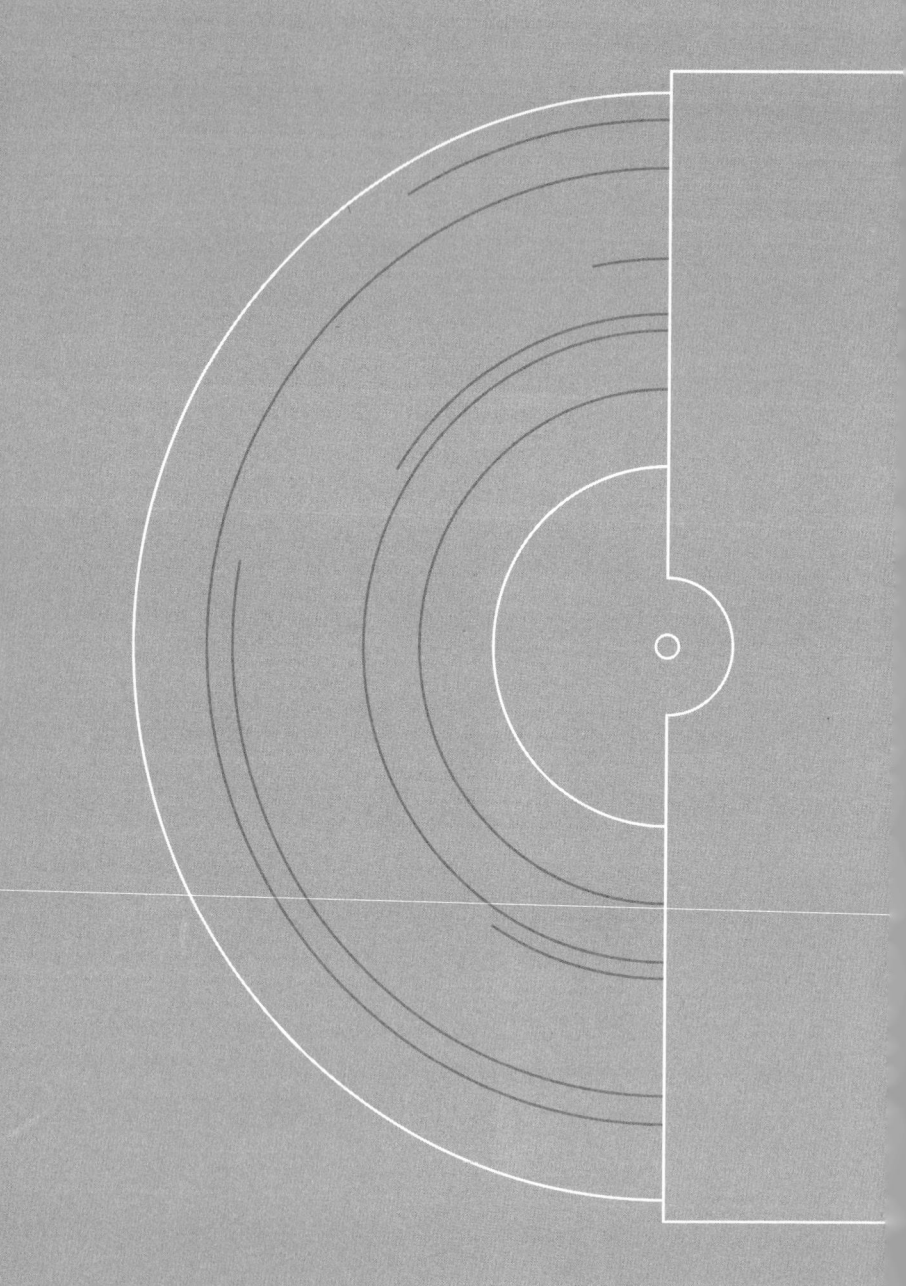

PLAYLIST PARA
ACOMPANHAR
A LEITURA

https://spoti.fi/34y66D5

"Não pisou mais em chão nem capim."

"E nunca falou mais palavra, com pessoa alguma."

"Nem queria saber de nós; não tinha afeto?"

"A terceira margem do rio".
 Guimarães Rosa. *Primeiras Estórias*, 1962.

ALMAS
COM PERFUME
DE JASMIM

AQUELE EM QUE VOCÊ MORRERIA

Você não vai acreditar, mas você morreria numa sexta-feira de setembro, oito anos atrás, no final da tarde. Era um dia comum. Comum demais para morrer. Eu pendurava fotos antigas na parede da minha casa um pouco antes do telefone tocar.

E então foi assim. Você não morreu, está por aqui, mas ainda não é você. Suas mãos mudaram, sabe, o formato dos dedos mudou. Eles ficaram mais longos e finos, como dedos de outro alguém que não é você. Me dei conta de que a gente é do jeito que é pelas coisas que a gente toca e pelo jeito que a gente toca em cada uma delas.

Não ter respostas tem sido difícil, em uns dias mais do que noutros. A Marta, filha da Laura, escreveu para uma peça uma frase muito, muito bonita: "O tempo se encarrega de botar as nossas dores em prateleiras cada vez mais altas, mas elas sempre estarão conosco". Lindo isso, né? Tem tempos que a caixa fica fechada, mas às vezes ela despenca na minha cabeça.

Você fugiu do quê? Por quê? O que estava tão pesado para você e por que eu não pude te ajudar? Onde eu estava? Onde você estava?

Não pude fazer da minha dor uma bandeira. Não levei uma palavra de conforto e fé para quem passava por alguma coisa semelhante. Tive raiva. Como alguém continuava comendo feijoada num sábado à tarde na Vila Madalena e você não?

Não falei para irmãos que estavam brigados, separados, que não valia a pena. Que a vida é esquisita e, quando você menos espera, leva alguém embora.

Fico lembrando da nossa última conversa no telefone, quatro dias antes. A gente falou sobre um iPod de presente de aniversário para Bruna e não sobre a possibilidade de eu nunca mais ouvir sua voz.

E, agora, onde você está?

A Cabala explica que a alma coletiva chamada "Adam" foi despedaçada em 600 mil partes e cada uma dessas partes tem um pedaço do original. Quem sabe eu acredite que sua alma também esteja dividida por aí, guardada em pedaços com quem te conheceu pela vida, na escolinha do Pinheiros, na Escola do Jockey, no Colégio Palmares, no Objetivo, em Camburi, em Maresias, nos bares.

Esteja com tantos primos, tios, mulheres, amigos e canalhas – sim, porque você conheceu e conviveu com canalhas, eles estão em todos os lugares.

Tem uma parte da sua alma comigo, com o Fabio, com a mãe. O pai levou um pedaço com ele para juntar de onde estiver.

E tem partes preciosas com a nossa nova geração, porque eles, seus sobrinhos, conhecem a verdade, não questionam, aceitam, esperam, e só – *os meninos são todos sãos, os pecados são todos meus.*

Sabe, as meninas são mulheres alfa, fortes, inteligentes, decididas. Os meninos, os três, são anjos disfarçados…

Quem sabe seja o tempo de descobrir um aplicativo na rede que ajude a juntar esse quebra-cabeça e refazer você?

A vida é esquisita.

DETEFON, ALMOFADA E TRATO

AQUELE SOBRE O GATO

Você não vai acreditar, mas eu tenho um gato! Eu sei, ter gatos não parece com a gente. Nunca ninguém teve gato na nossa família, acho que não está no nosso DNA. Mas eu tenho. E há sete anos. Desde um pouco depois que você dormiu.

Na verdade é uma gata. Peguei meio que por interesse, pensando numa relação serviçal para deixar de gastar com desratizações frequentes e caras. Nas palavras do próprio desratizador, "milhares de ratos habitam a Vila Olímpia". Pensei então na história de ter um gato.

Em troca de casa, comida e almofada lavada, ele espantaria os ratos. E de graça! Comecei a perguntar para conhecidos se alguém sabia de um gato para adoção. Se for pra ter um gato, queria um gato gordo, todo branco, peludo, rabo descabelado, como aqueles de pelúcia cafonas da Lionella, lembra? Mas gatos assim são de raça, ninguém doa e decerto não perseguem ratos.

A esposa do Márcio falou que a sobrinha tinha uma gatinha, mas se descobriu alérgica e a mãe queria doar o animal. "É branca?", resposta positiva. "É peluda?", segunda resposta positiva. "Eu quero!"

A gata chegou dentro de uma caixa de sapato, com fita adesiva prendendo a tampa, num sábado à tarde. A esposa do Márcio não quis entrar, estava atrasada, precisava buscar o filho no futebol. Peguei a caixa e entrei em casa, ansiosa para ver minha gatinha fofa.

Abri a tampa no meio da sala. De dentro da caixa pulou a gata que era o completo oposto do que eu tinha imaginado: magérrima, cabeçuda, preta, laranja e bem pouquinho branca em volta da boca, no peito e nas patas. Era meio careca perto das orelhas e, feroz, grudou as unhas no que viu pela frente. Sem saber o que fazer, fechamos a gata no lavabo. A primeira ideia que me passou foi nunca mais tirá-la de lá!

A antipatia foi recíproca, confesso. A gente não se dava muito bem com ela – *eu não tinha nem nome para lhe dar* –, mas ela também não via graça nenhuma na gente. Muitas vezes, dormiu na chaminé do vizinho, só para ficar bem longe. Para a gente ela era Ogato:

— O gato tá na cozinha?
— Tem comida para o gato?

Apesar de tudo, tínhamos aquela relação de trabalho e respeito: ela espantava os ratos, eu dava ticket alimentação e auxílio-moradia. E assim cumpríamos nosso acordo.

Mas por que estou escrevendo tudo isso? Porque hoje à tarde minha gata escapou pelo portão da frente e foi atropelada. E você precisava saber dessa história, já que corre o risco de você acordar e nem saber que eu tive uma gata por sete anos. Esse assunto não será uma prioridade para se falar sobre, claro.

E também porque vi o quanto sou louca por ela e estou sofrendo com a possibilidade de ela ir embora antes de você voltar. Sabe os pequenos detalhes e as relações de afeto que a gente vai construindo com os dias sem se dar conta de quanto ficaram imprescindíveis e necessários?

Hoje sei que a vida é muito melhor com ela. Ela, Ogato, e eu só precisávamos de um tempo para nos conhecer. O rabino Nilton Bonder escreveu que "para que este mundo seja mais tolerante é fundamental que as pessoas se conheçam mais. A paz só é possível entre pessoas que se conhecem".

É preciso tempo para se conhecer. *Take your time*, Ita. E fique em paz.

QUE A FÉ NÃO COSTUMA FALHAR

AQUELE DAS RELIGIÕES

Você não vai acreditar, mas um pajé foi te visitar quando você estava no hospital. Um amigo do Fabio que levou, porque naqueles dias, com a nossa fé colocada à prova, qualquer crença emprestada servia.

Ele sugeriu que você tomasse veneno de sapo. Podia causar vômitos, diarreia, taquicardia e alterações de pressão, mas seria ótimo para você acordar.

Fiquei com o pajé dentro do quarto, enquanto ele colocava argila na sua testa. Perguntei, pausadamente e em voz alta (como se ele fosse deficiente auditivo e não pajé):

— Por-que-meu-irmão-está-assim?

— Porque ele é mau!

— Meu irmão é mau?

— Não seu irmão, o espírito da floresta! — respondeu com uma cara quase óbvia e ficou em silêncio o resto do tempo, achando que eu não sabia nada da vida, nem de florestas, espíritos e sapos. E eu não sei mesmo...

O Zé Luiz trouxe um neurologista para ver você. O Beto trouxe outro. E um amigo do pai mais outro, além de todos os do hospital. E todos unânimes. O pior infarto na pior idade com danos neurológicos por causa da extensa parada cardíaca. Diante daquele prognóstico da ciência, nos voltamos para a crença alheia.

Outro amigo do Fabio – nosso irmão é um homem de contatos – levou três monges tibetanos no dia em que você saiu da UTI e foi para o quarto. Vestidos a caráter, se sentaram no chão, chacoalharam sininhos, acenderam incenso e entoaram mantras. Alguém precisava ficar na porta, para avisar a tempo de apagar o incenso, caso alguma enfermeira se aproximasse. Fiquei de "porteiro", mas curiosa com o que acontecia lá dentro. Abri bem pouquinho a porta e me emocionei ao ver o pai e a mãe sentados no chão, balançando os sininhos.

Um Lama veio dois dias depois te conhecer – fazia parte do pacote do Tibete. Ele ficou com você mais de duas horas, sozinho. Quando saiu, não disse nada e foi embora. Não sei se foi para acalmar nosso coração ou se foi verdade, mas o amigo do Fabio telefonou em seguida para dizer que o Lama tinha uma certeza: "demora, mas o Itamar volta".

Muitos padres que o pai conhecia foram rezar por você. Você ganhou imagens de Nossa Senhora de vários lugares e títulos: Aparecida, de Fátima, de Lourdes, da Penha, de Medjugorje, de Schoenstatt, das Graças, da Cabeça, da Rosa Mística, da Esperança, Desatadora dos Nós. E a mãe, fervorosa, colocava uma a uma ao lado da sua cabeceira.

Foram também muitos evangélicos, que levaram carinho, palavras e as certezas que buscávamos. Todos, sem exceção, tinham apenas um pedido: retirar as imagens de Nossa Senhora do quarto. E a mãe, crente, colocava todas as Marias para dentro do armário. Não sei quantas vezes ela fez isto: colocava todas ao seu lado, colocava todas dentro do armário.

Você tomou banho de ervas, florais, passes e sermão. E nada aconteceu. Foi visitado por mães de santo, budistas e messiânicos. E nunca aconteceu.

Um dia, uma amiga do Fabio se ofereceu para levar – e pagar – um paranormal famoso, que cobrava em dólar por uma energização. Ele chegou numa tarde vertendo óleo e perfume das mãos. Só quis nós quatro com você no quarto: o pai, a mãe, o Fabio e eu. Andou em volta da cama, com as mãos no bolso, respirou fundo, tocou na sua testa. E você, que havia quase um mês não se mexia, tentou levantar a cabeça e gritou. Conheci o paraíso. Achamos que era o começo da sua volta. Tempo de celebrar.

Dois dias depois, de madrugada, ele ligou para o Fabio e de novo queria te ver. Pediu para que eu fosse para o hospital também. Estava me sentindo a escolhida e que faria parte do milagre de ver você levantar.

O paranormal estava muito falante, animado, tinha bebido um pouco e tudo parecia um filme. Dentre outras façanhas, disse que conseguia chocar um ovo nas próprias mãos e fazer nascer um pintinho.

Entrei com ele no quarto. Ele me disse que eu veria luzes coloridas de cura saindo da sua cabeça, Ita. E quando aproximou as mãos em concha perto dos seus olhos, eu vi as luzes coloridas.

Nessa hora, ele me pediu muita concentração e fé. Deu a volta na cama devagar, trocando de lugar comigo. Mas quando tirou as mãos do bolso novamente, meio atrapalhado pela bebida, fez com que um daqueles anéis ordinários de luzes, aqueles que a gente compra em dúzias na 25 de Março, acendesse antes da hora. Vi a luz colorida já piscando de dentro do bolso.

Eu não queria acreditar. Meu mais novo guru, capaz de fazer você se levantar com o toque das mãos, que cobrava em dólar, chocava pintinhos e fazia milagres, não passava de uma farsa com um anelzinho da 25? Conheci o inferno. Tempo de desacreditar.

Como eu contaria para o pai, para a mãe, para o Fabio, para os meus filhos?

Ele continuava com o show e me perguntou:

— Tá vendo as luzes de cura? Verde, azul, amarela?

O anelzinho piscava sem parar nas mãos em concha. Vingativa, eu disse:

— Não tô conseguindo ver nada!

Confuso, ele insistiu:

— Como não? Olha que lindo, verde, azul, amarela!

As luzes continuavam piscando:

— Acho que não estou concentrada, não tô vendo nada!

— Lilás? Roxa?

— Nada, nenhuma!

Ele ficou na dúvida se o charlatão era ele ou eu.

Saímos do quarto em silêncio. A amiga e o Fabio ansiosos lá fora e eu não consegui dizer nada. Fomos embora. Demorei um tempo para contar para o Fabio e quase dois anos para contar para o pai e para a mãe a noite da farsa.

E nesse tempo minha fé falhou. Assim como as imagens de Nossa Senhora, guardei minha crença dentro do armário e por muito tempo não tirei de lá.

Mas Guimarães escreveu que "Deus existe mesmo quando não há".

Hoje, em vez de querer que tudo aconteça do jeito que quero, consigo querer o que é melhor para você.

CORAÇÃO, DESEJO E SINA

AQUELE SOBRE A MÃE

Você não vai acreditar, mas a mãe tirou fotos para uma revista feminina no ano passado. O tema era a beleza em cada idade. Não nos surpreende mais a beleza dela, não é? Modéstia à parte, era a mãe mais bonita do Clube Pinheiros, da Escola do Jockey, do Colégio Palmares e de mais um continente à sua escolha. Uma mistura de Samantha, do seriado *A feiticeira*, com Jill Munroe, de *As panteras*.

A grande surpresa foi descobrir nela uma capacidade que eu não imaginava que tivesse. *O fardo pesado que leva deságua na força que tem.* E que força.

Desde o primeiro dia no hospital até hoje, ela nunca perdeu a fé ou questionou ou se revoltou. Quando o intensivista deu o primeiro diagnóstico de que seria uma noite difícil, que poderíamos perder você, a mãe disse: "Quero o Itamar do meu lado, do jeito que for". E os anjos disseram amém.

Claro que existe tristeza. Nos olhos, nas músicas que ela ouve, nas comidas que deixou de fazer porque você gostava. Mas não existe nada mais avassalador do que o amor que ela sente por você.

Ela costuma dizer: "Meu filho está acamado". Não diz em coma ou em estado vegetativo persistente. Para quem não sabe, pode parecer uma gripe, caxumba ou dengue. E alguém assim pode se levantar de uma hora para outra.

A mãe continua encantando quarteirões. É querida por todos que trabalham em casa – e olha que hoje em dia tem mais gente de fora do que da família. São enfermeiros, nutricionistas, fisioterapeutas, fonoaudiólogas, médicos, seguranças e o Jair, muito mais anjo da guarda do que motorista da mãe.

Ela tem aquele mesmo álbum, com as folhas caindo e os plásticos dobrados, com fotos de todos nós. Do rapaz do açougue ao caixa do banco, todo mundo já viu! Ela carrega para todos os lugares e ama mostrar.

Posso ir a um mesmo lugar dez vezes e ninguém conhecer nada da minha vida e eu não conhecer nada da vida de ninguém. Mas basta a mãe ir uma vez a esse mesmo lugar, que ela vai ficar conhecendo o nome de todos os parentes da pessoa, as doenças hereditárias, as preferências de estilo. E da décima primeira vez que eu for, o outro já saberá, claro, que sou mãe de gêmeos e de uma jornalista incrível e que costumo ter pedras no rim.

A mãe não perde esse jeito de estar sempre aberta a novas amizades. Logo depois que você dormiu, fomos com a tia Regina, a Ana e a Flavia assistir a uma missa exorcista na Paróquia Nossa Senhora do Paraíso. Estava lotada e não me sentei perto dela. Olhei de longe e em cinco minutos a mãe já estava mostrando o álbum de fotos para uma mulher desconhecida.

Acredita que a agenda telefônica dela é ainda a preta, aquela que o Zé Paulo deu de presente quando a gente ainda namorava? Já é considerada parte integrante da família, embora só a mãe consiga estabelecer contato com ela. A página J pode estar tranquilamente antes do B ou depois do P. E o telefone de um médico, por exemplo, pode estar em D de doutor, M de médico, na inicial do nome dele ou do hospital onde ele trabalha.

A mãe ainda adora contar que é irmã do Zé de Abreu. E mantém a desculpa de que foi o outro quem perguntou e não ela que quis falar.

— Eu estava no cabeleireiro e não sei como começou o assunto, mas falei para manicure que eu era irmã do Zé. Ih, ela contou pra todo mundo!

Como se o assunto tivesse começado assim:

— A senhora vai passar um branquinho ou escuro? Por falar em esmalte, a senhora, por acaso, tem algum irmão que trabalha na Globo?

Essa semana toda, ela passou pensando no almoço de domingo. Não sei se vai ser feijoada ou bacalhau, mas ainda não teremos na mesa o estrogonofe de nozes que você adorava. Já são nove Dias das

Mães incompletos. Mas com a certeza de que, em algum caderninho sem capa, onde a fé, folhas soltas e ingredientes se misturam, a mãe guarda o segredo das suas receitas preferidas, Ita.

    Pra quando você acordar.

É VONTADE DE ESQUECER

AQUELE SOBRE APAGAR MEMÓRIAS

Você não vai acreditar, mas o Leonardo DiCaprio é realmente um bom ator. Ele foi indicado ao Oscar esse ano, mas não ganhou. No ano em que você dormiu, ele também foi indicado e em 2007, de novo. Três indicações a Melhor Ator mostram que ele é bom, mesmo você não achando.

Você gostava – gosta? – de assistir aos filmes indicados ao Oscar. Fico pensando qual foi o último filme a que você assistiu. Dessas curiosidades meio mórbidas que eu às vezes penso, não sei se para me consolar ou para me torturar: *Qual foi a última coisa que você comeu?*, *Falou com alguém ao telefone quando começou a passar mal?*, *Sentiu medo?*

Fico na dúvida se você assistiu ao *Brilho eterno de uma mente sem lembranças*. Foi o ganhador do roteiro original em 2005. É um dos filmes favoritos da Maria, e, como ela é cineasta e cinéfila, levo muito em consideração as preferências dela. Não foi um filme de que gostei e ainda não entendo por quê.

Joel quer esquecer Clementine e para isso decide se submeter a um tratamento para apagar da memória os momentos vividos com ela.

Não vou mentir. Muitas vezes quis ter apagado você de mim. Todos os momentos. Preferiria não ser tão agarrada a você. Ser daquelas irmãs distantes, que escolhem, sem remorso, amigos de faculdade para serem padrinhos dos filhos. Ou irmãos que ficam muito tempo sem saber do outro, não se preocupam, têm pouco ou quase nenhum contato. Teria sido bem mais fácil. Assim, quando ouvisse "paciência, essa é a história dele, o carma que ele escolheu", recolheria minha dor e seguiria em frente. Acho que nem teria dor.

Mas apagando você, tudo que passamos juntos também iria embora.

Desapareceria a noite anterior ao meu casamento, em que ficamos no meu quarto até de madrugada chorando e prometendo poder contar um com o outro para sempre.

Eu não conheceria todas as suas risadas, do que achava graça, as tardes com sentido, todos os aniversários, as férias em Santa Rita, na fazenda da tia Zita, em Resende, no quintal da tia Clara e na Capelinha, onde jogar besouros vivos no meu cabelo e no da Paula era sua maior diversão.

Desapareceria a manhã em que você me achou na praia de Ipanema num domingo lotado de sol e eu, perdida e apavorada, olhando os guarda-sóis todos iguais, com a certeza de que nunca mais encontraria vocês.

E todas as visitas surpresas no meio da semana para me levar com os meninos para jantar e todos os presentes incríveis e inesperados para eles e todas as vezes que te odiei para sempre.

Iriam embora a sensação de se ter sido amada, as trilhas sonoras da nossa vida, a vontade de contar algo que só você entenderia. Ainda hoje me pego pensando: *Preciso perguntar pro Ita quem é essa pessoa que me adicionou no Facebook e que eu não me lembro de onde conheço.* Você com certeza saberia.

Arrependido da decisão de apagar da memória quem ele ama, Joel começa a encaixar Clementine em momentos de sua memória dos quais ela não participa, para tentar enganar o processo e preservá-la ali.

Sim, sinto falta da gente, sofro muito por isso, mas não, eu nunca abriria mão de você. Fica tranquilo, vou lembrar dos momentos que não vivemos, sentir saudade do nosso futuro e vivê-lo por nós. Prometo ver os filhos do Fabio crescerem, me orgulhar de quem os meus se tornaram, amar o Fabio e cuidar da mãe – e vice-versa.

YOU'VE GOT A FRIEND IN ME

AQUELE SOBRE O SEU NOVO AMIGO

Você não vai acreditar, mas Sir William Shakespeare está perto de você há seis anos. Tá certo, não é nem tão Sir nem tão Shakespeare, mas é William e um ótimo contador de histórias.

Seu William é o enfermeiro que cuida de você há mais tempo. E com total dedicação. Mas não é isso que chama a atenção. Seu William conversa com você durante horas e, o mais incrível, diz que você responde. Os assuntos são os mais diversos. Às vezes, ele sai do seu quarto e fica sentado na sala. Quem passa, pergunta:

— Tudo bem, seu William?

— Tudo bem, o Ita tá um pouco irritado comigo porque atrasei a prestação da minha casa, então pediu para eu sair.

E diz que você não gosta quando ele come pizza de calabresa ou não aproveita as liquidações.

— Dona Elvira, o Ita acha que eu tenho mesmo que comprar a máquina de lavar de oito quilos.

Você tem febres repentinas e inexplicáveis de vez em quando. Inexplicáveis para a medicina e para os mortais. Não para seu William.

— Essa febre não é nada! Ita tá um pouco preocupado com a casa na praia, mas já falei que está tudo tranquilo!

E a febre passa.

A primeira vez que você "falou" com ele, o pai ainda estava vivo e fazia pouco tempo que seu William estava lá. Segundo ele, suas primeiras perguntas foram:

— Mamãe fuma? Papai sabe?

E sabe quando você faria essas perguntas? Nunca! Não pelo fato de querer saber se a mãe fuma escondido, mas por chamá-los de mamãe-papai. Acho que nossa única herança do gauchês do Ita-avô é falar "o pai isso, a mãe aquilo". "Mamãe fuma? Papai sabe?" virou piada interna – sem ele saber, é claro.

Nas noites em que a mãe perde o sono, os dois passam a madrugada conversando. E aí que seu William conta para ela todos os seus questionamentos, quanto você está mais desperto, como você melhorou, num papo sem fim, regado a dúzias de balas de coco.

Como diabético, seu William não deveria comê-las. Mas come. E daí, com a glicose em quinhentos, as histórias se multiplicam e a mãe fica feliz – *mentiras sinceras me interessam.*

Seu William é uma pessoa sozinha. A mãe dele morreu há dois anos e agora só tem um sobrinho distante. Você é muito importante para ele.

Ele não se importa de dobrar horário se outro enfermeiro não vem. Mas também é muito ciumento e aproveita para dizer que é você quem não gosta daquele outro enfermeiro, ou da fisio ou da fono. "Melhor não vir mais, Dona Elvira."

Assim como no desenho *Toy Story*, em que os brinquedos tomam vida quando ninguém está olhando, imagino você e seu William quando a casa dorme. Você se levanta, se senta na poltrona, seu William deita e você faz uma sessão de terapia com ele.

Talvez, se não fosse por tudo o que aconteceu, vocês nunca teriam seus caminhos cruzados. Hoje vocês são parceiros.

Acho que quando uma pessoa morre – ou dorme! – as lembranças sofrem um processo de decantação. Os defeitos, mais densos e pesados que as qualidades, são depositados no fundo da memória e as qualidades se sobressaem, transparentes, insípidas e inodoras.

Assim, recriar você, mesmo para quem não te conheceu, é fácil e o resultado é encantador.

Não que você não tivesse um milhão de coisas boas, mas, evidentemente, não era – ou é – perfeito. Agora sua reputação está lá em cima. Trate de levar a sério.

Eis a questão: por que você só fala com seu William, Hamlet?!

AS COISAS NÃO PRECISAM DE VOCÊ, QUEM DISSE QUE EU TINHA QUE PRECISAR?

AQUELE DA CASA IMUTÁVEL

Você não vai acreditar, mas é tão difícil perceber como algumas coisas não mudam, apesar de você. Na primeira noite com você no hospital, fui até a nossa casa buscar um casaco para a mãe. Ela saiu correndo, desagasalhada, quando soube o que tinha acontecido. A gente iria passar a noite ali no saguão e tem frio na espinha que se consegue aplacar.

Levei o controle da garagem de casa. A porta abriu fazendo o mesmo barulho desses trinta e cinco anos. Se alguém estivesse distraído, poderia achar que era você voltando do trabalho. Mas não. Você não abriria aquela garagem nunca mais?

Subi a escada. O taco do último degrau continuava solto. O reflexo dos vidros de perfumes no móvel dos três espelhos aparecia contorcido como sempre. Na cozinha não tinha ninguém. A luz que iluminava era da porta do micro-ondas aberta. Como, se você não tinha tomado o leite da madrugada? Você não abriria a porta do micro-ondas nunca mais?

O cachorro da casa ao lado latiu uma, duas, três vezes com a minha presença. O vizinho do prédio ensaiou a música desafinada no piano. Os casacos da mãe estavam ali, empilhados e meio bagunçados como ontem e como amanhã.

Então quer dizer que só eu dali tinha mudado? A casa continuaria igual? Seu quarto, a mesa, as vassouras e as garrafas de cristal?

Os tacos soltos eram os meus? A imagem distorcida era a minha? A música descompassada era interna? A minha luz não me iluminava mais?

A Milly Lacombe tem um texto lindo que escreveu quando o pai dela morreu. Diz assim: "O telefone continua tocando, as contas continuam chegando, você se pega, mais cedo do que tarde, rindo de uma piada boba. Tudo se encaixa outra vez. Com uma diferença: nada será como antes".

Ita, presta atenção: apesar da casa imutável, eu não posso perder você.

SOU COMO AS PEDRAS

AQUELE DAS PEDRAS NO RIM

Você não vai acreditar, mas dei para ter pedra no rim. E não são pedrinhas. São praticamente pedregulhos. E também não aparecem nos dois rins, apenas em um deles, no esquerdo.

Ir ao urologista passou a ser ação cotidiana. A intenção é descobrir do que é feita a minha pedra. Na primeira visita, ele foi prático: exames e mudanças de hábitos alimentares. Começou tirando o óbvio: tudo que é gostoso. E seguiu então para um tira-põe-deixa ficar, dependendo de cada resultado.

A medicina está cada vez mais evoluída. As pesquisas científicas sobre medicamentos e recursos tecnológicos de exames, como ressonância magnética, tomografia computadorizada, ecocardiograma e PET-Scan, "determinaram uma evolução sem precedentes e garantiram avanços a favor da saúde".

Você pode ser visto praticamente do avesso. Mesmo assim, até agora, não descobriram do que são feitas as minhas pedras.

Porque por mais que a medicina avance, não há nenhum exame que mostre a radiografia dos nossos sentimentos e emoções. Onde mora o medo? Onde a gente guarda a raiva? Em que parte da gente estão a alegria, a mágoa, a saudade?

Um ano depois que você dormiu, um neurologista indicado por uma amiga sua foi te fazer uma visita. Ele, diferente de outros que cuidaram de você, era bem cuidadoso com as palavras e tinha humildade. Até então, a soberba e a frieza pareciam sinônimos de neurologista. O pedaço deles é o cérebro. E o cérebro é o desconhecido. E o desconhecido é Deus. Logo, eles querem dar conta de Deus.

Voltando ao neurologista cuidadoso e humilde... Ele veio num sábado, trazendo o fisioterapeuta que trabalhava com ele. O neurologista foi delicado e dizia que não sabia tudo, mas tudo o que falou não era o que eu queria ouvir.

Queria que ele dissesse que você acordaria de uma hora para outra, numa tarde de outono, absolutamente igual, tendo como única diferença o francês fluente, resultado das suas aulas no Cel.Lep na adolescência. Queria que ele dissesse que você voltaria a andar, depois de um trabalho duro de fisioterapia, mas que as chances eram enormes. Queria ouvi-lo dizendo que a memória estava preservada e que você seria de novo você.

Quando ele pediu que a família formasse um círculo e desse as mãos, estranhei. Então ele disse que formávamos uma corrente muito forte, cada um era um elo dessa corrente. E que dali para frente, você seria um elo diferente e a corrente precisava continuar firme e unida para cuidar de você.

Foi ali que tive a certeza de que as coisas tinham mudado para sempre.

Em seguida, o fisioterapeuta passou a tirar as suas medidas para preparar uma cadeira de rodas e mostrou uma tabela de letras, como a do Hector Salamanca, de *Breaking Bad*, que poderia ser a sua possível forma de comunicação com o mundo futuramente.

Foi um dos dias mais tristes.

Provavelmente nesse dia conheci o lado sombrio da Força, o meu lado B. Fui dura comigo, com você, com todos nós. Remoí esse dia muitas vezes. Guardei emoções de mágoa, raiva e ressentimento por tempo demais. E não me orgulho disso.

Mas as emoções são temporárias e há algum tempo não quero mais dentro de mim as que doem muito.

Sei que minha longa incapacidade de deixar o passado para trás me trouxe manifestações físicas e preciso me livrar delas.

Uma vez li que, ao manter a mente em silêncio, o mundo conversa com você. Pode só parecer coincidência, pode até não ter nada a ver, mas é curioso: em tupi-guarani, *Ita* significa pedra.

No rim?

VOU RASGAR MEU CORAÇÃO PRA COSTURAR O SEU

AQUELE SOBRE O NOSSO IRMÃO

Você não vai acreditar, mas o Fabio é meu melhor amigo. Tá com ciúmes? Jura? Nem um pouquinho? Não que o Fabio antes não fosse, mas você e eu sempre fomos mais próximos. Talvez por termos estudado no mesmo período nos tempos da escola, talvez por eu ter namorado amigos seus e ter casado com o Zé Paulo.

Mas o fato é que agora o Fabio é meu melhor amigo. É bom tê-lo por perto. O que nos une é o amor incondicional pela família, porque temos pouco em comum. De gostos, acho que só os programas e documentários da National Geographic. Vire e mexe a gente fala sobre gnus – e como eles têm a vida duríssima –, sobre ataques de crocodilos e de águas-vivas venenosas.

O Fabio ainda é o melhor tio que meus filhos poderiam ter. Próximo, protetor, preocupado.

Fico pensando que cada pessoa escolhe a tônica que vai dar para cada pedaço da vida: trabalho, parceiro(a), família, amigos ou ela mesma.

Acho que você escolheu amigos, não foi? Gostava de usar aquela frase meio cafona: "amigo que é amigo é no melhor das baladas ou nas piores roubadas".

Eu sempre escolhi a gente e o Fabio também. Amo estar com os meus. Porque somos muito parecidos. Todos passionais. A vó Silvinha dizia que os Bopp "nasceram à beira de cachoeira" então não sabem falar baixo, falam "gritado" quando contrariados. Será?

Fabio é refém de três menores de idade.

A Isabella é inteligente, articulada e cheia de ideias. Linda, veio com todos os opcionais de fábrica: cabelos dourados, olhos verde-claros e covinhas. Preocupada e maior defensora dos irmãos, reconheço nela muito de nós. O Fabio às vezes a chama de Mariaelvirinha, pela facilidade que tem de fazer amigos como a nossa mãe. A Isabella vai feliz a qualquer programa para o qual é convidada. Assim como o irmão, tem uma agenda cheia. Faz judô, tae kwon do, dança, inglês, natação... o Fabio herdou essa mania do pai.

O Fabinho é um menino profundo, observador, de poucas e geniais palavras. Não deve ser fácil ser o Fabio Junior. Quando ele chegou, fazia pouco tempo que você tinha dormido e a gente estava com as dores expostas. Ele não te conheceu acordado, mas vai até seu quarto, conversa com você e diz que tem saudades. Gosta quando dizem que você e ele se parecem. No aniversário do Fabio desse último ano, ele perguntou se o pedido do pai seria que você acordasse. E completou dizendo que no dele seria, já que "pedir para o vovô viver de novo era muito mais difícil".

O Derek é o amor inesperado, não planejado e que encheu aquela casa e as nossas vidas de uma alegria esquecida e reconquistada. Não fala nada, mas sorri com uma facilidade que encanta. Passa horas brincando com os carrinhos e procurando os aviões que passam no céu. O significado do nome dele é "chefe da tribo" e parece que ele exerce bem esse papel na nossa aldeia. Ele tem feito os dias da mãe muito mais cheios e felizes.

A Dani é muito parceira e a mulher que o Fabio precisava ter ao lado. Os dois se equilibram. Você sabe que, como o pai e a mãe, temos uma tendência a colocar os pintinhos embaixo das asas e nunca mais deixá-los sair. A Dani prepara as crianças para o mundo, enquanto o Fabio prefere os três grudados.

Tenho muito orgulho de quem o Fabio é, um cara bom, cheio de valores. A honestidade e a gratidão são as qualidades que mais admiro. Não gosto quando generalizam sobre a polícia. As generalizações são burras e preconceituosas. Preconceitos são falsas certezas socialmente partilhadas. E caráter se tem, ou não se tem, antes de prestar concurso ou vestibular.

Ele e a Dani *construíram uma casa uns dois anos atrás, mais ou menos quando* o Derek nasceu, lá na parte de trás da nossa casa, onde era o salão. Foi uma maneira de não deixar você e a mãe sozinhos quando o pai foi embora.

Não, ele não ocupa o lugar do pai na mesa nos almoços de domingo. Mas ocupa o seu. Quem sabe seja uma maneira de te provocar e fazer com que você queira tomar o seu lugar de volta? O sofrimento dele é silencioso, mas nosso irmão nunca desistiu de você.

Você ficou para tio, Ita, e de seis sobrinhos. Todos tão diferentes e todos tão iguais. Mas o número mágico é sete! Então ainda dá tempo da sua Bárbara chegar. Guardo para ela um lugar na mesa – e em nós.

CONSTA NOS ASTROS, NOS SIGNOS, NOS BÚZIOS

AQUELE DO HORÓSCOPO DO DIA EM QUE VOCÊ DORMIU

Você não vai acreditar, mas o horóscopo da Barbara Abramo, para você e para mim, no dia em que tudo aconteceu era o seguinte:

>Clima de mudança contagia psique coletiva, com Lua e Urano em conjunção:
>Libra – o seu.
>Júpiter e Plutão em ótimo aspecto facilitam e favorecem este período. Você cresce em prestígio, consegue arregimentar grupos e apoios para empreendimentos grandes. Hoje, Mercúrio e Marte alavancam sua mente para conseguir recursos que implementem outro projeto. Você está requisitado.
>Peixes – o meu.
>A Lua passa por seu signo, irritando seu astral e levantando questões urgentes, que remetem diretamente a quem você é e o que está fazendo de sua vida. Sínteses novas podem surgir. Ligue-se no campo espiritual para isso. Chefe ajuda você a brilhar, por seu talento administrativo.

Será que eu poderia ter processado a Barbara, a *Folha de S. Paulo*, a Lua ou o Urano? Poderia ter escrito no Reclame Aqui que fomos enganados por Júpiter e Plutão, em ótimo aspecto, e que favoreciam o período?

Segundo os astros, você crescia em prestígio e estava pronto para arregimentar grupos e apoio para empreendimentos grandes. Que leitura é essa? Nesse dia você entrou em coma!

E esta parte aqui do meu parece brincadeira: questões urgentes ligadas a quem eu sou e ao que estou fazendo da minha vida. A pergunta deveria ser "quem você vai ser daqui para frente?". Porque até o dia 16 de setembro de 2005 eu sabia exatamente quem eu era e o que estava fazendo da minha vida.

Ou não?

Há cinco anos, fiz um curso de Cabala com o pai e na primeira aula o rabino mostrou uma imagem que, dependendo do modo como você olha, pode enxergar um cálice ou dois rostos.

Pensando nessa imagem, a leitura do horóscopo da *Folha* pode ser essa que descrevi acima, na qual você-hospital-coma-dor não combinam com "alavancam sua mente para conseguir recursos que implementem outro projeto".

Mas não necessariamente seja a única leitura, a única possibilidade de ver o que aconteceu.

"Você cresce em prestígio, consegue arregimentar grupos…" Você encheu aquele hospital durante os quatro meses em que esteve ali. Veio gente de todas as épocas. Todas as noites. Virou ponto de encontro e começo de relacionamentos amorosos. Você foi cupido até dormindo.

No seu aniversário só de bolo tinham sete. Ex-namoradas se revezavam na UTI, disputando a importância de suas especialidades: médica, fisio, enfermeiras, fono… E amigos, os verdadeiros, choravam como crianças e colocavam a gente no colo. Cada um de uma maneira.

O Roberto levava água de coco para a mãe, o Maurício tocava as suas músicas favoritas no saguão, o Sérgio entregava bandejas e bandejas de esfirras, o Ziza trazia croissants e docinhos da Barcelona.

"(…) apoio para empreendimentos grandes". Se você ficou na dúvida se deveria ir ou ficar naquela noite, ver tanta gente – e sentir o quanto você era importante e amado – deve ter sido o apoio que faltava para aceitar esse desafio.

O empreendimento grande deve ter uma razão de ser. Deus não joga dados, como dizem por aí.

Quantas pessoas próximas a gente conhece que estão em coma há tanto tempo? Deve ser para bem poucos ter *mãos vazias, ter a alma e o corpo nus*.

Então, Ita, queria que você soubesse que já te achei covarde e já te achei valente. Já desacreditei em milagre e já acreditei que tudo era milagre. Vi apenas dois rostos na imagem e depois vi o cálice também. Só vi sombra, mas já consigo ver a luz.

E foi no curso de Cabala, aquele que fiz com o pai, que também aprendi que, enquanto a religião ensina a seguir regras e fazer sempre a mesma coisa, a espiritualidade exige mudança constante. "Sínteses novas podem surgir. Ligue-se no plano espiritual para isso."

Assim, segundo os astros e a Barbara, os librianos "estão requisitados" e para os piscianos é a hora de "brilhar no seu talento administrativo". Estamos no caminho, Ita. Agora é só administrar.

BUSCAR ALI UM CHEIRO DE AZUL

AQUELE DA SINESTESIA

Você não vai acreditar, mas li que um britânico sente gosto nas palavras. Ele tem um tipo raro de sinestesia, que faz com que a audição e o paladar não funcionem separados um do outro. Assim, o som de cada palavra tem um gosto: o nome da mãe dele tem gosto de sorvete e o do pai, gosto de ervilha em conserva. Mães, além de tudo, são mais saborosas!

Wannerton, esse é o nome do tal britânico, disse que se guia pelo metrô de Londres seguindo os sabores das linhas e das estações: a parada de Oxford Circus tem gosto de bolo, a Linha Bakerloo tem gosto de rocambole, a Linha Victoria de cera de vela e a Linha District de cozido de carneiro.

Incrível isso, né? O cérebro esconde muitos mistérios. E você agora vive recluso nesse lugar. Seu universo está aí e você é rei desse espaço infinito. Ou finito?

Sabia que o neocórtex é a parte do cérebro humano responsável pela consciência?

Nunca te contei isso, mas no hospital naquela sexta-feira, lembro claramente de alguém me falar: "a parte cardíaca do Itamar está estável, mas a parte neurológica está fu*#&. A gente tem de esperar".

Durante muito tempo achei que tinha sido uma fala do Fabio, porque ele foi a primeira pessoa que encontrei quando cheguei ao hospital. Ele jura que não, que nem tinha ideia de que existia esse risco. Acho que os médicos também não usariam esse linguajar e anjo também não é dado a palavrões. O que sei é que alguém claramente me falou e naquele dia você dormiu e não acordou mais. Seu neocórtex desligou.

Sabia que o cérebro consome 20% da energia do corpo? E essa energia consumida é suficiente para acender uma lâmpada?

Tudo parecia meio filme naquele fim de tarde, confuso, em câmera lenta, fora de foco e triste. Lembro de algumas coisas. Um médico bem bonzinho e jovem, que ficou com você o tempo todo, me disse que todos os órgãos "param" para garantir a função cerebral numa situação de risco. O cérebro precisa de todo o oxigênio disponível e o resto do corpo espera e "hiberna". Gosto dessa generosidade orgânica. Somos um só corpo, mas com individualidades. Um rim não almeja ser um pâncreas, como não cabe ao pulmão ser o coração. Respeitadas as diferenças, sem protagonismos ou egos. Ah, se a humanidade soubesse ser assim.

Sabia que o cérebro não sente dor e que é considerado o órgão mais gordo do corpo?

Dias depois, já no outro hospital, outro médico disse que seu cérebro era um computador sem nenhuma peça queimada. Mas, ainda assim, a máquina não ligava. E iria ligar? Não dava pra saber. O cérebro é assim, sem fórmulas ou receitas. O que funciona para um, pode funcionar diferente para o outro. Além de gordo e indolor, ele tem os seus caprichos.

Sabia que o número de neurônios no cérebro é de aproximadamente 100 bilhões e que no início da gravidez os neurônios se multiplicam em uma escala de 250 mil por minuto?

Será que, grávida de gêmeos, meus neurônios se multiplicaram em dobro? Meus neurônios ou os neurônios dos bebês?

Sabia que durante o sono o cérebro processa as informações que coletou ao longo do dia?

Depois de todos esses anos, o que você deve ter é um multiprocessador cerebral que fatia e rala cada informação. Em qual lugar estão guardadas suas memórias? Qual delas te serve, te ajuda? Será que fez uma reciclagem e jogou um monte de coisa fora? Coube em algum lugar a lembrança daquele seu bolo da Batcaverna, as aulas de violão com a tia Miriam, o cheiro de eucalipto da sauna da Capelinha?

Sabia que quando o cérebro sofre algum dano, podem acontecer síndromes que levam a pessoa a ouvir grandes explosões ou pensar que tem mais membros do que realmente tem?

Ainda me incomoda pensar em você prisioneiro de si mesmo, atravessando essa batalha sozinho, com bombas e tentáculos em volta.

Sabia que foi comprovado que pessoas com QI mais elevado tendem a sonhar mais e que o homem que possui o QI mais alto do mundo começou a falar aos seis meses de idade?

A mãe afirma que você falou "luz" aos quatro meses. *Luz, quero luz, sei que além das cortinas são palcos azuis...*

Sabia que o riso é um fenômeno unicamente humano?

E tenho uma teoria: rir de perder o fôlego de coisas bobas é um fenômeno unicamente seu e do Lucca. Uma afinidade esquisita. O Lucca é a pessoa mais engraçada que conheço. Até dormindo você gargalha daquelas bobagens que ele canta ou fala. E depois você chora. E eu acho que ele também.

Sabia que às vezes me esforço para não sentir dó de você? Quero pensar que não é porque você vive coisas diferentes da gente que vive pior. Como eu posso julgar? Eu desconheço. O cérebro esconde muitos mistérios.

Eu acho que o que desejo para você é uma infinidade de sinestesias durante seu sono profundo.

Desejo seu cérebro-meio-música-do-Djavan, interpretando todas as sensações em simultâneo. Assim, que o som da voz da mãe no seu quarto tenha diferentes sabores, que o barulho das brincadeiras das crianças no quintal traga colorido para os seus dias e que as risadas na sala aos domingos encham de melodia seu espaço.

E desejo acreditar, como Clarice Lispector, que "o que verdadeiramente somos é aquilo que o impossível cria em nós".

E CARREGA O DESTINO PRA LÁ

AQUELE EM QUE EU NÃO SABIA COMO TE CONTAR

Você não vai acreditar, mas em 2009 fizemos uma viagem para o Sul para comemorar a primeira Oktober Bopp! Sim, um encontro dos Bopp espalhados pelo Brasil, lá em Santa Maria.

Fomos todos nós de casa: o pai, a mãe, o Fabio, a Dani, a Isabella, o Fabinho – o Derek ainda não tinha nascido –, a Bruna, o Lucca, a Maria e eu. A mãe saiu com o coração apertado. Deixar você é sempre uma questão para ela. Mas seu William deu conta de acalmá-la.

O pai queria muito que fizéssemos essa viagem. Organizou sozinho nossa ida, pensou nos detalhes todos. Separou fotos antigas e comprou cartelas de fichário para escrever itinerários, hotéis, nomes dos parentes... E alugou uma van com motorista para irmos de Porto Alegre a Santa Maria, bem ao estilo *Little Miss Sunshine*.

Agora imagina o Fabio numa van com o motorista andando a sessenta quilômetros por hora e mostrando a paisagem bucólica. Ao longo dos 252 quilômetros, paramos várias vezes para trocar de lugar, porque sempre alguém estava sentado de um jeito desconfortável. A mãe, como de costume, levou uma mala enorme, como se fosse morar lá e não passar cinco dias. E Santa Maria pareceu mais longe do que Kuala Lumpur.

Quando a gente chegou, entregaram camisetas e crachás que mostravam de que tronco da família cada um era. Éramos os únicos do tronco do Ita-avô, já que o Raul, a Fe e o Lu não puderam ir. Os irmãos do Itinha tiveram mais filhos, então a família de lá é bem grande.

Na primeira noite aconteceu uma coisa esquisita. Enquanto a Dani dava banho no Fabinho, na época com três anos, ele falou:

— Mãe, quem falou Sabinho?

A Dani não entendeu muito a pergunta. Ele repetiu diversas vezes. Saindo do banho, perguntou para o Fabio:

— Pai, quem falou Sabinho?

Só o Ita-avô chamava o Fabio assim! Enfim, *mistério sempre há de pintar por aí...*

A programação era variada: almoços, jantares, missa, ir de madrugada até um lugar onde o primeiro galo cantou na terra de um Bopp ou visitar o túmulo do primeiro Bopp enterrado aqui no Brasil. Não preciso dizer que a gente não foi nem ver o galo, nem o túmulo, mas o resto foi engraçado.

No almoço do último dia, entregaram canecas com o brasão da família. Você sabia que a gente tinha um brasão? Nem eu.

O pai, sempre divertido, era disputado pelos primos de todas as idades. Nesse mesmo dia, começaram a organizar a Oktober Bopp II.

Mas não deu tempo. Ali foi o começo da despedida do pai. Logo depois que voltamos, foi diagnosticada a doença. E ele encarou esse momento da mesma forma que viveu, com dignidade, força e generosidade.

O pai foi um doente fácil. Aceitava tudo. Dizia que não queria enjoar ou ter dor. Não teve nem uma coisa nem outra. Acho que merecimento.

Médicos e enfermeiros foram se apaixonando por ele. Pelo humor, pelas gentilezas, pela inteligência. Um dia, entrei no quarto e um enfermeiro velhinho estava puxando os dentes dele com um guardanapo.

— Oi, o que o senhor está fazendo? — aflita, perguntei.

— Estou tirando a dentadura!

— Mas ele não usa dentadura, são os dentes dele.

O velhinho se desculpou e saiu do quarto. Perguntei para o pai por que ele não tinha avisado. Ele disse que não sabia muito bem o que o enfermeiro estava fazendo, mas não queria deixá-lo sem graça.

E era assim. Toda vez que uma enfermeira entrava, o pai oferecia chocolates, biscoitos e todos os mais variados doces que a mãe fazia para ele. A mãe ficou amiga do hospital inteiro – ganhou de uma recepcionista um tucunaré de três quilos vindo diretamente de Manaus!

– e o pai tinha ciúme de um rapaz da limpeza que parecia um ator indiano. Tá bom para você?

Ficamos muito juntos durante toda a doença. *Eu só queria estar ali, sempre ao lado dele.* Durante um mês ele ficou sem conseguir falar, usando sonda alimentar, mas consciente.

Claro que ele queria passar o que você passava, Ita. Era uma forma de entender você. Descobrimos o segredo e ele então teve que parar. Voltou a falar, a comer e foi pra casa.

Três meses depois, voltou para o hospital e os exames mostraram que ele estava melhor. O médico ficou animado. O corpo estava reagindo e a doença física controlada. Mas percebi no olhar dele que ele não queria mais ficar. Não por causa das intermináveis passagens pelo hospital. O pai era generoso, ele pensou na gente, queria nos poupar. Não quis nos ver ali, de novo, morando em um hospital. Tomou a decisão e o coração fibrilou.

Na segunda-feira à tarde, do dia 29 de novembro, um ano depois da Oktober Bopp, telefonei para os meus filhos e disse que o vovô queria ir embora. Conversei com o Fabio e com a mãe e decidimos que assim seria, se ele quisesse.

E o pai, mesmo muito sonolento, esperou meus filhos chegarem.

Estávamos todos lá, de novo, apertados e desconfortáveis como na van para a Oktober Bopp.

Sabia exatamente o que eu estava perdendo para sempre. Meu melhor amigo. Meu mentor. Meu cúmplice. Meu GPS – porque não é fácil andar em São Paulo. Meu Norte. Minhas referências. Meu melhor ouvinte. Meu ídolo. Meu fã.

O coração fibrilou de novo. E então dei a mão para ele e contei como eu era feliz por tê-lo tido como pai. Como ele foi necessário em todos os momentos da minha vida. Como era importante tudo o que ele tinha me deixado. E como era generoso nessa hora eu só estar sentindo paz.

Não houve dor, nem minha nem dele. Só foi bonito.

Acho que eu estava sem coragem, Ita, mas eu precisava te contar.

A DOR DA GENTE NÃO SAI NO JORNAL

AQUELE DOS INTOLERANTES

Você não vai acreditar, mas sabe aquele cruzamento da Hélio Pelegrino com a República do Líbano? Na última segunda, eu estava passando por ali e no canteiro central vi dois caras, de camisa e sapato, às oito e meia da manhã, rolando na grama, enquanto se socavam. Não sei quem eram. A única certeza é de que eram intolerantes.

O trânsito estava parado – não por causa deles, mas do horário – e então fiquei bem na divisória entre as duas pistas, próxima a eles. Abri a janela e comecei a gritar: "Para com isso! Para, chega!". Meio ridículo, mas foi instintivo. Não queria deixar aquilo acontecer, não queria que aquilo virasse notícia ou estatística. Poderia ser meu filho, poderia ser seu filho. Não fui a única. Uma menina vestindo roupa de ginástica desceu do carro e também gritou com eles e outras pessoas foram separar.

Em agosto passado, o Lucca saía de uma balada de madrugada e, a pé, acompanhava uma amiga que morava na rua de trás. De dentro de uma Santa Fé que subia a rua Quatá na contramão, desceram cinco covardes e bateram nele de graça, porque ele estava no lugar errado, na hora errada, num mundo errado.

Um taxista parou o carro, o que intimidou os covardes, colocou o Lucca e a menina para dentro e levou os dois em segurança até o prédio dela. Ele mesmo disse que isso acontece com frequência nas madrugadas da Vila Olímpia – milhares de ratos habitam a Vila Olímpia, lembra?

Imagino que é assim: um grupo de jovens ricos escolhe alguém, desce, espanca, entra no carro e vai embora, quem sabe comer um temaki, como se nada tivesse acontecido. Foram onze pontos na boca, mas, perto do que poderia ter sido, agradeci por ser só isso. Que bom que ainda existem pelas ruas taxistas generosos e meninas valentes vestindo roupas de ginástica.

Não gosto de te dar essas notícias, Ita, mas é que parece que essas são as únicas notícias desses tempos sombrios. Porque um jovem homossexual foi perseguido e morto no centro de São Paulo por um grupo de skatistas. Em 2013, 338 homossexuais foram assassinados no país, o que significa uma morte a cada 26 horas!

Uma professora, p-r-o-f-e-s-s-o-r-a, da PUC-Rio fotografou um homem vestindo bermuda, regata e tênis no Aeroporto Santos Dumont. Junto à fotografia, publicou o comentário: "aeroporto ou rodoviária?".

Também no Rio, um jovem negro foi duramente espancado e amarrado nu em um poste no bairro do Flamengo acusado de praticar roubos por ali. A ação de "justiceiros" brancos e de classe média é cada vez mais frequente.

Em Brasília, uma australiana que mora no Brasil há cinco anos disse que uma manicure era muito escura para atendê-la e perguntou se não havia outra profissional disponível.

E aqui em São Paulo, dois homens foram acusados de matar a facadas um motorista de 33 anos que estava com a mulher e o filho de um ano no carro após uma briga de trânsito, na Ponte do Jaguaré, aqui perto de casa.

Se tivesse que inventar um título de um filme para representar esses dias seria *Intolerância e preconceito*. Mas é mais que isso, é barbárie. E a barbárie é "desumana" porque não respeita os valores éticos, do direito, da ciência, da democracia e da sociedade.

TEMOS NOSSO PRÓPRIO TEMPO

AQUELE DOS 20 ANOS

Você não vai acreditar, mas o Raimundo não mora mais no canteiro central da avenida Pedroso de Moraes. Ele viveu ali, entre sacos de lixo, garrafões de plástico, papéis e lápis, de 1992 a 2012.

Um dia, alguém olhou e enxergou o Raimundo. Uma moradora do bairro parou para conversar com ele, ganhou um poema, se emocionou e contou a história dele numa página de uma rede social. Assim, ele foi encontrado pela família após anos na rua. Vinte anos depois.

Vinte anos é tempo demais.

Nesse tempo, a Bruna foi para escola pela primeira e pela última vez; o Lucca mostrou que chutava bola com o pé esquerdo e jogou nas seleções da escola, do clube e da faculdade; a Maria assistiu 512 vezes a *Em busca do Vale Encantado* e dirigiu dois curtas-metragens.

Nesse tempo, o Collor sofreu impeachment; o Fernando Henrique Cardoso e o Lula foram eleitos presidentes por duas vezes e a Dilma chegou ao poder.

Nesse tempo, o Rodrigo, o Ita-avô, o Mario Sergio, a vó Silvinha, o pai e a vó Gilda, nessa ordem, foram embora. E a Isabella, o Fabinho e o Derek, nessa ordem, chegaram.

Nesse tempo, o Palmeiras, seu time, foi campeão da Copa Libertadores e caiu para a segunda divisão. O São Paulo, meu time, ganhou o Paulista, o Brasileiro, o Mundial e foi eliminado pelo Avaí.

Nesse tempo, eu me separei, o Fabio se casou e a nossa casa foi assaltada.

Nesse tempo, a seleção brasileira conquistou o tetra e o penta e o Brasil perdeu Tom Jobim, Ayrton Senna, Renato Russo e o Millôr.

Nesse tempo, vendi meu apartamento, comprei a minha casinha e tive o Jazz, o melhor cachorro de todos os tempos.

Nesse tempo, lançaram a cédula de dois e de vinte reais, o planeta Marte passou pela menor distância da Terra e o mundo quase acabou.

Nesse tempo, a mãe fez bolos, luzes, promessas, aulas de canto e parte de um manifesto de uma revista feminina. Linda!

Nesse tempo, derrubaram as torres gêmeas, a ovelha Dolly foi clonada e Plutão virou um planeta anão.

Nesse tempo, você morou com a Carla, ficou noivo quatro vezes, foi para a Bahia, se apaixonou, se "desapaixonou", fez grandes amigos, negociou duzentos carros e ficou com vinte, comprou uma casa na praia e entrou em coma.

Entrou em coma.

E nesses vinte anos, o Raimundo esteve ali. E a gente atravessou a Pedroso de Moraes cotidianamente em dias de sol ou de chuva. De alegria ou de dor. E se acomodou em culpar o tempo – ou a falta dele – para não parar.

E assim os Raimundos foram ficando para trás, misturados com o lugar, fazendo parte da paisagem, "ignorado quando precisava tanto ser visto".

Como diz a nossa experiência e a Marina Colasanti: "a gente se acostuma, mas não devia".

TUDO DEMORANDO EM SER TÃO RUIM

AQUELE DO CORAÇÃO NUBLADO

Você não vai acreditar, mas estou triste, muito triste. É assim, desse jeito. *Uns dias chove, noutros dias bate sol* dentro de mim. Não sei se é a Páscoa, a lua sangrenta, o cheiro do outono, o comercial de despedida da Kombi. Hoje estou chovendo por dentro.

Nesses momentos, pego as palavras de Guimarães emprestadas: "tem hora em que penso que a gente carecia, de repente, de acordar de alguma espécie de encantamento".

Que a música me aponte um caminho…

QUE É PRA VER SE VOCÊ VOLTA, QUE É PARA VER SE VOCÊ VEM

AQUELE ONDE VOCÊ NÃO EXISTE

Você não vai acreditar, mas se acordar hoje, você já não sabe mais soletrar autorretrato – que agora se escreve assim, junto. Isso porque, desde 2009, existe uma nova ortografia. Você não acha que ficou a palavra mais feia do mundo? Feia ou errada? Mandachuva, minissaia, paraquedas. Todas viraram uma palavra só. Essas ficaram esquisitas, mas nada se compara a autorretrato.

Quando você acordar, vai ter de dar conta de um novo vocabulário extenso: *iPhone*, *iPad*, *touch screen*, *app*, *Wi-Fi*. Você dormiu na internet discada.

Com o fechamento das locadoras de vídeo, você também vai precisar se acostumar a um vocabulário e expressões ameaçados de extinção: VHS, multa por não rebobinar, aluguel de doze fitas ao mesmo tempo, lista de espera de lançamentos, devolução atrasada, devolução atrasada, devolução atrasada. É capaz de ter algum vídeo que ainda não foi entregue na nossa sala de televisão.

O celular agora é *smart*. Com ele você tira foto, filma, manda mensagem, lê jornais, joga, ouve música, vê vídeos e até fala com alguém no telefone. Hoje, quando se tira uma foto de você mesmo, usando o celular ou na frente do espelho, não é autorretrato, é *selfie*.

Você vai precisar saber baixar aplicativos tipo o Waze. Pensando bem, acho que não vai. Você conhece São Paulo. Depois do Waze, parei de incomodar todos os frentistas quando ando pela Vila Mariana.

Eu sempre me perdia, e encontrar um posto de gasolina era um oásis. Se bem que ainda acho frentistas e taxistas insubstituíveis nas ajudas de que preciso.

Você não existe nas redes sociais. Nem no Facebook, nem no Instagram, nem no Twitter. Fico pensando se você faria parte dessas redes. Se sim, você teria muitos seguidores e amigos virtuais, certeza.

Quando quero postar fotos suas, tenho aflição que elas estejam descolorindo ou com uma qualidade baixa. Tentei um aplicativo de edição de fotos, mas você não era mais você. Seu sorriso – logo o sorriso – ficou torto e seus olhos, verdes e tristes. Desisti.

Não sei se você usaria o *Tinder*. Ele é uma forma de comunicação virtual para conhecer alguém e, quem sabe, marcar um encontro. O procedimento é este: cada pessoa coloca uma foto, *selfie* ou não, para que outras pessoas vejam. Quem ficar interessado, clica em *love*. Quem não, clica em *nope*. Se você aprovar uma pessoa e ela fizer o mesmo com você, deu *match* e começa uma conversa.

E acho que para você, que se alimentava da conquista, o Tinder não ia funcionar. Porque você, parado no semáforo, pedia para o vendedor de balas entregar Mentex para a menina do carro de trás. Ou entregava todas as flores que o Rosas Murchas vendia na esquina da Rebouças com a Faria Lima.

Você gostava de surpreender: um piquenique na praia em uma quarta-feira qualquer, a compra de um filhote de cachorro, a aliança na mão direita e tantas outras coisas que não devo saber.

E trazia para conhecer os sobrinhos e levava para comer pizza na casa da vó Silvinha, embora ali já fosse o começo do fim, porque seu amor tinha prazo de validade. "Quando o Itamarzinho traz a namorada aqui, fico querendo não gostar dela, porque sei que ele já vai terminar." Sábia vó Silvinha. Passado o doído da separação inesperada, você conseguia que quase todas elas ficassem suas amigas para sempre.

Nope, acho que você não usaria mesmo o Tinder. Para você, o interesse seria em apenas um botão: *só love, só love*.

UMA HISTÓRIA PRA CONTAR DE UM MUNDO TÃO DISTANTE

AQUELE DO FIO DOURADO

Você não vai acreditar, mas você está espalhado pelo mundo. Além do Brasil, algumas pessoas, em 27 países diferentes, conhecem um pouco da sua história.

Mesmo sem querer, você viaja pelo mundo como o anão de *O fabuloso destino de Amélie Poulain*. Está em lugares onde nunca esteve antes. Não importa se não pensou em conhecer Oman ou Cyprus. Uma parte de você hoje está lá.

Acho que uma das razões por que fiz o blog foi esta. Colocar você para andar por aí. Trazer você para junto de mim, de nós, dos outros.

Nesses últimos anos, o que mais me incomoda é a sua perda de movimento. Como você faz para coçar o nariz? Não tem mais aquela rinite alérgica do começo do outono? Sinto falta de te ver dobrar a manga da camisa enquanto fala ao telefone; de levantar a sobrancelha com cara de óbvio quando não concorda com alguma coisa; de esticar dois dedos para os mais íntimos em vez de dar um aperto de mão. Saudades desses pequenos gestos que são absolutamente seus.

Vou te contar uma coisa. Quando tudo aconteceu, pensei que um dia, quando você voltasse, nós iríamos ao programa da Oprah Winfrey. Eu estaria no palco conversando com ela, enquanto fotos suas durante o coma seriam exibidas num telão. De repente, você entraria, lindo, andando e sorrindo para a plateia, usando uma bengala chiquérrima.

Contrariando os prognósticos médicos, você teria uma volta surpreendente e seria assunto para o paradigma Ciência e Religião. Segundo Einstein, "sem religião, a ciência é manca; sem ciência, a religião é cega".

Nesses últimos anos, passeei pelas religiões, mas fico pensando se preciso entender das Ciências para agora entender você.

As leis de Newton são essenciais na resolução de problemas relacionados ao movimento. A Lei da Inércia diz que "todo corpo continua no estado de repouso, a menos que seja obrigado a mudá-lo por forças a ele aplicadas".

Então, qual força será essa? E o que preciso fazer para aplicá-la em você?

A parte da Física que estuda o movimento é a Mecânica, a que compreende as causas do movimento é a Dinâmica e a que estuda o não movimento é a Estática.

Qual pedaço do movimento retilíneo uniforme você não assimilou?

Na Filosofia – que não é Ciência, mas base para as Humanas – o movimento é um dos problemas mais tradicionais do estudo da estrutura do Universo, porque envolve a questão da mudança na realidade.

A sua falta de movimento mudou a nossa realidade. Mudou as minhas perguntas e eu quero viver no mundo das respostas.

A Cabala – que não é Ciência, nem Religião – diz que, atualmente, "os extremos se movem para seus respectivos lados: em direção à luz e em direção à escuridão, em direção ao lado negativo e ao positivo. A área cinza está desaparecendo".

No meu mundo interno, você é essa massa cinzenta, inexplicável e desconhecida, que faz de mim um íon, carregado às vezes de carga negativa e, às vezes, de positiva. E que me faz balançar por esses dois mundos, de sombra e de luz, de dúvidas e certezas, da razão e da emoção em busca do meu equilíbrio.

Enfim, Ita, você sabe que eu sou de Humanas e que, para mim, *o céu de Ícaro tem mais poesia que o de Galileu*. Assim, prefiro as respostas dos mitos às respostas da Ciência.

Minotauro – um dos seus apelidos! – vivia num labirinto. Quem sabe você só precise de um carretel e um fio dourado como guia para encontrar a saída? Jorge Luis Borges escreveu que "nosso belo dever é imaginar que há um labirinto e um fio".

Então, a gente, em 28 países diferentes, te puxa para fora daí.

É DO TIPO CARA VALENTE

AQUELE EM QUE A BRUNA ESCREVE SOBRE O LUCCA

Você não vai acreditar, mas meus filhos cresceram. E a Bruna quer te contar sobre o Lucca.

"Má, tenho um cara legal para te apresentar. Quer dizer, reapresentar. Porque ele ainda tem muito do menino de 14 anos que você conheceu, mas certas coisas a gente só ganha com o tempo.

O Lucca é daqueles que não deixa a conversa esfriar, conquista você na primeira gentileza e é irritantemente feliz. Quando chega em casa, todo mundo sabe de longe: por entrar cantando a música preferida da semana, pela gritaria chamando cada uma de nós e pelos apelidos que sai inventando para o Folk.

Enquanto muitos meninos da idade dele ainda enfrentam a imaturidade para assumir quem são, Lucca corre atrás do que acredita, escreve textos lindos e declara publicamente seu amor – seja pela vovó ou pela namorada.

Você seria o primeiro a lhe dar uma gravata, quando ele passou em Direito. E também o primeiro a presenteá-lo com um iPhone, quando ele virou publicitário. Você o levaria para jantar para comemorar a improvável nota 10 no TCC e, mais uma vez – em um restaurante que se tornaria o preferido de vocês dois –, para brindar a primeira campanha que ele criou.

Ao longo desses oito anos, ele deu bastante motivo para a gente se orgulhar. Sei que você ficaria emocionado em saber, por exemplo, que ele se estipulou uma meta: fazer uma boa ação por dia. Seja um elogio despretensioso para a recepcionista tímida ou descer do táxi, no meio da corrida, para dar lugar a duas senhoras sentadas no ponto.

Agora que contei, talvez tenha rompido com todo o propósito da coisa: fazer o bem anonimamente. Mas foi a forma que encontrei de te dizer que ele está muito mais para Bruce Wayne do que para Frank William Abagnale Jr.

Ele é generoso e companheiro. Você tem de ver ele com a vovó. Nossa, é um caso de amor. E com nossos primos também. Ele diz que não tem jeito com criança, mas todo fim de semana os três disputam a sua atenção. Sei que você e o Fabio não se importariam em perder o lugar, e até concordariam comigo quando digo que o Lucca vai ser o melhor tio que meus filhos poderiam ter.

Para você não se sentir por fora, é bom que saiba de um segredo: ele virou o Papai Noel oficial dos nossos natais. Papel que cumpre com a maior dedicação. Todo ano, Lucca, Maria e eu nos reunimos em um quarto com um calor de quarenta graus e improvisamos uma fantasia – claro que nunca encontramos a que foi comprada no ano anterior e ele acaba tendo de usar um cinto da vovó ou uns óculos sem perna. Já virou uma tradição, que ainda vai durar muitos anos, agora que temos um loirinho de dois anos na família.

Nós dois somos muito amigos. Lucca é a pessoa mais engraçada do mundo. Fico ansiosa para encontrá-lo e contar sobre qualquer coisa, porque, ainda por cima, ele é um ótimo ouvinte (qualidade que considera imprescindível em qualquer pessoa). Com o Lucca ao meu lado, sinto que tudo é possível. E ele e a Maria se completam. São absolutamente diferentes, mas têm uma sintonia à altura de Jesse e Mr. White, Dexter e Debra, Harry e Hermione.

É capaz de você achar que ele ficou parecido com o meu pai – pelo amor pelo futebol e o topo da cabeça, que é igualzinho. Quem sabe vai ver nele traços do Fabio, pela bondade e os ombros largos. Mas espera ele rir pra você ver... É a sua risada. Talvez só homens apaixonantes compartilhem uma risada como essa.

Desde que a gente se deu conta dessa semelhança, era só o Lucca ter um ataque de riso – e olha que isso é fácil de acontecer – que a família inteira começava a chorar.

E é assim toda vez que minha mãe percebe você nele. Quando ele canta 'Sandra', do Gil, a pleno pulmões. Como você cantava. Em não sair de casa sem perfume. Como você fazia. Ao valorizar os bons amigos. Como você sempre valorizou.

O Lucca nunca desistiu de você. Ele te mantém vivo ao lado dele, em todas as vezes que corrige as pessoas quando elas falam de você no passado – você não gostava, para o Lucca você gosta.

Se você ainda tem dúvidas de que vale a pena voltar, volta por ele."

TENHO QUE ESQUECER A DATA

AQUELE DOS RITUAIS

Você não vai acreditar, mas eu sempre quis participar de um Shabbat. Deve ser bonito olhar para o céu por dezoito minutos antes do pôr do sol de sexta-feira e crer que a luz daquela noite é diferente. E acender velas, ouvir uma canção ou oração, comer comidas especiais...

Gosto de datas e dias com outros significados. Gosto de pensar que existe a possibilidade e a liberdade da gente criar um dia da semana, do mês, do ano para ouvir a voz interna, os desejos secretos e fazer desse momento um encontro com o sagrado.

Gosto muito de rituais.

Tinha algum ritual mais marcante na nossa infância do que o Ita--avô, no meio da semana, mexendo na coleção de selos? Aquela luminária em cima da mesa, um copo com alguma solução dentro, um paninho limpo, as folhas da coleção espalhadas, os selos enfileirados em protetores plásticos e ele, sentado, pescando um por um com uma pinça comprida.

O Itinha era praticamente um alquimista. Transformava aqueles papeizinhos coloridos em ouro.

A raposa já dizia ao principezinho que eram necessários ritos. "É o que faz com que um dia seja diferente dos outros dias. Os meus caçadores, por exemplo, possuem um rito. Dançam na quinta-feira com as moças da aldeia. A quinta-feira é um dia maravilhoso!"

Há dois anos, envolvida com leituras sobre a Cabala, vi que a primeira noite de Rosh Hashaná – o Ano-Novo pelo calendário judaico

– teria início no dia 16 de setembro. Na data em que faria sete anos que você tinha dormido, começaria o ano judaico de 5773.

Pensei: sete anos no ano com final 773 – tenho mania desses números, você sabe. Resolvi, então, fazer o ritual do Rosh Hashaná aqui em casa, mesmo com pouquíssima cultura judaica.

Li a simbologia de cada alimento e o pedido que é recitado antes de comer cada um deles. As pessoas devem comer abóboras, beterrabas, tâmaras, alho-poró, maçã, romã e mel para ter um ano protegido, farto e doce.

Convenci meus filhos de que seria bacana. Eles aceitaram por mim. Coloquei velas, flores e uma toalha nova. Fiz uma playlist das músicas e do toque do chofar. E comemoramos, em setembro, no quintal de casa, o Ano-Novo de 5773.

Depois, fui até a sua casa, fiz você ouvir o toque do chofar e experimentar um pouquinho de purê de abóbora e maçã com mel.

No ano seguinte, não tinha numerologia especial. Então deixei o destino cumprir seu curso, sem interferência alimentar.

Meus filhos e eu temos o ritual de celebrar os quatro juntos pequenas ou grandes vitórias. Trocamos mensagens contando a boa-nova e saímos para jantar em algum lugar gostoso. Foi assim pra comemorar uma reportagem de capa da Bruna, uma campanha do Lucca veiculada, a finalização de um curta-metragem da Maria e o lançamento do meu primeiro livro infantil.

Li uma vez que cada ritual é um manifesto contra a indeterminação. Hoje em dia meu rito é escrever e postar todo domingo o que tenho vivido por nós.

Ita, deixa de ser um sujeito indeterminado, termina de cumprir seu ritual e volta, tá?

UMA CERTA MAGIA

AQUELE EM QUE O LUCCA ESCREVE SOBRE A MARIA

Você não vai acreditar – e é difícil mesmo de acreditar –, mas a última vez que você viu meus filhos, a Bruna tinha 16 e o Lucca e a Maria 14 anos. Deixa o Lucca te contar quem é a Maria, oito anos depois.

"Você disse uma vez que a Maria veio ao mundo a passeio. Você não poderia estar mais errado. Tudo bem que ela continua com um pouco da inocência que tinha aos 5 anos, mas a Maria é um furacão. E minha companhia preferida.

Quando estamos juntos, o mundo fica em câmera lenta e, mesmo assim, nossos momentos passam rápido demais. Ela desperta sentimentos opostos em quem a conhece. Alguns sentem absoluta adoração. Outros, uma inveja profunda. E muitos ficam num conflito de emoções, em que odeiam o fato de ser impossível não a amar. Munida apenas de um sorriso, Maria quebra couraças e parte corações.

Naquela boca também habitam muitos palavrões, mas foda-se. Não é só por isso que a Maria é diferente. Ela não precisa passar maquiagem para chamar mais atenção, contar piadas para ser a mais engraçada nem sorrir o tempo todo para ser a mais simpática. Ela simplesmente é. Tudo, sem querer ser nada.

Ela está longe de ser só uma mistura da Mel Lisboa com a Alinne Moraes. Por trás dessa mulher linda que come quinze bisnaguinhas por dia, tem uma menina sensível, generosa e estabanada. Maria derruba tudo que vê pela frente, mas não é por ser um furacão. Às vezes é só o cadarço, quase sempre desamarrado.

A Maria tem alguns lugares favoritos. E em todos eles, você enxerga um pouco dela. Seja o charme do Pita Kebab, o estilo da Laundry ou a beleza da Praça Pôr do Sol.

Não temos passado muito tempo juntos por causa da correria do dia a dia. Vai ver é por isso que ela é a protagonista na minha prateleira de memórias mais valiosas. É lá que guardo nossas tardes assistindo a Harry Potter e a época em que ela resolveu dormir no meu quarto, quando decorou minha cama com embalagens vazias de Laka.

Um pouco antes de dormir, você e ela viviam se estranhando. Uma hora era a disputa pelo controle remoto, outra hora era porque ela deixava comida no prato. Você estava meio ranzinza naquela época e a Maria estava descobrindo um traço da personalidade até então adormecido.

Maria bate de frente com qualquer um. Acredita nos seus pontos de vista e luta por eles até o fim. Foi assim que se destacou na faculdade de cinema, sendo referência para professores e alunos. Foi assim que brilhou no discurso de formatura no fim do colegial. Pergunta para o vovô.

Maria é destemida. Nunca vi ela se omitir diante de algum desafio ou dificuldade. Nem mesmo quando toda a família fraquejou depois do que aconteceu com você. Aliás, quando falamos nesse assunto, enquanto minha mãe e a vovó choram, Bubu e Fabio ficam com raiva, e eu me forço a ser otimista, Maria se mantém serena.

Sabia que, há dois anos, ela foi atriz de uma série do Multishow e recebeu elogios no jornal? Ainda assim, prefere ficar atrás das câmeras – mesmo com essa mania de roubar a cena. Hoje, é continuísta de um longa-metragem no qual o tempo inteiro está sob pressão pelo cargo de chefia que ocupa. Mas ela tira de letra. Além de talentosa, é competente e dedicada.

Aliás, ela tem uma determinação rara na nossa família. Resolveu fazer aula de violão e, em pouquíssimo tempo, já sabia tocar músicas de todos os gêneros. De Piaf a Arctic Monkeys.

Eu nunca achei que alguém pudesse me emocionar como a Bubu cansou de fazer, mas a Maria conseguiu. Foi no dia em que ela me chamou na sala e disse 'Lurê, deixa eu te mostrar a nova música que eu aprendi?'. Era 'Moon River'.

Má, você não pode ir embora sem antes ouvir ela cantar 'Moon River'. É absolutamente devastador. Frank Sinatra concordaria comigo quando falo que essa música foi feita para a voz dela.

A Maria não sabe, mas na parte da música em que ela canta 'Wherever you're goin', I'm goin' your way', está falando por mim. É ao lado dela que encontro meu caminho, não importa qual seja.

Por tudo isso, quando você acordar, fique mais perto dela. Combinem um passeio, quem sabe.

Afinal, para recuperar o tempo perdido, só com o mundo em câmera lenta."

CONHECER OS DESEJOS DA TERRA

AQUELE SOBRE A MARIA DO CARMO

Você não vai acreditar, mas a Maria do Carmo, mulher do Paulo, agora trabalha na minha casa. O Paulo continua trabalhando à noite na rua da mãe. E continua encontrando mil justificativas para dizer por que se esconde na guarita quando aparece algum suspeito.

Maria do Carmo também faz parte do meu universo afetivo. É um presente valioso. E você sabe que quando ela trabalhava na casa da mãe sempre pareceu discreta. Talvez porque, como a mãe sabe tudo de casa e cozinha, não deixa ninguém aparecer mais do que ela.

O mais incrível de Maria do Carmo é a sabedoria que ela tem com as plantas do jardim. O que toca, vira verde. É uma encantadora de ervas. Quando mudei para a minha casa, eu quis ter uma horta suspensa. Arrumei os vasos, pendurei e comprei todos os temperos que conhecia e desconhecia. Em duas semanas, eles se transformaram em pedaços de pau seco ou vasos fantasmas, sem uma folha.

Desde que Maria do Carmo chegou, a gente come da horta manjericão, manjerona, tomatinho, pimenta, cebolinha, orégano, sálvia...

Fiquei na dúvida se o capim-limão iria para frente, mas ela disse:

— Ih, Bê, esse capim é besta de pegar. Logo, logo a gente vai tomar chá!

Ela plantou uma laranjeira, mamoeiros e agora melancias.

— Vai dar melancia nesse cantinho. Melancia gosta muito de pedra.

E lá estão crescendo as melancias – e lá estão as pedras.

Como sou caipira do asfalto, fiquei muito empolgada quando começaram a nascer os mamões. Maria do Carmo me avisou:

— Bê, não aponta, senão o mamão peca.

Obedeci, sem ter ideia do que isso significa. Os três mamoeiros ficaram bem altos e a gente precisou de uma vara para colher os mais de 100 ao longo desse tempo. Do Carmo disse que os pés de mamão ficaram assim tão altos, porque ela jogou as sementes na terra enquanto estava em pé. Os últimos mamoeiros, que ela plantou ajoelhada, já estão começando a florir.

— Mês de maio já tem mamão e vai ser só esticar o braço para pegar. Inacreditável?

Outro dia, ela me disse que tinham muitos buguelinhos no jardim da frente.

— Não sabe o que é buguelinho não, Bê?

— Não sei — respondi, meio envergonhada.

— É igual buguelão só que mais pequeno.

Achei por bem entender o que significava.

Maria do Carmo tem explicação para todas as doenças.

— Bê, a sua pedra no rim é porque você anda muito descalça. A friagem entra e gruda.

Na dúvida, estou de meias.

Quando fala sobre você, Ita, Maria do Carmo é ponderada:

— Cada um tem uma sina, Bê, Deus é quem escolhe. Mas quem sabe a qualquer hora Deus resolve deixar e o Itamarzinho levanta?

Quando ela chega, eu sempre estou com pressa, arrumando as coisas para ir para a escola. Maria do Carmo me chama para ver uma violeta que brotou no jardim, uma casa de marimbondo ou as nuvens formando longe.

No fundo, é como se quisesse dizer: "Ei, calma, desacelera, presta atenção no corpo, na chuva, na nova estação. Olha que céu azul, azul até demais!".

Shakespeare observou que "a verdade simples é equivocadamente chamada de simplicidade".

Maria do Carmo não é simples, é sofisticada. Ela conhece as verdades, as que realmente importam e as que fazem com que a vida seja mais leve e feliz.

A SUA COISA É TODA TÃO CERTA

AQUELE EM QUE A MARIA ESCREVE SOBRE A BRUNA

Você não vai acreditar, mas sou mãe de um advogado que virou publicitário, de uma cineasta e de uma jornalista. E a Maria vai te falar sobre a Bruna.

"Acho que você lembra disso, já que o assunto foi discutido em meio a um almoço típico de domingo. Nós três estávamos prestes a mudar pra casa em que moramos, em 2004, e, vindos do costume de morar em um apartamento de setenta metros quadrados, prometemos para a minha mãe que íamos ajudá-la na manutenção e no cuidado da casa.

Controlaríamos nossos gastos, nos certificaríamos de trancar todas as portas antes de dormir e juramos que daríamos comida para os cachorros três vezes ao dia e até cuidaríamos do jardim.

Hoje, oito anos depois de você dormir, Bubu desempenha todas as funções. É quem ajuda nas contas de casa – ela, que sempre teve o senso da responsabilidade financeira –, sem que minha mãe nunca tenha pedido. É ela que cuida dos seres vivos: além de acompanhar semanalmente a acupuntura da gata, Bubu faz sessões de fisioterapia improvisadas para ver se ela volta a andar. Leva o Folk para passear e é a única que nunca esquece de dar comida pra ele.

Bubu vai ao Ceasa e escolhe, agarrada ao seu bloquinho de referências de decoração, as plantas novas do jardim. E o Lucca até que se lembra na maioria das noites de trancar as portas de casa, mas quem realmente protege nós quatro é a Bubu – ou Pit Bubull, apelido carinhoso que ganhou depois de distribuir socos em colegas de infância que xingaram o Lucca de, sei lá... boboca.

Como Bopp nata, é guardiã não só da casa, mas da família. Aquela superproteção que você conhece bem. Ela, que gosta de dizer que uma das suas maiores qualidades é ser justa, esquece que passou a desgostar de professores por quem morria de amores só porque eles não gostavam muito de mim (e eles tinham razão).

Eu nunca fui nem metade da aluna que ela foi. Enquanto ela me defendia com unhas e dentes a fim de justificar suas novas antipatias, eu aceitava o comodismo de ter a Bubu como meu valioso cartão de visitas. Desde o porteiro – que, durante todos os anos do colegial, quando avistava nós três entrando na escola, dizia entusiasmado: 'Bom dia, Bubu, Bruninha e Bruno!' – até a reação de todos os professores no primeiro dia de aula: 'Irmã mais nova da Bruna? Que bom! Amo ela'.

Bubu é linda e apaixonante. Mas isso não seria uma novidade pra você. Ela tem o mesmo rosto de quando era criança, marcado pelo cabelo cheio, os olhos alertas rasgados e um sorriso largo. Até hoje, Bubu despretensiosamente cria um rastro extenso de carinho e afeto por onde passa. E a recíproca nem sempre é verdadeira – Bubu não é tão facilmente seduzida. É mesmo uma conquista para aqueles que passam pela seleção natural. Quando a Bu ama, ela ama de verdade, mas quando não...

Amizade pra ela é coisa seríssima. Como quase tudo na vida, é um compromisso que ela assume. Bubu traz junto o pacote de ser fiel, de ser a melhor ouvinte possível e a criadora de presentes feitos à mão, que fazem os amigos se sentirem únicos. Desse jeito, Bubu coleciona parceiros e absolutos admiradores – desde os tempos de escolinha, passando pelas mães de todos os amigos até as chefes do trabalho.

Ela esbanja a característica que puxou do padrinho: carisma. Essa sensação de magnetismo que pessoas como você e a Bubu transmitem é tão difícil de explicar quanto de entender de onde vem. Talvez venha da tremenda voz que sai dessa pessoa tão miúda. Eu sei que você chegou a ouvir a Bubu cantando e tocando violão, mas o repertório cresceu de uns tempos pra cá. Ouvir ela cantando 'Hora do almoço', do Belchior, é motivo suficiente pra você se levantar. Também para ver a capacidade com que ela transforma um hit da Anitta em uma música que encaixaria na trilha sonora de um filme meu.

Ou talvez seja porque a Bubu é a pessoa mais real que há pra se conhecer. Ela não existe virtualmente; não tem redes sociais. Bubu sabe rir e chorar de verdade e não esconde suas convicções. Uma vez, em uma entrevista de trabalho, a entrevistadora disse: 'Nunca perca a visão romântica que você tem do jornalismo'. Mal sabia ela que a Bubu não é romântica (seus pés são fixos no chão até demais), é que ela só sabe exteriorizar qualquer coisa com paixão. Não só pela profissão – que, pra falar a verdade, já não comporta mais o tamanho do talento dela –, mas com tudo. Brava ou feliz: o olho brilha, ela fala alto e o rosto é capaz de encarnar todos os sentimentos.

Bubu é madrinha da Isabella e é chamada para ser madrinha de casamentos. Bubu virou a noite ajudando o Lucca a terminar o TCC. Bubu assiste a reprises de futebol americano no meio da tarde por livre e espontânea vontade. Bubu edita todos os textos da minha mãe antes deles serem postados no blog. Bubu faz coleção de cadernos e bloquinhos, mas não os usa porque tem medo de errar alguma coisa e ter que arrancar a página. Bubu é um personagem que, se eu colocasse dentro de um roteiro, me diriam que é inverossímil.

Enquanto você dorme, a Bubu assume generosamente o papel de potência da família e, com a humildade involuntária que vem junto das pessoas extremamente autocríticas, ela nem se dá conta de tudo isso.

Naquele mesmo almoço de domingo, em que tentávamos administrar as nossas expectativas da mudança de casa, você estava em um de seus dias de mau humor e disse que minha mãe estava dando um passo muito maior do que a perna ao comprar uma casa tão grande.

Não foi por pessimismo. Foi o jeito que você encontrou de expressar sua preocupação. Talvez subestimada pelo tamanho pequeno das pernas, você não imaginava a força que tem o impulso da filha mais velha, essa menina de um metro e sessenta, por trás de todos os passos que damos até hoje. Desde 2005, desde sempre.

Pode ficar tranquilo, Má. Com a Bubu, a gente dá conta."

EIS AQUI UMA PESSOA SE ENTREGANDO

AQUELE EM QUE EU ENVELHECI

Você não vai acreditar, mas envelheci. Sábado foi dia 7 de março, final da décima semana do ano. A Lua cheia estava em Libra. A previsão do tempo indicava uma massa de ar quente e úmido sobre São Paulo. O dia ficou nublado, com chuva moderada a forte. Bem forte. E eu fiz aniversário.

Cinquenta anos! Vou repetir: cinquenta anos.

O Millôr disse que "a alma enruga antes da pele". Acho que concordo.

Envelheci afinal. Nem eu mesma acredito. O combinado era que isso demorasse anos para acontecer. Porque, veja, uma pessoa que tem avó viva não pode ser velha, porque a avó é a velha da história. Depois vem a mãe e só depois vem a pessoa.

Até 2012 nós tivemos avó. Tá certo que a vó Gilda era praticamente uma Highlander, guerreira imortal, e que a morte se esqueceu de levá-la por muito tempo. A vó Gilda devia pensar que viraria semente ou começaria uma outra civilização. Na dúvida se os *escafandristas viriam explorar sua casa, seu quarto, suas coisas, sua alma*, acabou desistindo e se foi. O Cortella diz que a velhice é, antes de mais nada, uma desistência.

Esses dias fiz um balanço dos meus cinquenta anos, especialmente desses últimos anos enquanto você dormia. Olha só:

Eu uso óculos. Dois. Para perto e para longe, e acho que ainda não é o suficiente. Precisaria de uns óculos de piscina com grau para tomar banho. Com frequência, não sei qual é o shampoo e qual é o condicionador. Tem marcas com estratégias de cor e tampas para diferenciá-los, mas não são todas. E só descubro a importância dessas marcas depois que começo pelo condicionador e deixo o cabelo melado.

Lentes de contato deixei para usar em outra encarnação, porque não vim com essa habilidade. Sofro, fecho os olhos e perco antes de colocá-las no lugar certo. E como não sou uma pessoa que guarda os óculos dentro da caixinha, a cada semana risco a lente ou quebro a perna de um deles e preciso mandar consertar. A menina da ótica já me chama de "Bê, querida", tamanha a intimidade desses últimos meses.

Continuo dando aula. Passei mais tempo da vida dando aula do que não dando. Isso sem contar as aulas para os azulejos enquanto tomava banho. Na infância, claro.

Há uns anos, tive dengue. No ano em que tive, fui a primeira do bairro e virei caso índice da Secretaria de Saúde, com bonequinho no mapa da Zona Sul e tudo.

Nunca odiei a Dilma e nunca votei no Maluf. Destaques do meu currículo.

Passei a gostar mais do Caetano do que do Chico. Calma, ainda amo o Chico, mas a implicância com o Caetano, adquirida naquele show em que fomos em 1982, *Cores e nomes*, passou. Sempre achei o Chico genial sem querer ser, no simples. E, mimada, achava que o Caetano se esforçava para ser o-mais-incrível. Há um tempo vejo que ele é genial e tudo bem ele querer aparecer por isso.

Já peguei na mão dois beija-flores, e duas baratas já subiram na minha perna. Luz e sombra, é a vida.

Falei que continuo dando aula?

Tenho mania de dizer cinco doze avos (5/12) e descobri que não sabia escrever "doze avos".

Estou conformada que não tenho talento para cozinhar. Porque para cozinhar bem precisa ter uma capacidade que não tenho, não adianta. Meus filhos já anunciavam isso, ao deixarem intactas as mamadeiras e os pratos de sopa. E amavam tudo que o Zé preparava. Mas, olha que bom, deixei de ser tão fresca para comer. Quer dizer, melhorei. Ainda sinto ânsia com cheiros, acho braciola muito feia, não gosto quando a mesa vizinha pede anchova e tenho medo de ovo e de salmão skin. E definitivamente não gosto de tremoço. É bonitinho, parece bom, parece peça do War, mas não é. Nem peça nem bom. Sobra sempre na boca uma casca dura.

Continuo adorando abrir porteiras, me pendurar nelas e me equilibrar em mata-burros. De um tempo para cá me parece que abriram umas porteiras de um purgatório e nem mata-burro está dando conta da quantidade que se vê por aí.

Ah, e sabe que dou aula até hoje? Às vezes para filho de ex-aluno – isso, então, é de uma velhice sem tamanho.

Apesar da idade – que bobagem – falo mais palavrão do que deveria. E gosto de gatos, apesar da língua áspera.

A música "Years of Solitude" sempre me emociona.

Sou a mãe mais preocupada do mundo. Mãe de três adultos, mas me esforço para eles não perceberem isso. A noite me assusta. Que gene é esse nosso, lotado de ácidos nucleicos e medos terríveis, que deixa a gente tão apegado e neurótico?

E se eu estou assim, imagina a mãe. Agora imagina a mãe em dias de temporal, quando 50 milhões de raios caem no Brasil anualmente. Influenciada pela memória da vó Gilda, ela passou a cobrir espelhos, queimar folha benta, ficar apavorada e falar "Santa Bárbara Virgem e São Roque Milagroso padroeiro dos aflitos" a cada raio e trovão – ou seja, 50 milhões de vezes por ano. E telefona para todos nós para dizer para a gente não usar o telefone!

Meus filhos são exatamente as pessoas que eu gostaria que eles fossem e queria – e teria – a mesma família em pelo menos mais sete encarnações, com todas as neuroses e preocupações.

Eu acredito em Deus e eu desacredito em Deus.

Namorei muito, mas me apaixonei pouco. Não tenho talento nem para cozinhar nem para me apaixonar.

Sinto saudades suas e choro com facilidade. Sabe, a aceitação é um conceito bem difícil para mim e tenho dificuldade em perdoar.

A crase me desafia e às vezes não me reconheço. Com crase.

Tenho raiva de quem bebe e dirige e sou intolerante com preconceituosos e intolerantes.

Gosto de gente perfumada. Issey Miyake é o cheiro que mais me lembra você.

Namorei o Renato, que era doze anos mais novo, e fui feliz.

Não passo filtro solar diariamente, não sei me maquiar, fiquei presa no banheiro esses dias e me soltei usando um curvex.

Outro dia, li uma entrevista do Nando Reis na qual ele falava sobre a percepção da própria finitude. Recentemente, a Fernanda Torres escreveu um livro chamado *Fim*, um romance sobre a corrida contra o tempo. Decerto eles também estão pensando sobre envelhecimento.

Lembro que depois do que aconteceu com você – e logo com você! – muitos amigos que foram te visitar no hospital apareceram com um band-aid redondinho, sinal de que tinham feito exame de sangue e se preocupado com a passagem do tempo.

Amo envelhecer na minha casa e ver como a luz passa pelas janelas. Me encanto com as cores e os aromas das tardes de abril.

Envelhecemos de uma hora para a outra. Eu, você, o Nando Reis, a Fernanda Torres, o Tony da farmácia, a Lourdes da banca de jornal, o Sebastião do posto de gasolina, a menina linda do bairro…

Mas sabe, Ita, existe beleza na maturidade. Existe sabedoria, tolerância, valorização do que é essencial… Porém, tudo isso desaparece rapidamente com duas perguntinhas desestruturantes: Já se aposentou? Já tem netos?

ANDO PELA RUA, PAGO CONTA, PEGO FILA

AQUELE DA CIDADE-COLMEIA

Você não vai acreditar, mas existem muitas mudanças nas ruas perto de casa. Algumas viraram mão única, outras ficaram na contramão e alguns cruzamentos passaram a ter semáforo.

Além disso, de setembro de 2005 até este ano, houve um aumento de mais de 3 milhões de carros andando em São Paulo.

Fico pensando se existe um gene familiar que defina amor por carros. Há exceções: o Lucca preferia as bolas, o Fabinho os bonequinhos, mas o Derek é encantado por carros, assim como vocês.

Lembro de você e do Fabio contabilizando todos os carros que passavam:

— Aquela Caravan prata é minha!

— O Maverick verde é meu!

— O Porsche Carrera amarelo é meu!

— É meu, eu que vi primeiro!

Durante os trajetos, nunca era eu que podia me sentar do lado da janela, porque vocês tinham de ver os carros rapidamente e ganhar a competição. E eu praticamente só sabia falar:

— Aquilo é um Fusca?

Como nunca fui uma apaixonada, eu me irrito muito no trânsito. E me transformo. Sou uma espécie de dr. Jekyll e mr. Hyde. Tenho raiva de quem liga o pisca-alerta e pronto, acha que o mundo parou por causa daquela luzinha. Ou daqueles que andam pelo acostamento ou ainda dos que, no último momento – só pra não esperar uma fila interminável de carros –, querem entrar na sua frente para pegar à direita. Eles acham que eu realmente estava gostando de esperar ali há tanto tempo? Ah, não deixo entrar.

Nos últimos dez anos, a cidade também registrou um aumento de 183% no número de viagens feitas de bicicleta. E desde 2011, aumentou, e muito, o valor da multa para os motoristas que desrespeitarem os pedestres.

Assim, com todos esses aumentos, você pode ter uma ideia do caos e do trânsito que acontecem todos os dias, em todos os horários, em qualquer canto da cidade.

Às vezes, sou ciclista. Amo andar de bicicleta. Vou a parques com as meninas, mas queria várias ciclovias espalhadas pela cidade e motoristas civilizados ao lado delas. Acho a ciclovia no canteiro central, que vai da Hélio Pelegrino até perto do Parque Villa-Lobos, sensacional. Ou a da margem do rio Pinheiros – pena que o cheiro atrapalhe. Porque são lugares seguros onde você não corre o risco de ser atropelado. Com a bicicleta, você se locomove e fica saudável. Ou morre.

Vou e volto a pé para o trabalho. E acho uma delícia ter essa sorte. Mas não deixa de ser uma aventura. As calçadas estão destruídas, lojas e garagens invadem o lugar onde seria para pedestre passar. Mesmo que, por lei, a preferencial de atravessar seja sua, você nunca sabe se o carro vai respeitar a regra ou te atropelar. E se não for por um carro, posso ser pega por um ciclista que deveria desembarcar ao atravessar a faixa de pedestres – o que também é determinado por lei – e que quase nunca fazem.

O que é triste perceber é que meu eu-motorista, meu eu-ciclista e meu eu-pedestre não poderiam conviver de forma pacífica, porque cada um deles acharia que tem absoluta razão quando está em um desses papéis. Muitos direitos, poucos deveres.

Como motorista, acho absurdo o pedestre, lento, cruzando a rua na diagonal e usando o smartphone. Como pedestre, acho que, mesmo atravessando fora da faixa, o carro pode esperar. E como ciclista, vez ou outra, poderia me ver andando na contramão.

O melhor lugar para se colocar no lugar do outro é o trânsito, embora a gente se esqueça disso invariavelmente. Apesar das pessoas estarem todas ligadas numa grande teia social, o que se vê nessa cidade-teia são aranhas solitárias, preocupadas com o próprio umbigo.

Queria poder te dizer, Ita, que assim como o sentido das ruas, São Paulo mudou nesses últimos anos, virou uma cidade-colmeia.

Colmeia porque as abelhas são sociais e altruístas. Têm consciência coletiva. Enquanto cuidam de si, cuidam do outro. Mas ainda não dá.

No fundo, no fundo, somos quase todos motoboys – *eis o melhor e o pior de mim*. Capazes de pensar em chutar espelhinhos, buzinar por minutos, xingar as pessoas. Ou de atos solidários e nobres, como socorrer outros motoboys acidentados ou carros parados dentro de túneis ou marginais.

Pode ser que a via a seguir seja a correta, só estamos nos adaptando às mudanças. Um dia, vamos saber conviver. Mas ainda são seis horas da tarde, amanhã começa o feriado, está chovendo, todos os semáforos estão apagados e esse destino ainda está muito, muito longe de ser alcançado.

JUNTAR O SUCO DO SONHO E ENCHER UM AÇUDE

AQUELE SOBRE MEU INCONSCIENTE BÊBADO

Você não vai acreditar, mas eu continuo tendo sonhos indecifráveis. E eles aumentaram a frequência com o tempo.

Não digo daqueles sonhos que estamos juntos, num mesmo quarto, o meu mecânico, uma coordenadora da escola, a babá dos filhos do Fabio, um político, um morcego, um cachorro e eu. Esses são corriqueiros. Um pouco tensos, já que no meio do sonho percebo que preciso tomar banho, não tenho intimidade com aquelas pessoas, o banheiro não tem porta e o morcego e o cachorro estão dentro do box. Acho que com esses já me acostumei. Jung ainda não, mas eu já.

Falo dos sonhos que começo dormindo, acordo e continuo a história como se fosse real. Daqueles que tinha quando ainda morava no apartamento e sonhava que tocava o interfone e eu ficava nervosa – porque até em sonho o interfone tocar de madrugada não é boa coisa. Então eu acordava, vestia uma calça jeans, camiseta, meias, sapatos e ia para a sala esperar a visita inesperada. Como nada acontecia, interfonava para o porteiro:

— Severino, você tocou aqui?

— Não, senhora!

— Tem alguém me procurando?

— Que eu saiba, não, senhora!

— Boa noite, Severino! — Voltava para o quarto meio sem jeito, recolocava o pijama e dormia.

E lembra daquele sonho quando a Bruna estava meio doentinha e foi dormir comigo? No sonho, fui cobri-la com edredom e deixei cair no rosto dela um pote de tinta verde que estava na cabeceira. E então acordei achando que aquilo era real, levantei, fui até o banheiro, molhei uma toalha e comecei a limpá-la. Ela acordou assustada, com uma toalha gelada no rosto:

— O que foi, mãe?
— Calma, filha, você tá verde!
— V-E-R-D-E? Por que, mãe?

Nisso, me dei conta de que ela estava limpinha, a toalha estava limpinha e não tinha nenhum pote de tinta por perto.

— Dorme, filha, tá tudo bem!

Consigo sonhar assim que pego no sono. Uma noite dessas, estava assistindo à televisão com a Maria, dormi e sonhei que no meu travesseiro tinham vários botões. Me engasguei e acordei. A Maria ficou me olhando, esperando que eu dissesse alguma coisa. Eu a acalmei dizendo que tinha engolido um botão. Agora me diz: que filho fica tranquilo quando a mãe acorda e diz que engoliu um botão?

Tenho também sonhos esotéricos. Outra noite sonhei com uma criatura enorme, toda preta, com uma luz retangular e verde na testa. Parecia o Predador daquele filme. Ele apareceu ao lado da minha cama e eu nem me assustei, porque era como se já estivesse tudo combinado. Ele balançou a cabeça afirmativamente e eu balancei a cabeça afirmativamente. A criatura desapareceu, eu me levantei e saí para procurar uma caixa que ela tinha deixado para mim. Encontrei o Lucca no corredor e perguntei se ele tinha visto alguma caixa que tinham deixado ali para mim. Ele perguntou se era de verdade ou se eu estava sonhando. Acho que meus filhos já se acostumaram. Freud ainda não, mas eles já.

Desejos e sonhos se misturam na vida da gente. Sempre sonhei em ter filhos gêmeos. Achava lindo aquele carrinho duplo desde pequena. Brigava com vocês pelas frutas grudadas, porque no interior diziam que quem comesse teria filhos gêmeos. Quando começava a namorar alguém, queria logo saber se tinha gêmeos na família, já que na nossa não tinha. Era praticamente uma obsessão. No dia em que fiz ultrassom e soube que eram gêmeos, você me disse para ter cuidado com meus sonhos, porque eu tinha a força para realizá-los.

Também sonhei há muito tempo com uma imagem de Nossa Senhora toda branca. Procurei entre todas elas, mas cada uma tinha um manto pintado de uma cor. Então, comprei uma imagem no gesso, sem pintar. Desde o primeiro dia, quando tudo aconteceu, deixei essa imagem ao seu lado. Queria que ela protegesse você. Numa noite, sonhei que quebravam a cabeça da Nossa Senhora. Na manhã seguinte, fui para o hospital e o enfermeiro disse que tinha uma má notícia e uma boa notícia. A má era que tinham quebrado a cabeça da Nossa Senhora branca e a outra que você sairia da UTI e iria para o quarto.

Sonho muito com você. Muito mesmo. Na grande maioria das vezes você está usando aquela camisa rosa clarinha, com as mangas dobradas. Sinto seu perfume e sinto você feliz.

Ainda penso no que você me disse: para eu ter cuidado com meus sonhos, porque eu tinha força para realizá-los.

Sabe que descobri que existe, sim, uma Nossa Senhora toda branca? É a Nossa Senhora da Esperança.

Nunca encontrei a caixa do Predador – mas na caixa de Pandora o que sobrou foi a esperança.

Esta semana o Schumacher acordou do coma. Li uma crônica que diz que "Schumacher vai nos deixando como uma volta com safety car, interminável, lenta, angustiante. 'Só um milagre', dizem. Mas não é para isso que existem os super-heróis?".

Sonhos, desejos, esperanças e milagres. E não é para isso que existem os super-heróis, Ita?

A NOSSA CASA ATÉ PARECE UM NINHO

AQUELE SOBRE O EPISÓDIO DO *DECORA*

Você não vai acreditar, mas o *Decora* foi na minha casa essa semana. *Decora* é um programa do GNT que transforma um cômodo da casa. Não lembro se já existia antes de você dormir ou se era um programa que te interessava. A Bruna sempre adorou e tinha a maior vontade de participar. As meninas mandaram um vídeo e, felizes, fomos selecionados!

Os três estão começando uma empresa de comunicação juntos – a Ao Cubo Filmes – e o escritório-depósito aqui de casa vai virar um home office. A produtora do programa me perguntou se eu me importava em ceder esse espaço para eles. Como assim ceder? Esse espaço é nosso, não existe onde termina o meu e começa o deles.

Lembro que meu ex-namorado dizia que a mãe o proibia de se sentar ou se deitar em alguns lugares da casa, quando ele chegava da rua, por exemplo. Ele elogiava essa liberdade e "falta de cerimônia" que meus filhos tinham aqui. Não poderia ser diferente. A gente foi criado assim.

Ainda pequenos, quando a gente viajava nas férias, eu sentia uma alegria enorme de voltar para a nossa casa. Chegar ao nosso bairro, subir a rua, abrir o portão da garagem, entrar na sala, reconhecer todos os sons.

Esse lugar era o meu lugar no mundo. E acho que nossos amigos sentem isso também. Era para aí que eles iam quando "fugiam de casa". Era para aí que eles vão depois da ceia de Natal.

Este ano fez quarenta e quatro anos que nos mudamos para aí. E algumas coisas mudaram. Hoje, no jardim da entrada, existe uma rampa. O hall do telefone deu espaço para um elevador. E a casa agora é azul.

Os sons da casa também mudaram. Tem sabiá, mas o canto é diferente. Tem o barulho do elevador, da bomba de alimentação, das aspirações nas sessões de fisioterapia. Mas tem também as vozes das crianças no jardim. O verão deste ano foi o mais quente das últimas décadas, a água gelada estava quase morna, então foi bom a gente usar a piscina até de noite, como antigamente.

Você ainda fica no seu quarto, a mãe se mudou para o quarto que era do Fabio para ficar mais perto de você. Não sei se você já percebeu que o Fabio tem três cachorros novos. Os outros que você conheceu acordado morreram.

Quando você voltou para casa, o Luger muitas vezes dava um jeito de pular a janela e se deitava embaixo da sua cama – e o enfermeiro quase pulava a janela! O Luger foi ficando triste, ficou doente e morreu pouco tempo depois.

A casa continua cheia, muitos amigos do Fabio vão aí. Os seus amigos vão pouco. Entendo que para alguns seja muito difícil ver você assim. E isso não tem nada a ver com desamor. Entendo que outros puderam finalmente tirar a máscara e parar de fingir que eram amigos.

A minha casa é para os meus filhos o que a nossa casa foi para nós. Sempre achei que a casa tem de ser o lugar para onde a gente queira muito voltar. Onde a gente se sinta mais seguro, mais confortavelmente feliz. Tirar o sapato apertado, andar de pijama até tarde, se deitar no sofá da sala, comer na cama às vezes, deixar o cachorro dormir embaixo do edredom. Sentir-se em férias no meio de maio.

Sinto minha casa assim. Me apaixonei por ela desde a primeira vez que passei por aqui. E olha que ela precisava de uma reforma enorme. Acho que o que me encantou foi conseguir enxergar, da rua, a lavanderia ao fundo. Ou então, do portão da entrada poder ver o fogão na cozinha. Preciso do horizonte, do olhar caminhar para longe.

Minha casa já foi set de filmagem de um curta da Maria. É aqui que os meninos têm assistido com os amigos aos jogos da Copa, assim como fazem o esquenta antes de sair. É aqui também que faço a "reunião da diretoria", encontro com amigas queridas que trabalharam ou trabalham comigo.

Você ainda veio pouco aqui. Quero muito, muito mais.

Pras janelas se abrirem pra mim e o vento brincar no quintal, não me falta o sol da manhã, só falta você acordar.

A casa é sua.

QUEM NÃO A CONHECE NÃO PODE MAIS VER PRA CRER

AQUELE SOBRE A NOSSA AVÓ

Você não vai acreditar, mas já faz dez anos que a vó Silvinha foi embora. Estou separando umas coisas do escritório e selecionando os livros que queremos manter nas prateleiras. Não sei se já te contei que fiquei com toda a biblioteca da vó Silvinha.

Tem livros da Cora Coralina, do Erico Verissimo, do Mario Quintana, do Guimarães Rosa, do Frei Beto, da Raquel de Queiroz, do Drummond e muitos dos favoritos Rubem Fonseca e Josué Guimarães.

Autores estrangeiros são bem poucos: Saramago, Fernando Pessoa, Noah Gordon.

E tem preciosidades: Cobra Norato autografado de um jeito fofo pelo tio Raul, os livros do Zuza com dedicatórias carinhosas e, a cada livro, descubro escritos dela. Vó Silvinha escreve reflexões e pensamentos sobre a leitura, além de sempre escrever de quem foi o presente.

Hoje de manhã peguei um do Jorge Amado, que estava na dúvida se guardava ou doava. Abri e li o que estava escrito.

> *Natal é festa do amor e este livro, presente do meu queridíssimo neto Itamar, é para mim a prova máxima do amor. Ao recebê-lo senti meu coração invadido de tanta ternura que esqueci toda a amargura que a vida às vezes me proporciona. Foi uma das melhores coisas –*

> a chegada da Bruna foi outra — que esse ano de 1988 me trouxe. Pelo bem que você me fez, meu neto querido, peço ao Menino Deus que o recompense fazendo da sua vida um eterno Natal de alegria, paz, saúde e muito, muito amor.

Não é a prova máxima do amor?

Vó Silvinha tinha essa capacidade de fazer com que cada pessoa se sentisse única e verdadeiramente amada. Eu, por exemplo, sempre me considerei a preferida. Assim como cada neto, sobrinho, irmão ou amigo. E cada bisneto.

Ela dava uma importância para o outro como poucos, sendo da família ou não. Para cada um tinha uma palavra de carinho, uma oração poderosa ou um envelopinho com dinheiro "pra comprar um pé de meia".

Era uma avó diferente. Apesar da fé, não tinha nada de carola. Maria e Maria Madalena tinham sua admiração muito mais por serem mulheres fortes do que pela santidade.

Também não era uma avó quituteira. Aliás, a habilidade culinária herdei dela. "Neneca, nascemos para o salão e não para o fogão", brincava. E no salão, falava com naturalidade sobre política, sexo, literatura e espiritualidade.

Não me lembro dessa amargura que ela cita no texto, você lembra? Porque a vó Silvinha era leve. Mesmo tendo sofrido preconceito por ser filha de pais separados numa cidade pequena como Resende. Mesmo tendo sido desenganada pelos médicos quando contraiu meningite aos sete anos. Mesmo tendo desaprendido a andar, falar e ler e, como sequela, perdido uma vista.

Vó Silvinha escolheu ser feliz. Amava os irmãos do segundo casamento da mãe como os do primeiro. Enganou os médicos e tornou-se leitora voraz, sem nunca, até o fim da vida, usar óculos. Encontrou um grande amor, meu Itinha, e foi embora com ele, desistindo de se casar com o filho rico do dono do cartório da cidade.

Fico pensando em como seria uma tarde com ela nos dias de hoje. Teria assistido aos jogos, mas não daria essa importância toda ao 7 a 1. "Vergonha é outra coisa. É preconceito, é enganação. Foi um jogo." Mas completaria: "Aquele Parreira é um bestalhão".

Teria gostado das manifestações de 2013, mas ficaria preocupadíssima de saber que a gente esteve lá, por causa dos abusos de poder e da violência de alguns grupos.

Vó Silvinha tinha uma visão otimista do Brasil e gostava de uma polêmica. Polêmica que faz pensar, faz escolher, faz formar o próprio pensamento.

A conversa seria interrompida, vez ou outra, por um suspiro fundo e com a frase:

— Ah, Neneca, eu te amo!

Ou então:

— Quer um pedaço de bolo, um leitinho? Já tô com saudade de você, mesmo você ainda aqui.

E assim passaríamos o resto da tarde de mãos dadas – mão gelada, com textura de papel de seda – e sentadas no sofá da sala dela.

Ah, vó Silvinha, eu te amo. E que falta você me faz...

Ela foi poupada de te ver assim, Ita. Mas fico pensando que se, em 1988, ela pediu "ao menino Deus que o recompense fazendo da sua vida um eterno Natal", por onde quer que você esteja, há luzes coloridas à sua volta, música, sentimentos nobres e renascimento.

A GIRL WITH KALEIDOSCOPE EYES

AQUELE DAS ALUCINAÇÕES

Você não vai acreditar, mas tenho pensado em que momento passamos a falar no imperativo com nossos pais. Quando é que atravessamos a fronteira de filho e avançamos para o outro lado?

Até mesmo a mãe me diz que tenho mandado muito nela. Me chama de madre superiora, de coronel. Agora pergunte: por quê? A mãe só faz o que quer, do jeito que ela quer e – mesmo se recuperando de uma fratura em uma vértebra, outra no fêmur e da colocação de uma prótese no quadril – insiste em regar o jardim à noite, arrastar vasos e correr para tirar a roupa do varal quando chove.

Foi no aniversário da Bruna do ano passado. Já estava tudo comprado, preparado, mas a mãe inventou de fazer mais 32 patês de última hora:

— A Bruna gosta do meu patê de azeitona!

Azeitona preta, azeitona verde, azeitona preta com verde, mais 29 variações e acabou escorregando na cozinha, caiu e quebrou a perna e mais uma vértebra.

Ainda disse que não tinha sido nada, excepcionalmente ficou mais quieta e passou a noite com a gente. Só no dia seguinte resolveu ir até o hospital dar uma olhada e precisou ser operada às pressas.

Assim como na quantidade de patês, a mãe exagera nas dores que tem, você sabe. Desde quando a gente era pequeno, nunca era só uma enxaqueca. Pra ela era sempre uma coisa muuuuito pior:

— Uma dor que nunca tive!

Desta vez não foi diferente. Uma semana depois, quando o médico perguntava de zero a dez quanto estava a dor, ela dizia: "Um milhão!". Assim, o médico pediu para uma anestesista, especialista em dor, medicar a mãe. Receitou uns remédios que ela nunca tinha tomado – remédios novos ela A-D-O-R-A.

A mãe ficou bastante sonolenta nos primeiros dias, mas a anestesista disse que era normal.

Dois dias depois, numa sexta-feira, a mãe recebeu alta e voltou para casa. Uma enfermeira iria acompanhá-la nas primeiras semanas.

Domingo, quando chegamos para almoçar, a enfermeira me avisou que a mãe não estava bem. Corremos pra vê-la. Ela falava coisas desconexas e insistia em amarrar na cintura um cinto estampado que não combinava com nenhuma roupa do mundo!

Era o começo de mais uma história que eu tenho a sensação de que só acontece com a gente. Começamos a nos organizar para levá-la para o pronto-socorro. A mãe ria, falava se a gente iria almoçar em Ubatuba, se os biscoitos que ela vendia já estavam prontos, perguntava por que a Isabella tinha movimentos peristálticos.

Chegando ao hospital, já no primeiro atendimento, o médico descartou qualquer coisa mais grave, mas precisava investigar o que era.

A mãe continuava falando pérolas:

— Olha que bonitinhas essas bonecas penduradas nas prateleiras. Será que eles deixam a gente levar pra casa?

Eu olhava em volta e só via os ganchos da cortina do boxe do PS.

— Quem é esse menino fazendo ginástica aqui do lado?

O menino era o suporte do soro.

A Bruna estava ao lado da maca, de mãos dadas com ela. A mãe olhou firme para o braço da Bruna e deu um tapa em uma pinta:

— Um bicho enorme no seu braço, filhinha!

Quando uma enfermeira entrou, a mãe perguntou se o tio dela tinha se machucado muito no atropelamento. Avisei que ela estava falando coisas desconexas. Mas a enfermeira se emocionou: "Nossa, ela lembrou. Que memória!". A enfermeira disse que ela tinha atendido a mãe três semanas antes e que tinha comentado sobre o tio atropelado. Decerto a enfermeira achou que quem falava coisas desconexas era eu.

Em seguida, a mãe perguntou por que colocavam coco ralado no teto do hospital. Para distraí-la, o Lucca emprestou o iPod e a mãe começou a cantar alto. Nisso, a Maria, ouvindo a cantoria no último volume, perguntou: "Is she tripping?". O Lucca respondeu que naquele momento era só o iPod.

Ficamos o dia inteiro no hospital. A mãe variava entre assuntos com sentido e viagens de ácido. O médico avisou que poderia demorar até sete dias para desintoxicar os medicamentos, mas ela na mesma noite já foi ficando "sóbria".

Voltamos para casa quase a uma da manhã. Ao descer do carro, a mãe perguntou quem eram as duas menininhas de pijama sentadas no muro. Ela mesma respondeu:

— Ah, é a Conceição e a Emanuela! — olhando para o muro vazio e se despedindo das últimas alucinações.

Acho lindo um texto do Fabrício Carpinejar que diz, entre outras coisas, que "há uma quebra na história familiar onde as idades se acumulam e se sobrepõem e a ordem natural não tem sentido: é quando o filho se torna pai de seu pai".

Carpinejar diz ainda que "a casa de quem cuida dos pais tem braços dos filhos pelas paredes. Envelhecer é andar de mãos dadas com os objetos, envelhecer é subir escada mesmo sem degraus".

A mãe continua fazendo – além dos patês – só o que quer. E eu também, exceto os patês. Teimosia é certamente hereditária. Eu sei e meus filhos sabem.

P.S.: meu imenso respeito e amor pelos pais que têm visto o mundo com olhos de caleidoscópio e pelos filhos que os amam e cuidam deles.

PELA LUZ
DOS OLHOS TEUS

AQUELE SOBRE OS INVISÍVEIS

Você não vai acreditar, mas ainda tenho dúvidas se você me vê. E ver não no sentido figurado, mas se você realmente me enxerga.

Aquele exame que você fez, o Potencial Evocado, que avaliava a funcionalidade do sistema nervoso, mostrou que havia uma lentificação nos seus estímulos, mas não ruptura. Significava que você continuava ouvindo, sentindo, enxergando, mas de forma diferente.

Fica bem claro que você escuta, porque quando a porta bate ou alguém grita, você se assusta. Fica claro que você sente o toque, porque quando alguém segura sua mão ou seu o braço, você se mexe, a pele arrepia.

Você prefere os iogurtes de fruta, demonstrando paladar, e seu olfato treinado para aromas decerto percebe o perfume forte e doce da assistente social.

Mas ver é tão mais sutil. Às vezes seus olhos se fixam nos meus e eu sinto que você está ali, me vendo. Mas muitas vezes eles escapam de mim e do seu quarto e desse mundo. Você vai para longe. Não gosto.

Não lembro se já te contei que faço descrição de imagem de livros didáticos para pessoas com deficiência visual. É um projeto incrível. Poder traduzir as imagens em palavras e, dessa forma, ajudar no acesso à informação e à inclusão social e cultural é bem emocionante. O projeto se chama Ver com Palavras. Bonito, né?

Precisei de um tempo para pegar a prática. Saber a medida certa, nem exagerar nos detalhes nem omitir algo importante. Descrever uma foto de um leão numa jaula é uma coisa. Outra coisa é descrever o quadro *Guernica*.

A coordenadora do projeto diz que é importante colocar até as cores na descrição. Apesar de não as enxergar, para cada pessoa elas podem remeter a uma memória olfativa, afetiva ou, quem sabe, a um gosto especial. Para mim, por exemplo, o amarelo tem gosto e cheiro da fazenda da tia Zita, ali perto de onde guardavam o trator e as mangas amarelavam o chão e o ar.

Li que foi criado um aplicativo incrível, o Be My Eyes, que permite que você empreste seus olhos para pessoas com deficiência visual por alguns momentos. É bem simples. Pela câmera do celular, os voluntários podem revelar qual é a cor de uma camisa, o nome de um remédio ou qualquer detalhe visual que antes era inacessível. Ver o outro.

Acho que por essas e outras, essa semana tenho me incomodado com os invisíveis que permeiam nosso dia a dia. Voltei a trabalhar quarta-feira e uma fala despretensiosa do rapaz da manutenção da escola me fez pensar em quanto a gente não olha em volta. "Eu pintei a porta dessa sala, mudei até a cor, mas ninguém reparou", ele me disse.

A cor da porta não cabia nas minhas preocupações de recomeço. Voltei focada na minha prática pedagógica, na preparação do meu material didático, nas antecipações para ajudar na minha organização. Essa mania de se apropriar de tudo e não enxergar o outro. Ou enxergar só o que ou quem interessa. Um olhar seletivo.

A gente mesmo sempre soube o nome do carteiro da nossa rua, dos guardas, do entregador de jornal, mas nunca dos lixeiros, né? E era capaz de se irritar com o caminhão de lixo andando lento pela rua estreita, porém não achava importante cumprimentar ou agradecer ou, no mínimo, disfarçar o incômodo do cheiro. No começo deste ano, precisou de uma greve dos garis no Rio e toneladas de lixo espalhadas pelas ruas pra sociedade os enxergar.

Ainda não tenho certeza, mas acho que o treino de descrever as imagens me ajudou a encontrar significados e ver um sentido para isso tudo que vivemos há um tempo. Se a gente perceber a cor da porta, é mais fácil conseguir abri-la.

E CADA FILHO SEU COMO SE FOSSE O ÚNICO

AQUELE SOBRE A PATERNIDADE

Você não vai acreditar, mas a primeira pergunta dos que não te conheceram antes de dormir é: "Ele teve filhos?".

Você escolheu não ter filhos. Por que mesmo? Fico pensando que pai você teria sido. Tenho dúvida se você seria um pai como o nosso pai. Ao mesmo tempo em que passava sermão com as notas baixas do boletim – e não abria mão de que a gente aprendesse uma língua, um instrumento e um esporte –, deu liberdade para a gente fazer as próprias escolhas.

O pai sempre foi muito presente, altruísta, amoroso, provedor. Porém paradoxal. Fazia questão de mostrar o certo do errado, o ético do antiético, o caminho do bem, mas para ver os filhos felizes era capaz de quebrar as próprias regras. Fabio e eu ganhamos um carro quando ele tinha 14 e eu 15 anos e vocês dois andavam de moto, apesar do pai odiar.

Não sei se você seria um pai como o Fabio. Ele tem todas as características do pai, mas é mais firme com as crianças. Luta pelas coisas em que acredita e faz escolhas por eles. Quando crescerem e perceberem, já serão faixa preta no judô e tae kwon do. Atento aos perigos, diz que não dará moto para os filhos.

Acho que você seria um pai apaixonado, daqueles que toca violão para a filha e faz ela dormir deitada em seu peito. Não sei se seria pai só da Bárbara ou se você insistiria na ideia adolescente de ter os gêmeos Eduardo e Mônica.

No meio de tantos são-paulinos, será que os seus seriam mesmo palmeirenses? Será que deixaria as crianças terem cachorro dentro de casa, dormindo em cima da cama?

Não sei se os levaria para a Disney ou acharia importante eles conhecerem primeiro o Brasil. Não sei se proibiria carne vermelha e refrigerante ou faria churrascos todos os fins de semana.

Certeza de que levaria à missa e faria com que eles limpassem o prato. Seriam cheirosíssimos. Seria um pai engraçado, que contaria histórias de medo e daria sustos no final. Daria a mão para atravessar a rua – e a sua vida por eles.

Acho que você aprenderia com os erros e acertos do pai, do Fabio e os seus próprios. Porque os pais não nascem prontos. São construídos nas relações com os filhos, que são construídos nas relações com os pais. Ovos e galinhas. *Tijolo com tijolo num desenho mágico.*

Você sabe que você foi a primeira dor que meus filhos conheceram. Aquele dia tirou um tanto da inocência dos três. Mais ou menos como a cena do elevador do filme *The Untouchables*, do Brian De Palma. Aquela cena em que a máfia mata o agente contador companheiro do Eliot Ness e escreve com sangue na parede "touchables".

Não éramos, então, intocáveis.

Apesar da dor, queria dizer que você sempre foi alguém muito importante na vida dos meus filhos. Foram você, o Fabio e o pai que me ajudaram a preencher espaços, suprir ausências e encurtar distâncias.

Foram muito mais do que tios ou avô. Foram heróis. O Fabio continua com essa missão solitária, mas você conhece alguém melhor que ele?

CADA UM SABE A DOR E A DELÍCIA DE SER O QUE É

AQUELE SOBRE A FEIRA DE ADOÇÃO

Você não vai acreditar, mas ontem sofri bullying numa feira de adoção de gatos. Pois é. O que você está pensando aconteceu. Seis meses depois de ter sido atropelada, minha queridinha Ogato desistiu e foi embora nesta semana triste. Apesar das sessões de acupuntura e de fisioterapia, ela não deu conta de não ser mais ela, de ter virado uma sereia e não conseguir mais andar.

Hoje em dia os gatos já fazem parte da minha estrutura familiar e emocional. Fui, então, a um lugar de doação de gatinhos, disposta a pegar até dois. Lidava com certa vaidade em tirar um animal do abandono e dar para ele, ou para eles, um novo lar.

Chegando lá, uma senhora estava com um gato lindo no colo. Me aproximei, aberta a novas amizades. Ela me perguntou se eu já tinha gatos. Contei que minha gata de sete anos havia morrido. Ela me perguntou como e eu, inocente, disse que ela tinha fugido, sido atropelada e depois disso nunca mais ficou boa.

Essa senhora chamou uma das responsáveis pela ONG para me atender e quando a protetora chegou bem perto, a senhora falou alto:

— Ela mora em casa e a gata dela foi atropelada e morreu!

Todos os olhares se voltaram para mim. Sabe quando a gente sonha que vai pelado para a escola? Então, me senti assim.

Um rapaz que fotografava os gatos parou e me olhou com ar de repreensão. Um casal se afastou como se eu fosse uma assassina de gatos, a protetora balançou negativamente a cabeça e disse, de forma áspera:

— Esquece, para quem mora em casa, não dou gatos.

Sem jeito, justifiquei que o atropelamento havia sido um acidente, que eu cuidava bem dela, que também estava sofrendo. Ela nem me ouvia. Já um pouco irritada, perguntei se era melhor um gato em gaiolas minúsculas ou em uma casa. Ela, então, me aconselhou:

— Se quer adotar um gato, não conte que mora em casa.

Ou seja, minta para ter um gato.

Saí de lá sem o gato e com ódio. Fiquei pensando nesses dois lados da balança em que a gente vive se equilibrando. Ontem eu só conseguia ver a atitude da protetora como arbitrária, prepotente e preconceituosa. Hoje já penso que existe um grande risco mesmo em doar um animal para qualquer um – e para ela eu era qualquer um e da pior espécie.

Ontem eu só conseguia ver a atitude da senhora com o gato no colo como de alguém desocupado e fofoqueiro, louco para o circo pegar fogo. Hoje já acho que é uma senhorinha solitária e que encontra nos gatos a melhor companhia.

Assim como para a Ogato, que caçava maritacas e sabiás no quintal e um dia decidiu experimentar a liberdade – o que lhe custou um atropelamento e uma vida diferente.

Assim como você, Ita. Que viveu intensamente cada minuto, que estendeu o quanto pôde a juventude, que escolheu aproveitar tudo ao redor, que amou e foi amado incessantemente, que fez um milhão de amigos sem distinção, que viu milhares de vezes o sol nascer antes de ir dormir, que deixou para depois algumas coisas importantes.

Embora eu não tenha conseguido ressignificar esta sua nova vida, sei que de alguma forma você ainda está no controle. E eu estarei sempre por aqui e *o acaso vai te proteger enquanto eu andar distraída.*

PORQUE VEIO A SAUDADE VISITAR MEU CORAÇÃO

AQUELE EM QUE EU VISITEI UM CASTELO

Você não vai acreditar, mas estive no Castelo Rá-Tim-Bum. Numa terça-feira à tarde, despretensiosa, e ainda de graça e sem fila, as meninas e eu passamos um tempo visitando cada sala da exposição. Lembro de assistir ao *Castelo* com os três pequenos, depois do banho, eles ainda com os cabelos molhados e cheirosinhos, vestindo pijamas de pé da Milho Verde.

Chorei já na entrada, quando ouvi a música e vi a maquete do Castelo. A Bruna e a Maria já estavam avisadas: eu daria vexame. O combinado era só não chorar de soluçar.

O porteiro, a árvore com a Celeste, a casa dos passarinhos, as caixas pretas, o Tíbio e o Perônio, a cozinha cheia de portas e janelas, as cartas escritas para cada personagem, a trilha sonora de cada lugar – achei que poderia ser mais alta –, tudo me emocionou muito.

Só me decepcionei um pouco com o lustre do castelo, parte que eu amava. Podia ser envidraçado e não de tecido.

Tão nostálgico. O Cony disse que a nostalgia é saudade do que a gente viveu. E melancolia, saudade do que não viveu. E acho que na nossa família a gente sempre viveu muito perto. Por isso a saudade.

Depois do almoço, antes do pai voltar para o trabalho, sempre dava tempo de você tocar algumas músicas no violão, de conversarmos sobre amigos e escola, de estarmos disponíveis uns para os outros. E assistíamos juntos a *Agente 86, Bonanza, James West, Jeannie* e *A feiticeira*.

Eu também vivi muito perto dos meus meninos. Escolhi assim. Como trabalhava em escola, podia decidir os dias e períodos de trabalho e ter férias duas vezes por ano, junto das férias deles. Sei que é um privilégio.

Lembro que, apesar de gostarem do *Castelo*, também gostavam de *Chaves*. Eu assistia junto, fazendo todas as críticas possíveis, dizendo que adulto que imita criança tem a mania de falar que nem tonto, ficar com os joelhos dobrados e colocar os pés para dentro. Preferia a crítica à proibição.

Estar junto dá trabalho. Educar dá trabalho. Faz parte dizer "não", impor limites, frustrar, mesmo que eles te odeiem profundamente por duas longas horas. Só quem é capaz de dizer o "não" pode escolher dizer o "sim". Mas também tem de ter a moeda de troca: ler histórias, brincar junto, conhecer os gostos e os amigos, assistir 512 vezes a *O Rei Leão*. E *Chaves*.

Ser parceiro da escola é outro ganho na criação dos filhos. Filho percebe quando os pais valorizam a educação e confiam na escola. Hoje em dia, adoro programas com a Isabella. Ela é tão interessada e interessante. Gostamos de ir ao Bairro da Liberdade só nós duas. Andar na rua, comprar borrachinhas e bobagens comestíveis, passear na feirinha, comer um temaki e conversar. No último fim de semana, ela me perguntou se existia um dono, um responsável por ter começado o bairro ou se os orientais decidiram mesmo ir se juntando, morando perto, abrindo restaurantes e lojinhas.

A gente não sabe quais são as inquietações deles, né? Lembra quando a Maria Eulália morreu, que a Maria, pequena, perguntou: "Quando todo mundo morrer, para quem vão ficar os prédios?"? Ou a dúvida que ela tinha do que era ser da "categoria de pessoa" malufista? O Lucca tinha uma questão religiosa: "Por que se reza Ave, Maria, cheia de graça e não Ave, Lucca?". E a Bruna acreditava que "estar perto" era pertencer: "Venha meu perto. Eu quero ficar seu perto".

Indico para Isabella livros e filmes, apesar de ela gostar e ser corajosa para filmes de terror e suspense. Ela assistiu a *A vida é bela* e quando cheguei para o almoço me disse: "Que bom que você e meus primos chegaram. Chorei muito no filme e queria falar de algumas partes com quem já assistiu". Fofa.

O Derek ia gostar de ter um tio que o levasse ao Salão do Automóvel. O Fabinho ia gostar de um tio que conseguisse ingressos para jogos de futebol. E eu ia gostar de ir com você a alguma exposição genial no MIS e relembrar, nostálgica, que a primeira vez que a gente esteve ali foi pra assistir a *O dia do Chacal*, no começo do Palmares, por indicação de algum professor.

Mas como você não se decide, cito outra vez Cony: "Não dá para viver sem um truque. Eu me declarei morto. Clandestino morto. Na tripulação do mundo, já não me sinto comprometido com nada, mas continuo como testemunha do espetáculo. Não mais como cúmplice e nem vítima. Este é o meu truque".

Esse é o seu truque, Ita?

EU VOU TE JOGAR NUM PANO DE GUARDAR CONFETES

AQUELE EM QUE SOU SUA IR-MÃE

Você não vai acreditar, mas tenho a sensação de que uma das minhas tarefas nessa vida é cuidar de você, guardar você, te proteger dos perigos. E olha que você é mais velho. Acho que minha preocupação vem do berço. E triplicou na adolescência.

Durante o dia, ficava esperando, aflita, você voltar quando saía de moto. De madrugada, ansiosa, esperava o barulho da garagem, indicando que você tinha chegado.

Quem convivia com a gente na época deve lembrar. Eu era uma ir-mãe. Chata talvez. Sempre tive muito medo de perder você. Achava que era um perigo real e imediato. Estranho, né? E por quê?

Amo você e o Fabio do mesmo jeito, mas o medo de acontecer algo com você sempre foi maior. Era como se soubesse de alguma coisa. Eu só não sabia que o perigo estava dentro de você.

Há dez dias, você começou com uma febre alta e repentina. Isso porque, de forma arbitrária e inconsequente, a empresa de home care, que é responsável pelo seu atendimento, retirou uma das duas sessões de fisioterapia respiratórias diárias de que você necessita e que estão estabelecidas em contrato.

A fisioterapeuta-chefe e um médico, ambos vinculados à empresa, acharam que você estava ótimo e não precisava mais – o contrário do que dizem as fisioterapeutas, queridas, que te atendem todos os dias. E também seu médico, querido, que te acompanha desde que tudo aconteceu.

Era sábado e o primeiro plantão de uma enfermeira que não conhecia você – fiquei na dúvida se ela conhecia enfermagem!

Fui falando com a mãe pelo telefone e monitorando de casa a febre e o que poderia ser feito. Pedi para qualquer piora a enfermeira falar comigo, para não deixar a mãe aflita. Porque você conhece a mãe. Para ela ficar desesperada e chamar os bombeiros, a guarda-costeira, o Ministro da Saúde, é um pulo.

No começo da noite, a enfermeira então me ligou. Disse que a febre estava muito alta, que não tinha mais o que fazer, o batimento estava acelerado, não sabia se você corria risco de morte e que a empresa do home care não estava dando suporte. Acabou dizendo que iria abandonar o plantão.

Essa possibilidade de abandonar o plantão era real. Duas outras auxiliares de enfermagem já fizeram isso. E isso é crime, é abandono de incapaz. Corri para a sua casa, já querendo arrancar os olhos da enfermeira, da médica de plantão, do dono da empresa de home care. Pelo menos ela não tinha contado nada para a mãe, que estava jantando no Fabio, achando que sua febre estava controlada.

Quando cheguei, a enfermeira, me vendo furiosa, disse que ela mesma tinha conseguido se acalmar e que tinha resolvido ficar. Puxa, que bom! Para deixar o clima menos tenso, soltou uma pérola: "Sabe que tenho certeza de que conheço o Itamar? Mas não é de hospital, não. É de balada. Ele é gato. Você sabe que eu acho que já fiquei com ele?". Nossa, linda, que adequado esta conversinha nesse momento. Só faltou me chamar de cunhada.

Liguei para o home care enfurecida. A atendente me garantiu que a enfermeira já estava mais controlada, menos estressada e que prometia não abandonar o plantão. Completou dizendo que não havia outra pessoa para mandar no lugar. Era a mocinha-cunhada-fofa ou ninguém.

Pedi para falar com a médica de plantão. A médica, depois de me explicar o óbvio – deve ser alguma infecção e o batimento cardíaco acelerado é por causa da febre –, perguntou se eu achava melhor internar você. Se eu achava melhor?! Como assim? Será que telefono para ela e pergunto se ela acha que preciso entregar sequências didáticas, diários de classe e planejamentos no final do bimestre? Afirmei que eu não era médica e que quem deveria saber era ela depois de avaliá-lo. Ou será que não?

O final desse capítulo você já sabe, Ita. Era pneumonia e seu quadro respiratório necessitava de DUAS sessões de fisioterapia diárias. Você conseguiu ser medicado em casa e está melhor. Mas, justamente porque está melhor, a empresa avisou que vai diminuir novamente as sessões de fisioterapia.

Fico indignada com o descaso que existe com a vida humana. Para os planos de saúde e para as empresas prestadoras de serviço você é o cliente número XYZ001. Para mim, você é meu irmão que amo. Um irmão querido, numa situação frágil, que necessita de mim e, infelizmente, de suportes que não posso dar.

Para os planos de saúde e para as empresas prestadoras de serviço, a redução de uma sessão de fisioterapia não os deixará mais ricos. Mas deve premiar, no almoço de Natal da firma, com uma caixa de vinho nacional, algum coordenador de serviços aleatórios que conseguiu economizar muitas sessões de fisio para a empresa.

Para você, essa sessão diminuiria o risco de morte por uma pneumonia grave. Assim como para todos os pacientes que necessitam de cuidados. Apesar de pagarem fortunas aos planos de saúde, vivemos reféns de uma máfia que só pensa em valores e números.

Não estamos sós. Nos sites de denúncias existem muitos casos semelhantes ao nosso. São pais pedindo por seus filhos e filhos pedindo por seus pais.

Os planos de saúde e as empresas conveniadas trabalham com atendimento e segurança de pessoas em um momento de vulnerabilidade. Não dá para errar. Não é que eles trocam um produto que está fora do prazo de validade. Não é que eles fazem um recall, com a devolução de um lote pela descoberta de problemas relativos ao produto. São vidas.

Tem uma frase da Agatha Christie que diz que "o amor de mãe por seu filho é diferente de qualquer outra coisa no mundo. Ele não obedece lei ou piedade, ele ousa todas as coisas e extermina sem remorso tudo o que ficar em seu caminho". Forte, né?

Sou sua ir-mãe e não obedeço à lei ou piedade quando você precisa de mim.

ME DEIXE SIM, MAS SÓ SE FOR PRA IR ALI E PRA VOLTAR

AQUELE EM QUE A MÃE QUEBROU A OUTRA PERNA

Você não vai acreditar. Preparado? A mãe foi fazer bo-li-nho-de-chu-va sozinha, às 10 horas da noite da última terça-feira, depois de ter lavado a cozinha. O que aconteceu? Caiu, quebrou o fêmur – o outro! – e precisou ser operada. Não, nem precisa ficar bravo. Ela já ouviu de mim e do Fabio tudo o que tinha de ouvir. A gente nem conseguiu se revezar na tática do *good cop* e o *bad cop*. Ficamos, os dois, furiosos.

E ficamos furiosos porque a gente já sabia o que esperar. A recuperação é difícil e lenta. E hospital é muito chato. Acho que aqui se envelhece em um dia, o que envelheceria em um ano lá fora. Eu sei, estou dramática.

Dramática e presa aqui com ela neste quarto de UTI. Olho em volta, nos outros quartos, e vejo quanto ela está ótima. Agora há pouco, pediu pra passar um rímel, um blush e um creme anti-idade porque o médico viria no quarto.

Pediu também para eu buscar um doce lá fora e ficou brava quando eu disse que era proibido.

— Para que dieta leve? Não tô sentindo nada!

Depois cismou que a enfermeira tinha dado algum remédio errado. E queria usar o celular pra avisar umas amigas – talvez quarenta – que tinha quebrado a perna.

Comecei a me irritar. Saí para respirar um pouco fora do quarto de UTI. O clima na sala de espera era tão triste que me senti péssima.

Duas famílias choravam por seus familiares. A dor era tão contagiante que quase abracei uma senhora que nunca tinha visto, sentada numa cadeira de rodas, com um lencinho bordado na mão.

Já voltei rápido pra cá, contrabandeei no corredor umas geleias e a mãe comeu o doce desejado e improvisado. Estou achando um privilégio ela estar aqui, conversando e reclamando.

Quero ouvir as histórias da tia Nana, de Santa Rita e dos Jogos Abertos. Vamos falar mal das enfermeiras, da sopa sem sal e da filha daquela atriz:

— A mãe dela é tão simpática, mas ela tem uma cara de azeda, você não acha?

Vou concordar com tudo, depois cantar o trecho de alguma música e fingir que eu não sei o nome. Ela certamente saberá e vai cantarolar a música inteira. Vou comentar sobre a aula de canto da Mari e combinar que na próxima turma a gente vai participar.

Quero que ela conte de novo de quando ela e o pai se conheceram. Que ela fale que tomaram um suco de laranja no primeiro encontro. Que diga que a vó Silvinha a achou a pessoa mais colorida que ela já tinha visto. Que lembre que a vó Gilda fez sopa de tomate com pipoca no jantar para conhecer o pai.

Vamos rir e chorar um pouquinho de saudade. Teremos esse tempo só nosso. "Amar o perdido deixa confundido este coração."

Que alívio que essa frase do Drummond não nos cabe agora. Hoje não choramos por ninguém. A mãe tá aqui e eu a amo incessantemente. Apesar dos bolinhos de chuva.

MEU CACHORRO ME SORRIU LATINDO

AQUELE SOBRE A MINHA MATILHA

Você não vai acreditar, mas o Jazz era um cachorro que sorria. Sorria mesmo, sem exagero. Jazz foi, sem dúvida, o melhor cachorro que tive. E olha que a gente teve cachorro a vida toda. De vira-lata a dogue alemão.

Fora os outros bichos do nosso quintal. Peixes, porquinhos-da-índia, coelhos, canários. Um pintinho colorido que virou um galo furioso, um pato que descobrimos que era uma pata quando começou a botar ovos na casa de cachorro e um jabuti que sumia durante anos e depois aparecia em lugares inusitados. Será que ele ainda está lá?

Tive até aqueles três macacos. Três! No tempo que eram vendidos nos semáforos. No tempo que não se falava de ecologicamente incorreto nem de prazos de validade.

Segundo o Quintana, "era um tempo em que havia mais estrelas. Tempo em que as crianças brincavam sob a claraboia da lua. E o cachorro era um grande personagem".

Nosso grande personagem aqui de casa foi um pit bull. Justo a raça que a mídia mais condena. Aquela coisa do preconceito e das falsas certezas socialmente partilhadas.

Lembra do Fred, aquele cruzamento de salsicha com demônio que tive? Então, ele é um caso típico de falha de caráter. Foi cercado de amor desde filhote, mas nada foi suficiente.

Dissimulado, jogava baralho e jogo da memória com a Maria para disfarçar, mas fazia xixi diariamente no meu travesseiro e mordia os amigos das crianças. Canalha, resolveu morder até a Bruna.

Emociono-me com casos de cachorros na porta de delegacias e hospitais esperando os donos presos ou doentes. Cachorros só amam. Um amor desinteressado, que não se importa com suas quantidades: de dinheiro, de quilos ou de defeitos.

O Jazz sofreu com a gente nos tempos em que você esteve no hospital. Passou a morder as patas e a correr atrás do rabo. O veterinário disse que era depressão. Optamos pela homeopatia em vez dos antidepressivos e ele aprendeu a conviver com a nossa tristeza.

O Jazz era quase gente. Tem cachorro que é meio gente. Mas gente da melhor qualidade, senão seria um defeito. Tem cachorro que é só cachorro mesmo. O Folk, por exemplo. Adotamos filhotinho. É um american staffordshire. Tinham dois cachorrinhos. Escolhi o mais medroso, achei que combinava com a gente. De cara, me apaixonei pela manchinha do pescoço em formato de coração. O Folk é doce, é simpático, é lindo, a gente ama muito, mas não é um cachorro extraordinário. Ele, por exemplo, nem deve saber nada sobre você.

E por que os cachorros vivem tão pouco para o tamanho do bem que fazem? Pergunta piegas, mas tão verdadeira. Por quê? Como uma ostra perlífera pode viver setenta anos e uma tartaruga dos Gálapagos cento e cinquenta anos? Quem sentiria falta delas? Esse certamente é um comentário ecologicamente incorreto, como comprar macacos em semáforos.

O Jazz foi embora numa tarde de abril. Assim como o pai, sofreu de uma leucemia rara. Tinha só 8 anos e uma legião de fãs – foi até doador de sangue para salvar a vida da cachorra da vizinha.

Há nove meses, o Fabio me ligou perguntando se eu queria um filhote de pit bull branco que um amigo estava doando. Algumas palavras acendem em mim uma luz verde da imaturidade. "Filhote" é uma delas. Daquele momento em diante, eu precisava desesperadamente de um bebezinho. Ele era branco, mínimo, com cheiro de leite. Definitivamente, não posso com aquela boca com cheiro de leite!

Todos aqui de casa ficamos de dedos cruzados para que o Indie – esse é o nome que escolhemos – fosse protagonista do filme *Jazz, o retorno*.

Indie chegou no meio de setembro e já mostrou a que veio. Comeu a caminha em poucos dias, destruiu pés da cama e livros, fez xixi dentro de sapatos. "Vai melhorar, é muito bebê!"

Acordava de madrugada para comer todos os fios: do computador, da TV, do secador. "Vai melhorar, só tem três meses!"

Decidimos adotar ao mesmo tempo uma gatinha. E a gente logo percebeu que, no começo, os encontros entre o Indie e a gata precisariam ser supervisionados. Ela dentro, ele fora. Ela em cima, ele embaixo. Ele trancado, ela solta. Trabalhoso. "Vai melhorar, vão crescer juntos!"

Foi também nessa época que descobrimos um novo olhar do Folk. Olhar que dizia: "Meu Deus, por quê? Onde foi que eu errei com vocês?".

Final do ano na praia e o Indie transformando a paisagem do quintal. Pequenas poças de água viraram chiqueiros imensos de lama. Três banhos por dia eram pouco. E um espacinho embaixo da cerca virou um buraco enorme, rota de fuga para o terreno do vizinho. "Vai melhorar, a gente vai castrar!"

A gente levou o Indie e a gata para serem castrados no mesmo dia. A veterinária disse que ele ficaria bem sonolento até chegar em casa. No caminho, ele virou a caixa da gata de ponta-cabeça várias vezes e não dormiu nem um segundo. "Vai melhorar..." Vai melhorar?

Com dor no coração, a gente chegou à conclusão de que o Indie, muito diferente do Jazz e do Folk, será um cachorro de quintal, ele não vai conseguir ficar dentro de casa. É triste vê-lo carregando um cobertorzinho pelo jardim. Jardim que ele destruiu.

Falamos com um especialista. Ele não tem dúvida de que o Indie se considera o macho alfa da nossa matilha. E que nós, mais do que ele, precisamos ser adestrados.

Claro que a gente já percebeu que tem coisas que não vão melhorar com o tempo. Mas o tempo também tem sido responsável por algumas outras mudanças: o Indie triplica de tamanho, triplica o tamanho das bobagens que ele faz e triplica o amor incondicional que a gente já sente por ele.

Tenho pensado que certas coisas que mudam a nossa vida, a gente mesmo é quem provoca. Outras não. O que aconteceu com você é a minha grande mudança. Ainda preciso colocar coisas para dentro desse espaço interno que a sua ausência me causa. E às vezes viro de ponta-cabeça no caminho como a gata na caixa.

ARRANCASSE MEUS
PÉS DO CHÃO

AQUELE SOBRE MINHAS CASAS FÍSICAS E ASTROLÓGICAS

Você não vai acreditar, mas esses dias me dei conta de que só morei em lugares que o pai construiu. Ou reconstruiu. A casa onde nascemos na alameda dos Guaicanãs, a casa onde você e o Fabio ainda moram, o apartamento onde meus filhos nasceram e a reconstrução dessa minha casinha.

E, nesses tempos de arrumações e decorações de espaços, encontrei a planta da minha casa e as anotações que o pai fez para a reforma. Tudo tão cuidado, tão amoroso. Projeto, cronograma, acabamento.

Só discordamos na altura do muro. Eu sonhava com uma cerquinha branca baixa. Ele começou, então, subindo um muro de 2,20 metros. Eu sei que já falei para você sobre casas. A minha, a nossa. Mas o que falo agora é do sentido afetivo da palavra. Casa como o lugar destinado à construção de relações e de vínculos. Casa entendida como nossa identidade. Casa como símbolo feminino, de refúgio, de proteção, de mãe.

Não tenho planetas na minha Casa 4 do Zodíaco Padrão. A Casa 4 é onde moram "nossos pés": a família, o passado, o lar, o pai. Talvez seja por isso que o pai foi construindo meus refúgios e enchendo de sentimentos e significados no lugar de planetas.

É na minha Casa 4 que mora minha base emocional. Meu sossego. Ela está em Libra. Na leitura do meu mapa, sempre foi um sonho meu constituir família. Juntar em uma mesma bolha os meus pais, irmãos e filhos. E como a forma que eu sinto o meu conceito de família é libriana, procuro conciliar problemas, busco a harmonia, quero a paz.

Mia Couto diz uma coisa bonita: "O importante não é a casa onde moramos. Mas onde, em nós, a casa mora". A nossa casa mora em mim no lugar mais precioso. E, porque mora ali, tenho medo.

Tenho medo das paredes mofadas e da água correndo solta fora dos canos. Tenho medo dessa água levar embora o que é para mim tão caro. Tenho medo de não reconhecer mais este lugar. Tenho medo das minhas desistências – e não tenho mais um engenheiro para colocar a água para dentro dos canos e subir muros de proteção.

Eu não quis falar com você neste domingo. Tem dias que tenho raiva, sabe? Depois choveu um pouco e mais tarde apareceu um solzinho. A mãe já conseguiu andar até o computador. Tomei café com o Lucca e almocei com as meninas. Os cachorros brincaram no quintal.

E eu pensei em mim, eu pensei em ti, eu chorei por nós. E pronto, a paz invadiu o meu coração.

UM DIA EU QUERO SER INDÍGENA

AQUELE SOBRE A CONFUSÃO NA NATUREZA

Você não vai acreditar, mas nesta primavera os sabiás começaram a cantar ainda mais cedo. Essa madrugada o canto começou na minha amoreira antes das três da manhã. As aves aproveitam o silêncio da cidade e o sono dos predadores para ensinar os filhotes a cantar e a reconhecer o canto dos pais. E, como a cidade quase não dorme, o sabiá se perde no tempo.

Lembra de um sabiá que bicava o próprio reflexo no vidro do corredor que levava aos nossos quartos? A gente era pequeno e o sabiá aparecia por volta das 5h30. Eu acordava com o barulho e já sabia que tinha pouco tempo de sono até o pai entrar no quarto para me avisar que estava na hora da escola.

Há muitos verões, as andorinhas que faziam ninho nos buracos do muro do nosso quintal sumiram. Há muitos verões São Paulo não tem mais garoa. E é quase certo que nesse verão não tenha água.

Li uma conversa entre a Eliane Brum com o antropólogo Eduardo Viveiros de Castro e a filósofa Déborah Danowski, autores do livro *Há mundo por vir? – ensaio sobre os medos e os fins*.

Viveiros diz que São Paulo, hoje, é um laboratório de tudo de ruim que está acontecendo no mundo: "Explodiu a quantidade de carros, explodiu a poluição, explodiu a falta de água, explodiu a violência, explodiu a desigualdade. São Paulo está destruindo a Amazônia e está sofrendo as consequências disso. Falta de esgoto na favela é problema ambiental do mesmo jeito que desmatamento na Amazônia é problema ambiental".

Assim como os sabiás que cantam cada vez mais cedo e as andorinhas que sumiram do nosso quintal, Viveiros conta que os povos nativos da floresta estão sentindo e sofrendo com todas as alterações do planeta. Eles sabem que está na hora de plantar porque há vários sinais da natureza: o rio chegou até tal nível, o passarinho tal começou a cantar, a árvore tal começou a dar flor. E que esses sinais dessincronizaram. O rio está chegando a um nível antes de o passarinho começar a cantar. E o passarinho está cantando muito antes de a árvore dar flor. É como se a natureza tivesse saído do eixo e as coisas estivessem fora da ordem.

Hoje o sabiá me acordou cedo e vou sair pra votar. Não estou convicta. Não me sinto representada ecologicamente por ninguém. Acho que não votaria nem em mim.

Sempre os governos são irresponsáveis com a questão indígena. E nós somos irresponsáveis como eles com o ar, a água, as plantas, os bichos, as minorias do planeta. Irresponsáveis, nós e o governo, e responsáveis por esse "crescimento" desordenado, que produz e reproduz a pobreza e destrói riquezas que não se pode substituir.

A gente esqueceu que mora num mundo finito, com recursos finitos e que não cabe mais lixo – a gente realmente precisa de um celular novo todo ano?

Sobre medos e fins. É nesse planeta que o Derek vai crescer. Com passarinhos confusos, cantando presos em iPads. Com a água sendo mercadoria rara e explorada por grandes empresas.

É nesse planeta que você quer acordar, Ita?

Diz uma antiga lenda indígena que, durante as madrugadas, no início da primavera, quando alguém ouve o canto de um sabiá-laranjeira, é abençoado com amor, felicidade e paz. Espero que na madrugada de alguma segunda-feira de primavera, a gente tenha escolhido quem nos represente ecologicamente.

Ainda não é amanhã.

É IMPROVÁVEL, É IMPOSSÍVEL

AQUELE SOBRE O RODRIGO

Você não vai acreditar, mas no último dia 9 fez vinte e três anos que o Rodrigo morreu. Você acredita que faz mais tempo que ele foi embora do que viveu?

Queria entender o que foi a vida dele…

O Zé e a Neusa eram bem novos, militantes, e serem pais não fazia parte dos planos. Ela engravidou. Era improvável que o filho nascesse. Mas o Rodrigo nasceu em abril de 1970.

O Zé e a Neusa não formaram uma família. Família o Zé formou com a Nara, lá no Sul. Tiveram dois filhos incríveis, a Ana e o Theo, e construíram a vida por lá. Era improvável, então, que o Rodrigo ficasse um primo próximo da gente. Mas ficou. E muito.

A gente cresceu como se o Rodrigo fosse quase um irmão mais novo, só que morando em outra casa. Muitas casas. Acho que era difícil para o Rodrigo saber qual espaço era dele. A nossa casa, a casa da avó de lá, a casa da vó Gilda, a casa do Zé, a casa do outro tio, a casa da outra tia. E tanta gente achava improvável que o Rodrigo sentisse tanta novidade ruim. Mas ele sentia.

Irmãos brigam. A gente brigava muito, por qualquer motivo. Mas tinham também as brincadeiras, a convivência, a cumplicidade. E quando o Rodrigo chegava, ele queria fazer parte daquilo. Aquilo que só se constrói no dia a dia. E então brigava demais, e comia demais, e gritava demais. Era improvável que a gente não entendesse o que ele queria. Mas a gente era criança como ele. E a gente não entendia.

Ele era o primo-irmão mais novo que vinha passar o fim de semana em casa. Para ele, a gente era uma rotina que ele não conhecia. Era almoçar na mesa, ter com quem conversar e brincar. Mas também era acordar cedo, fazer lição, tomar banho e comer salada. Era improvável que uma criança achasse isso tão bom. Mas ele achava. O Rodrigo, quando dormia, nem fechava os olhos totalmente. A gente enchia, dizendo que ele parecia um jacaré. Talvez ele não quisesse perder mais nada.

Por outro lado, mesmo mais novo que a gente, o Rodrigo era muito mais descolado. Andava a pé, pegava ônibus, passava o dia no clube. E era conhecido por todo mundo. E conhecia a cidade muito mais do que nós. A gente era cercado de medos e portões. Lembra quando ele morou sozinho no interior? Era improvável um adolescente fazer isso. E ele foi lá e fez.

Nessa época, o Zé já estava com a Nara e as crianças no Rio. E o Cristiano já havia nascido. Formavam a família mais legal que eu conhecia. Eram próximos, carinhosos, inteligentes. Moravam numa vila em Ipanema e ouviam Beatles logo de manhã. Eu amava aqueles primos, aquele lugar. Era improvável que o Rodrigo conseguisse morar com o Zé. Mas, então, ele foi.

Aquela era a família dele. Mas não era. O Rodrigo era desajeitado nas relações. Demorou pra cada coisa encontrar o seu lugar. Demorou para o Rodrigo comer arroz integral. Mas tinha calma, tinha sabedoria. E tinha Beatles logo de manhã – and *all you need is love*.

O Rodrigo foi crescendo e aparecendo. Virou um homem enorme, bonito, bronzeado e saudável. Espiritualizado e doce, veio pra São Paulo assim que o Lucca e a Maria nasceram. Queria conhecê-los. Me contou que havia sonhado com eles. Que um teria os olhos azuis da cor do céu e o outro os olhos azuis da cor do mar. Era coisa improvável, mas eles têm mesmo olhos assim.

Naquele almoço de domingo, o Rodrigo contou para a vó Silvinha como a vida estava boa. Estava trabalhando, vendendo umas roupas de Bali para todas as atrizes da Globo, estava cheio de amigos. Morava sozinho com o Zé, mas ficava umas noites com o Cristiano na casa da Nara para ela poder trabalhar no teatro. Contou como era próximo dos irmãos. Contou, emocionado e emocionando, que era amigo da Nara e que jantava sempre na casa dela. Tinha uma boa relação com o Zé e estava feliz.

Era improvável, mas foi a última vez que a gente viu o Ro.

Pouco tempo depois, numa quarta-feira na hora do almoço, começou a chover no Rio de Janeiro. O Rodrigo havia chegado havia pouco e estava no quarto. A janela estava aberta, molhando o chão. Ele se sentou na janela, como sempre fazia, para puxar a veneziana emperrada. Era improvável que ele se desequilibrasse e caísse. Mas caiu.

Não sei se foi um resgate de vidas passadas. Não sei qual tikun ou carma que ele tinha de passar.

O que sei é que a vida do Rodrigo aqui não pode ter sido só isso. *É improvável. É impossível.*

PALAVRAS DURAS EM VOZ DE VELUDO

AQUELE SOBRE O ABRACADABRA

Você não vai acreditar, mas segunda-feira você faz outro aniversário dormindo. Que bobagem aquela que a vida começa aos 40, né? Você dormiu ainda com 41 e no ano em que eu fiz 40.

Lembro uma tarde, perto do dia do seu aniversário que passamos no hospital, de estar sozinha com você. O cardiologista, que tinha cuidado do pai, apareceu para te visitar. Ele se sentou na antessala do seu quarto, comendo uma trufa que a mãe da Dani sempre levava para nós, e te observou de longe. "Sabe, daqui a dez, vinte anos, seu irmão vai estar exatamente assim. Fui eu quem livrou seu pai de ficar desse jeito. Agora seu irmão – pausa dramática e sorriso nos lábios –, que pena que ele não era meu paciente." Pegou mais uma trufa, cobrou a consulta e saiu, soberbo.

Senti uma dor profunda. Fiquei arrasada. Fazia pouco tempo que você estava no hospital e ainda era o tempo da esperança. Não tínhamos aquele repertório todo de encefalopatia hipóxica e estado vegetativo persistente. Ele foi duro e onipotente. E eu tive medo de ele estar certo.

Há poucas semanas fui a um encontro de amigas. Uma delas tem uma doença degenerativa que esconde das outras. Os sintomas começaram a aparecer e ela disfarça falando de outros problemas de saúde. As amigas fingem que acreditam.

Uma das amigas chegou mais tarde para o encontro. Muita festa e sorrisos quando ela entrou. Com voz doce, quase ingênua, perguntou para a outra: "Você está com uma doença degenerativa? Porque todo mundo do grupo tá comentando e eu disse que não sabia de nada, que achava que não". A amiga com a doença negou, colocou um pedaço de bolo na boca, se ajeitou na cadeira, sem jeito. A outra foi dissimulada e cruel. E eu tive medo de amigos assim.

A fala do cardiologista não me ajudou em nada, não te ajudou em nada, foi gratuita e desnecessária. A fala da amiga não ajudou em nada a outra, só serviu para deixá-la ainda pior.

Eu mesma desejei e falei muitas vezes que queria que aquele cardiologista do pai um dia vivesse o que você vive. E que eu pudesse olhar para ele, enquanto comia uma trufa da Lili, e dissesse, soberba, que o mundo dá voltas.

Abracadabra é uma expressão cabalística em aramaico que significa "eu crio ao falar" e que, embora clichê, indica o poder da fala. E a responsabilidade da palavra.

Acho que de alguma forma as pessoas se acostumaram a ferir umas às outras. É como se fosse um alimento. Como se fosse aplacar uma raiva que consome por dentro e não encontra o lugar certo para ficar.

Essa semana, vi uma senhora de 66 anos se sentir mal na frente de um grupo grande de pessoas desconhecidas. É um momento constrangedor, frágil. Se fosse em qualquer outra situação, as pessoas iriam se solidarizar. Mas não. Muitos desejaram que ela morresse, que era bem feito e que a maldita já ia tarde. Não era só uma senhora de 66 anos se sentindo mal na frente de um grupo grande de pessoas. Era a Dilma Rousseff.

O estranho é que o que cada um acha dela não vai mudar se xingá-la bastante. Não há esperança em conversão política. E não há esperança de que a relação entre os diferentes seja de respeito e cordialidade.

Fico pensando se algumas palavras precisam ser ditas. Para o Rubem Alves, palavras são coisas perigosas. Elas têm um poder de engano infinito.

Por isso, Ita, neste aniversário, tenho poucas palavras. E algumas nem são minhas. Estas são do Bukowski:

"Esteja atento. Existem outros caminhos. E em algum lugar, ainda existe luz. Pode não ser muita luz, mas ela vence a escuridão."

Esteja atento. Eu te amo.

VAMOS CELEBRAR EROS E THÂNATOS, PERSÉPHONE E HADES

AQUELE SOBRE O MITO DA PRIMAVERA

Você não vai acreditar, mas ainda gosto de contar histórias. Muito. Gosto de fábulas, de lendas, gosto muito dos mitos. Gosto dessa forma encontrada para se explicar o mundo e a formação das constelações, das ilhas, das montanhas.

Crescemos entre Pedros Malasartes, Príncipes Escamados, Narizinhos, Emílias. Entre a menina da figueira, o Hortelão, seu rei e sua Moura Torta. A vó Gilda até que tentava contar a história da Formiguinha e a Neve, mas dormia antes da formiga prender o pé.

Lembra como a gente achava mágicos os toquinhos de vela apagados, depois de uma noite acesos para o Negrinho do Pastoreio ajudar o Itinha a encontrar os objetos perdidos?

Ninguém sabe muito bem a história que está vivendo ou quais serão as próximas páginas. Tem personagem que a gente nem sabe muito bem qual é a função dramática, mas vai entender mais pra frente. Tem muita gente entrando na nossa história e você fazendo parte da história de outras pessoas. É bonito isso.

Li que La Fontaine escreveu que "se quiser falar ao coração do homem, há que se contar uma história. Porque é assim, suave e docemente, que se despertam consciências".

Então, Ita, escolhi um mito para sussurrar no seu coração.

"O Vale de Ena era um lugar de constante primavera. Ali morava Deméter, deusa que nutria a terra, e sua única filha. Hades, o irmão de Zeus, escolheu essa moça para viver com ele e passou a chamá-la de Perséphone.

Deméter ficou tão triste com a partida da filha que se recusou a continuar protegendo as colheitas e os campos ficaram secos. Zeus, o deus do Céu e da Terra, ordenou que Hades devolvesse Perséphone à sua mãe. O combinado entre os irmãos seria que Perséphone voltaria para Hades alguns meses do ano.

Feliz, Deméter reencontrou a filha e as folhas brotaram, as flores encheram os campos, a primavera retornou e pôs fim à fome. Mas todos os anos, no fim do prazo, Perséphone despede-se da mãe e vai ao encontro de Hades. Então, Deméter recolhe-se à sua saudade. E os campos esvaziam-se de folhas, flores e frutos. E o inverno entristece a terra.

A primavera voltará quando de novo Perséphone alegrar o coração de Deméter que, em paz com o mundo, vai espalhar sua alegria pelos campos."

E foi num fim de inverno, Ita, que Hipnos, o deus do sono, raptou você de nós e espalhou saudade. Hipnos é irmão gêmeo de Thânatos, o deus da morte. Não sei o acordo que esses irmãos fizeram, mas essa já é a décima primavera sem você. E com você.

Todos os dias, de todos esses anos, a nossa mãe e Deméter esperam as flores abrirem. Espero também, porque conto e acredito em histórias.

E porque *o amor tem sempre a porta aberta e vem chegando a primavera, nosso futuro recomeça. Venha, que o que vem é perfeição.*

PENSEM NAS FERIDAS COMO ROSAS CÁLIDAS

AQUELE SOBRE ESTRELAS E DITADURAS

Você não vai acreditar, mas vi um velhinho com o número do campo de concentração nazista marcado no braço. Bem impressionante.

Fui ao hospital com a Bruna e o Lucca, que precisava fazer uma radiografia do joelho. Me perdi dos dois e, quando os encontrei, eles estavam na sala de espera do exame conversando com um senhorzinho. Ele aguardava ansioso para fazer uma radiografia do pulmão. E também ansioso por alguém para ouvi-lo.

Em poucos minutos, de um jeito cheio de sotaque e leveza, contou a vida. Era polonês, viveu por trás dos muros do gueto de Varsóvia, usou a estrela amarela e foi levado para Auschwitz com a família quando tinha 10 anos. Todos morreram.

Ele saiu de lá com 14 anos, 1,80 metro e 38 quilos. E sem mais ninguém no mundo. Passou fome e viveu na rua. Em 1948 foi para Israel e em 1949 lutou na Guerra da Independência.

Foi para a Argentina, morou no Chile e está no Brasil há quarenta anos. É casado, tem dois filhos, dois netos e acha o Brasil o melhor lugar do mundo. "Aqui as pessoas gostam uma das outras e querem muito se ajudar."

Da guerra tem a marca no braço e a necessidade de dormir sozinho na cama. Com pesadelos diários, se debate muito e já havia machucado a esposa algumas vezes com socos e pontapés.

O senhor Goldman disse que é feliz. Mas está cansado. "Duas guerras é muita coisa para uma só vida." Segurei o choro a conversa inteira. Quando se despediu, falou para os dois nunca fumarem e continuarem sendo tão educados e bons ouvintes. Homem de ouro.

Achei tudo muito emocionante, parecia o relato de um filme, de um livro. Nunca me senti como naquele sábado à tarde tão perto da História. E de uma parte cruel e vergonhosa. Esta semana pós-eleição muito se falou em separações, muros, minorias, maiorias, estrelas e ditaduras. Tudo regado a muito ódio. Eu mesma reagi com muita raiva.

Espero que essa raiva seja só um dos equívocos, porque não temos nem trinta anos de democracia e estamos aprendendo o que é.

O Cortella diz que não nascemos com o espírito de formação de uma nação. O europeu veio para retirar o máximo da terra e voltar rápido para Portugal; o indígena, com razão, viveu com a vontade que todo mundo fosse embora e o africano, trazido à força, sempre quis retornar para casa.

Acredito que ninguém esteja realmente querendo que as pessoas voltem a ser destituídas de seus direitos individuais e civis e limitadas em seu direito de ir e vir. Será que estou sendo ingênua? Para mim, manifestar-se é uma atitude transformadora e cheia de significados. Gritar palavras – ou escrever – cheias de ódio e segregação me assusta, não é uma história que eu quero viver para contar.

E tô te falando todas essas coisas, Ita, porque acho importante a gente falar muito, ouvir muito e se informar sobre tudo, sobre todos os lados.

Quero que o senhor Goldman tenha razão quando diz que os brasileiros gostam uns dos outros e querem muito se ajudar. Hoje eu não sei se acredito mais nisso.

UM MAIS UM É SEMPRE MAIS QUE DOIS

AQUELES DOS DIFERENTES SABERES

Você não vai acreditar, mas o Derek ainda não é fluente no português. Consegue se fazer entender, mas fala só o que quer e quando quer. Em compensação, desbloqueia o iPad, procura jogos e vídeos, escolhe o preferido e assiste feliz, mesmo que seja em russo.

Para ele, o mundo é uma grande tela sensível ao toque. Para abrir a porta de correr da sala de estar, ele para na frente, toca e arrasta o dedo devagar. Ah, o mundo e suas maçanetas...

Derek me ensina e me encanta, assim como meus alunos, todos os dias. Um deles almoça comigo todas as quintas-feiras. É nesse momento que me fala do sítio da avó e sobre uma casinha que ele tem lá. Com TV, máquina de lavar e porteiro eletrônico com câmera colorida.

Esses dias, me convidou para passar um fim de semana com ele, correndo para pegar os abacates antes dos cachorros, colhendo as folhas da horta, andando até o lago e comendo muito alface com shoyu: "Minha babá diz que alface acalma, Bettina!".

Ele me explica sobre o hidrômetro, o relógio de luz, os conduítes e metros cúbicos que tem na casinha. Sabe sobre gastos e a função de cada coisa. Muito mais do que eu.

Um outro aluno me fez repensar o uso que damos às palavras. Nas portas da sala de aula está escrito: "Quando sair, apague a luz". Todas as vezes em que ele sai para beber água, ele apaga a luz, não se importando se tem alguém lá dentro. Ah, o mundo e suas entrelinhas...

Outro dia, os alunos comentaram que a lição de casa da semana era ficar em silêncio e ver os sons que cada um ouvia. Sério, esse mesmo aluno disse: "Não posso fazer. Eu não vejo os sons". E ele está errado?

Tem muitas histórias. Um ex-aluno querido é um encantador de plantas. Faz jardins lindos e fica feliz em fazê-los. Um menino do dedo verde. Outra ex-aluna sabe cenas inteiras de filmes, reproduz as falas com todas as entonações e sonoplastias. Entretém as crianças menores com suas performances.

Tenho pensado nesses tantos saberes não formais que nem sempre são valorizados. Pontua-se o fracasso, mas e as habilidades extraordinárias?

Tem uma frase do Mia Couto de que gosto e acho que cabe aqui: "Nesse universo de outros saberes, sou eu o analfabeto".

Cuidar e fazer crescer flores é menos importante que mol e alcalinoterrosos? Conversar com o avô que já morreu tem menos valor do que conversar em uma língua estrangeira? Antes de saber de conduítes obrigatoriamente tem de se saber somar e subtrair?

Só os saberes escolares têm valor? E as diferentes formas de saber e aprender?

A neurodiversidade não é uma doença a ser curada e deve ser respeitada como qualquer outra diferença.

Ruben Alves escreveu que a "inteligência não é possuir todas as ferramentas. Inteligência é possuir poucas (para andar leve) e saber onde encontrar as que não se têm, na eventualidade de se precisar delas".

Vivemos num tempo imediato, com maçanetas emperradas e entrelinhas esquecidas. Acalmam-se crianças com remédios e não com inclusão ou folhas de alface. Claramente precisamos de transformações sociais e educacionais.

E acho que preciso de você, Ita.

Quais saberes existem no teu silêncio, na tua imobilidade, no teu aparente escuro interior? É só doença, falta, fracasso? É só isso? Ou existe uma sabedoria escolhida para poucos?

Flavia, uma amiga querida, diz que o mais bonito dessa nossa história é que você acordou o que em mim dormia.

Sei que ainda tenho sono, mas quero mesmo acordar e enxergar um tempo melhor.

O MEU SILÊNCIO VOCÊ SABE COMPREENDER

AQUELE DA MINHA ROTINA

Você não vai acreditar, mas gostei de um texto que li do Zeca Camargo. Gostei do tema do texto: o que tem me feito companhia ultimamente? Pensei, então, no que tem me feito companhia nessas últimas semanas. Ou meses.

Pet shop, veterinário, ossos, brinquedinhos.

Um filhote de cachorro e um filhote de gato, com certeza, têm roubado parte do meu dia. Meio fútil? Continuo trabalhando do mesmo jeito, mas arranjei essa sarna pra me coçar. Apaixonante, mas uma sarna. Principalmente porque eles ainda têm de ficar separados, por grades, vidro ou mãos, já que o Indie ainda não sabe que o filhote de gato não é de borracha.

Anil tintas, Cimenfer, C&C, Tintas MC.

Além dos filhotes, resolvi pintar a casa. Por dentro e por fora. E aí começou a chover. Resultado: a necessidade de quatro pintores, mais os filhotes, mais nós quatro, mais o Folk dentro de casa.

Descobri agora que a gata não é branca. Com as paredes sendo lixadas e o pó espalhado pela casa, achei que ela estava cinza por causa da fuligem. Depois de um banho, vi que é cinza mesmo.

Marceneiro, vidraceiro, pedreiro, chaveiro.

Aproveitando os novos ares da pintura, resolvi consertar coisas quebradas e emperradas. Portas, fechaduras, vidros. Acredita que depois de dez anos chamei um chaveiro para abrir o cofre que a Dona Silvia deixou na casa? Nada de dólares ou joias. Só um papelzinho com o segredo do cofre escrito.

Antonio Prata, Gregório Duvivier, Manoel de Barros.

Gosto muito das crônicas dos três. Algumas são geniais. Chorei com a morte do Manoel de Barros, revisitei as poesias favoritas e enviei parte delas para os meninos. Amo Manoel de Barros. "Ele me coisa. Ele me rã. Ele me árvore."

Um sonho de liberdade, O fabuloso destino de Amélie Poulain, Cidade de Deus.

Assisto a esses filmes todas as vezes que estiverem reprisando. Ontem "reassisti" ao *Náufrago*. Nem é um dos meus favoritos, mas lembrei dessa situação esquisita que vivemos há nove anos. A vida em suspenso, a solidão, o silêncio, as redescobertas e estranhamentos. Você é um náufrago, Ita?

Sei que ando entrando pouco no seu quarto. Passo na porta, digo que amo, mas não entro. Confesso que preciso desse afastamento. Acho que você entende.

Mas estou por aqui. "E uso as palavras para compor meus silêncios."

GENTE ESPELHO DA VIDA, DOCE MISTÉRIO

AQUELE SOBRE AS PESSOAS QUE ENTRARAM NA NOSSA VIDA

Você não vai acreditar, mas gosto de pensar em como você iria entender esse nosso cotidiano tão diferente. Gosto de observar o mundo por você, por nós. E de imaginar como você iria rir e lidar com quem hoje faz parte dos nossos dias. Tem tanta gente nova!

Precisei arranjar um mecânico por minha conta depois que você dormiu. Encontrei o Seu Pereira. Ele tem uma oficina perto de casa. Meio descabelado, mãos com graxa, macacão jeans, é um mecânico típico. Pelo menos no horário comercial. Depois das seis, quando ele telefona, já é o pastor Arnaldo. De tempos em tempos, ele pergunta se pode ir orar para você. E vai lá de cabelo penteado de lado, óculos de grau e camisa. Fala baixinho e te chama de amigo.

O Jair é o grande personagem dos nossos dias. Já te falei dele. É o motorista da mãe. Mas você também pode encontrá-lo costurando a bota dela ou decorando uma caixa de presente ou pendurando em lugares inimagináveis as luzinhas de Natal. A frase que ele mais fala pra mãe é: "Não esquenta a cabeça!". E ela não esquenta mesmo e vai pedindo pra ele pendurar os enfeites no teto, achando que ele tem asas. Eu não acho, tenho certeza. Mas por motivos diferentes.

A Leide é a babá do Derek. E também dos dois passarinhos que ele adora e que andam soltos pela casa. O periquito agora mora na árvore de Natal, perto do presépio. Por falar em presépio, a Leide, com a sabedoria da Paraíba, alerta que o Menino Jesus não pode desaparecer de jeito nenhum senão todo mundo da casa morre "alagado". Na dúvida, o Derek pode levar bois, cavalos e reis magos para passear na caçamba de um Hot Wheels, mas nada de mexer no Menino.

O França trabalha com o Fabio e virou um dos melhores amigos da mãe – seria seu amigo também, certamente. Ela e ele tomam café da tarde juntos, filosofam sobre a vida e capaz até de um dia o tenente ensinar boxe para ela.

Como não ver graça e luz num mecânico meio Clark Kent, num motorista angelical, numa babá agourenta, num boxeador filósofo? São essas coisas que enchem as manhãs de poesia e fazem a espera ser mais leve.

Não posso me esquecer de te contar da Cida e da Ana Paula, duas mulheres-polvo. Elas são meus braços, meus olhos e meu coração quando não consigo estar por perto. Dia sim, dia não, elas se revezam em uma das tarefas mais nobres do mundo: trazer alegria a uma mãe que sofre por um filho em coma.

Cida, sempre munida de uma gargalhada e de uma escuta atenta, nunca diz "não" para a nossa mãe – o que faz ela achar que tudo é possível. E eu pergunto: tem sentimento mais nobre que esse?

Ana Paula, generosa, mesmo criando quatro filhos sozinha, não economiza para realizar os desejos da mãe, comprando Coca-Cola, sonho e pastel de queijo – e faz ela achar que todo dia é dia de festa. E eu pergunto: tem coisa melhor que essa?

Elas são cuidadoras, mas, mais que isso, são a minha tranquilidade e gratidão. Como não agradecer por toda *essa gente, que vai em frente sem nem ter com quem contar*?

Sabe, Ita, durante um tempo, eu desacostumei de ser feliz. Acho que a mãe também. Sem você e o pai por perto era como se a nossa felicidade fosse "clandestina", pouco permitida. Mas não era justo com meus filhos, com os filhos do Fabio, comigo. E com você.

Aprendo com Drummond: "Por muito tempo achei que a ausência é falta. E lastimava, ignorante, a falta. Hoje não a lastimo. Não há falta na ausência. A ausência é um estar em mim".

QUEM É VOCÊ? DIGA LOGO QUE EU QUERO SABER

AQUELE DAS COISAS QUE A GENTE NÃO SABIA SOBRE VOCÊ

Você não vai acreditar, mas não sei mais quem é você. Dizem os místicos que antes de vir para cá, a gente conhece e aceita tudo o que vai passar. Então você sabia? Sério? E quis?

Você está entre quatro paredes. Nem nos piores pesadelos te imaginei assim. Sua alma é Libra, é livre, é ar. Que boba eu. Sua alma não está presa, não é? Passeia por aí e invade os sonhos da gente. Sempre tem alguém que diz que sonhou com você. Até quem não te conhece ou reconhece mais.

Eu nunca te disse, mas você sabe que no dia do assalto acho que foi você quem protegeu a mãe? Porque a história toda foi muito estranha. Treze homens armados com fuzis, vestidos como policiais, bateram no guarda da guarita e entraram pelo portão da nossa rua.

Cinco entraram em casa quando a Ana foi colocar o lixo para fora. Agressivos, renderam a pobre da Ana e subiram para os quartos. Só estavam a mãe e os enfermeiros em casa. Nem o Fabio nem a Dani e as crianças. Nem os anjos da guarda de cada um deles.

Mas estava você.

Eles pediram calma para todos. Um entrou no seu quarto. Perguntou o que você tinha. O enfermeiro contou. O outro também entrou. Ficaram te olhando, olhando as fotos, segurando os porta-retratos.

A mãe chorou, pediu pra não fazerem nada com você. Disseram que não fariam. Um deles disse que você iria ficar bom.

Quinze minutos depois, a vizinha foi rendida também quando chegava em casa. Mas quando tentaram segurá-la, ela começou a gritar muito, tirou a blusa e correu de sutiã pela rua. As pessoas do prédio da frente foram para a janela e perceberam o assalto. Os cinco que estavam em casa se assustaram. Desceram correndo. Sem levar nada, nem os celulares! Bizarro, né? Se fosse um filme seria *Treze homens e um segredo*.

E por falar em segredo, você sabe que no hospital a gente descobriu um monte de histórias suas que não conhecia? Eram segredos?

Um amigo seu contou que ele teve uma depressão muito forte. Não tinha vontade de sair de casa, da cama. Você apareceu lá numa manhã e deu para ele uma lambreta. "Quando você estiver muito triste, anda na lambreta, com o vento do rosto e se equilibrando para não cair. No caminho, você vai ver gente, ver lugares, se distrair." Tratamento nada ortodoxo.

Um menino que vendia bala nos bares da Vila Madalena apareceu uma noite no hospital: "Vim ver meu tio". Ficou ao lado da sua cama, conversando e passando a mão no seu cabelo. "Fica bom logo, tio, para eu andar no seu carro." Contou que você comprava todas as balas para ele ir embora mais cedo pra casa, junto da irmã menor. E todo começo de ano dava o material escolar dele e dela. Por que você nunca me contou isso? Eu poderia ter comprado com você.

Uma outra amiga que morou fora por muito tempo, e por isso há anos não te via, veio te visitar. Contou que te conheceu num bar em Itacaré e vocês combinaram de ir para Camburi juntos, quando voltassem para São Paulo. Ela não te conhecia direito, por isso marcou com um grupo de amigas para viajarem juntas para a praia com você. O carro estava cheio e vocês foram de madrugada.

Passando por uma lombada, com a velocidade mais baixa, você percebeu uma menina saindo do meio do mato, gritando e chorando. Atrás dela, dois homens. Ela não cabia dentro do carro, mas você gritou para ela subir no capô e segurar no para-brisa. A menina foi assim pendurada, na estrada, até um lugar seguro. Agradeceu, nem contou o que tinha acontecido e sumiu no sertão.

E eu soube também que quando um amigo seu ficou desempregado, você pagou as contas da casa dele por um tempo, para ele não ser humilhado pelo sogro milionário. Não, não foi o seu amigo quem me contou, foi a mulher dele. Onde está esse amigo? A última vez que ele te visitou foi ainda no hospital. E depois tentou te passar pra trás em um negócio que vocês tinham, enquanto você *dormia tão distraído, sem perceber que era subtraído, em tenebrosas transações.*

Você fazia o bem, sem dizer a quem. Tinha esse lado bom da sua balança libriana. Mas no outro prato tinha uma malandragem sedutora e que fez muitas mulheres sofrerem. Isso eu sempre soube. E nunca gostei ou concordei.

E tinha dificuldade nas coisas cotidianas e necessárias. A rotina te assustava. O que importava era o presente, o tempo e o regalo. Um dia, sem data especial, aparecia com um carro conversível de presente para o pai – que quase arrancava os cabelos! Ou uma casa na praia de presente para a mãe. Ou quando eu quase matei você por dar um triciclo a gasolina para o Lucca quando ele tinha cinco anos. Você sempre gostou de fazer surpresas e guardar segredos.

Tem aquela história bonita dos envelopes colocados embaixo das portas.

"Um viajante, passando perto de uma cidade, viu um túmulo recentemente cavado na beira da estrada. Em cima do túmulo, uma madeira simples e nela escrito: Aqui jaz Yóssele. O viajante achou estranho o homem não ter um enterro decente no cemitério e procurou o rabino da cidade.

O rabino explicou que Yóssele era um homem rico, mas tão mesquinho e avarento que ninguém quis enterrá-lo ou guardar luto por ele. Enquanto o rabino contava a história para o viajante, um homem muito pobre bateu na porta.

— O que posso fazer por você? — disse o rabino.

— Por favor, preciso de algum dinheiro para comida — disse o homem.

O rabino deu o dinheiro que encontrou no bolso e fechou a porta. Nem bem retomou a conversa com o viajante, um outro homem, também muito pobre, bateu na porta. E depois mais outro. Um outro ainda. E depois uma multidão. E cada um pedia a mesma coisa: algum dinheiro para comida.

— O que está havendo aqui? Eu nunca soube que existia tanta gente pobre nessa cidade! — disse, assustado, o rabino. — Onde vocês todos estavam se escondendo e por que agora estão vindo a mim?

— Durante anos, alguém tomava conta de todos os pobres da cidade — um dos homens respondeu. — De alguma maneira, toda quarta-feira, entre a meia-noite e o amanhecer, um envelope com dinheiro suficiente para uma semana aparecia debaixo das portas das nossas casas. Mas, dessa vez, a quarta-feira chegou e se foi e não apareceu nenhum envelope.

O rabino estava confuso. O viajante, que era um homem do mundo, perguntou ao rabino quando exatamente Yóssele tinha morrido.

— Quinta-feira passada — respondeu o rabino, buscando moedas pela casa.

— E hoje é quinta-feira de novo. Então o fim dos envelopes embaixo das portas corresponde à morte do avarento? — perguntou o viajante.

Surpresos, o rabino e a multidão entenderam que o avarento Yóssele guardou sua maior virtude em segredo. Ele foi enterrado no cemitério e então guardaram luto por ele."

Eu espero que o Paulinho não precise mais de lambreta, que as meninas estejam protegidas nas estradas e que o vendedorzinho de balas da Vila Madalena tenha se formado na escola.

E desejo, Ita, que você saiba exatamente o que ainda está fazendo aqui. E que sua alma seja sempre livre.

Livre! Fique sim, livre. Fique bem, com razão ou não.

E O ESQUECER ERA TÃO NORMAL QUE O TEMPO PARAVA

AQUELE SOBRE O NATAL

Você não vai acreditar, mas no Natal desse ano vamos passar só nós. Não vai ter ninguém de fora. Vai ser como os nossos almoços de sábados e domingos, só que com luzes coloridas e frutas secas.

Há uns dias a Má postou uma foto da tia Nena e ela está igualzinha. Tia Nena é a certeza de que o que vivi realmente existiu. Ela é o elo perdido com o passado.

Havia, sim, um tempo em que a gente ia para a fazenda em Birigui e comia pamonha no alpendre. Havia, sim, um tempo em que a gente caminhava no terreirão e escutava o silêncio do final do dia quebrado pelo pio de um pássaro triste. Havia, sim, um tempo em que a gente corria pelo quintal da tia Janina, brincando de Gênio do Crime e morrendo de medo do Mustang aparecer – Mustang certamente foi o maior vilão da nossa infância. Havia, sim, um tempo em que as curvas para Capelinha eram de terra e o tio Theo e a tia Lucia acenavam para a gente da varanda, na chegada e na partida – *e na despedida, tios na varanda, jipe na estrada e o coração lá.*

E havia, sim, outros natais.

Esta época do ano é bem melancólica. Este é o momento em que deveriam existir milagres e portais dentro de cascas de nozes – e isso justificaria o fato de elas serem tão trabalhosas de abrir.

Quando quebradas, poderia de novo ver e ouvir a vó Silvinha elogiando as rabanadas, o Itinha comendo as castanhas portuguesas, a vó Gilda insistindo em não se sentar, para ajudar a trazer todos os pratos da cozinha.

O pai chegaria depois da missa, quase na hora da ceia. A árvore estaria rodeada de presentes comprados pela mãe, que nunca se convenceu em fazer amigo-secreto – "que graça tem ganhar só um presente?!".

O dia todo seria preenchido pelo aroma de assados da cozinha e o cravo-da-índia teria finalmente seu dia de glória.

Enganando o tempo, o relógio antigo giraria ao contrário e bisavós e bisnetos celebrariam juntos. Além dos meus três – já grandes, porque não tem companhia melhor – teriam os três do Fabio. A casa de novo com muitas peças de Lego, pinos de jogos e gargalhadas pelo chão.

Especialmente nesta véspera de Natal, você não estaria chato – sim, porque esse era o dia em que você decidia ficar no quarto, quase monossilábico, até a hora da ceia. Tinha uma razão?

Voltando ao Natal da casca de noz, você estaria falante e feliz e traria de novo a banda de velhinhos fardados para tocar as músicas natalinas na porta de casa.

Alguém comeria uma tâmara e mostraria o caroço. Os menores não conheceriam a história mágica da tamareira. A vó Silvinha contaria sobre a fuga para o Egito de Maria, José e o menino Jesus, montados num burrinho, logo depois do nascimento. Falaria sobre a perseguição dos soldados do rei Herodes a todos os bebês recém-nascidos.

Contaria sobre a aproximação do exército e os três, exaustos e com fome, procurariam refúgio e descanso sob a sombra de uma tamareira, que, a fim de escondê-los, se inclinaria para que as folhas cobrissem os três e as tâmaras ficassem ao alcance de suas mãos. E nesse momento, Maria deixaria gravado pra sempre no caroço dos frutos o seu "Ó" de exclamação, abençoando aquele deserto.

Depois do desfecho, as crianças comeriam tâmaras pela primeira – e talvez última – vez, mas todas encontrariam o "Ó" de Maria.

Antes da ceia, faríamos uma oração e teríamos a certeza de que aquele momento seria para sempre guardado dentro de cada um, num lugar seguro e sagrado, como uma casca de noz.

NÃO VALE UM CAMINHO SOB O SOL

AQUELE SOBRE O FIM DE ANO NA PRAIA

Você não vai acreditar, mas o ano acabou. Assim, de uma hora para outra. Pensei em começar a academia, em fazer mais um curso de Cabala, em montar depois de anos minha árvore de Natal. Não deu tempo.

Esse ano começou com um verão bem quente, o mar estava calmo e morno e a gente passava horas na água. Nesse clima meio útero, de parir o novo ano, Bruna e eu estipulamos metas individuais e coletivas para esse ano.

E você sabe que cumpri muitas delas? Nem eu mesma acredito. Acho que no nosso vocabulário familiar as palavras "permanência" e "perseverança" não têm lugar de destaque. Maria e Fabio são exceções.

Vim para a praia para mais um verão. Só aqui a gente se dá conta das coisas que esqueceu. Não trouxemos azeitonas e um liquidificador 220V. Dei uma praguejada, reclamando de ter de ir ao mercadinho em Maresias, enfrentar fila, calor, gente mal-educada. Praticamente não vi os colchões, móveis e sapatos empilhados nas esquinas, estampando a enchente que varreu tudo por aqui.

Hoje, quando o Murilo chegou, ele e a Bruna foram levar as doações que ele trouxe. O Murilo é o namorado da Bruna. Para mim, ele é o Moui. E para o mundo ele é o cara mais incrível que alguém poderia ser.

Ele tem uma generosidade genuína, dessas raras de se encontrar. Quando a Bruna começou a se apaixonar, me disse que era um cara que sabia sobre tudo, até sobre a composição dos azeites. É isso. O Murilo sabe exatamente sobre o que está falando, não importa o assunto. Certeza de que ele é o namorado que você ia querer para a sua afilhada.

As doações são feitas num galpão. Sabe o que eles estão precisando para recomeçar a vida? Desinfetante e escova de dentes. E eu preocupada com azeitonas...

Estou com a mãe, com o Lucca e com as meninas, começando minhas férias e as férias deles, aqui em Santiago, na casa que você comprou. Para iniciar essa pausa, um trecho de Drummond: "O último dia do ano não é o último dia do tempo. Outros dias virão. O último dia do tempo não é o último dia de tudo. Fica sempre uma franja de vida".

E nessa franja de vida, espero realmente que nesse novo ano a falta de azeitonas não nuble a nossa visão para esquinas, desinfetantes e escovas de dentes.

NO NOVO TEMPO APESAR DOS PERIGOS

AQUELE SOBRE A SUA AUSÊNCIA

Você não vai acreditar, mas eu ainda não acredito que o tempo seja um santo remédio.

Entramos no décimo ano, sabia? Em 2005, os médicos diziam que seu corpo precisava de um tempo para buscar novos caminhos, fazer outras sinapses, redefinir funções. Escuta, doutor, *meu tempo é quando*. Quando? Não sabiam dizer. Podia levar dias, meses, anos, nunca mais.

Nunca mais?

Então vai ser só isso. Você não acorda, morre e fim?

Há um tempo para destruir e outro para reconstruir; um tempo para abraçar, um tempo para afastar quem se chega a nós; um tempo para andar à procura e outro para perder; um tempo para espalhar pedras, um tempo para as juntar; um tempo para estar calado e outro tempo para falar; um tempo para rasgar e outro para coser.

Precisei aprender o tempo e saber que havia um sentido nessa passagem bíblica muito mais cotidiano do que religioso. Vivi isso. Minha guerra e minha paz.

Já odiei, me perdi, afastei pessoas, espalhei pedras – se não me engano até atirei algumas – destruí, me rasguei...

Agora, tento "coser" um novo desenho para os nossos dias.

Como o Caio Fernando Abreu escreveu, "certos momentos nem o tempo apaga. E a gente lembra. E já não dói mais. Mas dá saudade".

Estou com muita saudade de nós, Ita.

VÊ SE ENTENDE O MEU GRITO DE ALERTA

AQUELE SOBRE LIBERDADE DE EXPRESSÃO

Você não vai acreditar, mas tenho dificuldade em lavar roupa na máquina. Explico. Lavar a roupa na máquina, para mim, ainda é muito subjetivo. Por definição, subjetivo é o que é passivo de interpretação pessoal. Posso estar enganada, mas lavar roupa na máquina e cozinhar são tarefas subjetivas, porque são passivas da minha interpretação pessoal.

Fazer macarrão, por exemplo. "Quando levantar fervura…" Levantar fervura conta a partir de uma bolinha no fundo da panela ou de dez bolinhas no fundo da panela ou de centenas de bolinhas subindo do fundo da panela? Ou preciso esperar as bolhas saltarem para fora da panela? Quando é bom para colocar o macarrão, meu Deus?

Depois das viagens de verão, pilhas de roupas para lavar. Os três me ajudando a deixar a casa em ordem e eu só disfarçando que trabalhos domésticos não são um campo minado para mim.

Maria e eu fomos colocar a roupa na máquina. Nenhuma das duas com a menor intimidade na literatura envolvida no botão. Ecologicamente corretas, ainda mais em tempos de racionamento, selecionamos o nível baixo de água. Passamos, então, para o botão giratório de programas de lavagem. Tantas opções! Para jeans, estágio 1; para branco encardido, estágio 2; para tirar manchas, estágio 3. Mas e o short que é jeans, é branco e tem manchas, qual estágio escolher? É lavagem diária ou especial? Molho longo e agitação ou curto e agitação?

Para quem sabe fazer, esses meus questionamentos devem ser absolutamente óbvios, ridículos e impensáveis. Talvez um absurdo ou um exagero. Sei como é. Lembro que nos primeiros dias com você no hospital, os médicos comemoraram quando você reaprendeu a engolir. Engolir? Aquilo que a gente faz sem pensar – e valorizar – diversas vezes por dia? A gente vai comemorar o Ita engolir?

Tantas perguntas. Tenho estado às voltas com elas desde o começo de janeiro, por causa das dúvidas culinárias, das lavagens de roupa e do covarde ataque à sede do Charlie Hebdo.

Claro que o ataque cometido pelo fundamentalismo violento não deixa margem a nenhum questionamento. É injustificável e ponto.

O que me mobiliza é o argumento de que foi cometido por pessoas absolutamente incapazes de conviver com qualquer tipo de liberdade de expressão.

Mas de qual liberdade de expressão estamos falando?

Será aquela liberdade de expressão subjetiva como lavar roupa e cozinhar, passiva de interpretação pessoal, e que a gente tende a julgar a partir do nosso conhecimento e cultura?

Será aquela liberdade de expressão que dá o direito de desdenhar de uma religião ou de proibir seus dogmas e assim alimentar e legitimar manifestações populares contra minorias étnicas?

Será aquela liberdade de expressão que dá o direito a um humorista medíocre de fazer piadas sobre judeus e os vagões do metrô de Higienópolis?

Será aquela liberdade de expressão que justifica o humor como uma forma de diálogo, apesar de, muitas vezes, não se levantar realmente um debate?

Está difícil responder a todas essas perguntas. Não sei o que é não saber engolir ou o que é saber cozinhar e lavar roupa na máquina com facilidade.

Sei o que são piadas de mau gosto, embora não saiba na pele a violência dos vagões do campo de concentração e da censura de dogmas que definem minha identidade.

É um campo minado e não existem botões giratórios com sugestões de respostas.

TENTE ESQUECER EM QUE ANO ESTAMOS

AQUELE SOBRE AS ESPERAS

Você não vai acreditar, mas outro dia, num enterro, na hora do silencioso e dolorido sepultamento, um celular tocava sem parar e era justamente o do coveiro! E ele atendeu sem cerimônia, disse que estava abrindo uma cova, mas que não ia demorar e já retornava.

São dessas coisas que a gente ainda não se acostumou, não tem repertório para a situação. Por isso provoca um misto de constrangimento e indignação e a gente quer falar sobre. Ele não podia desligar o aparelho e esperar?

Será que a gente desaprendeu a esperar?

Meus alunos, quando terminam uma atividade, ficam aflitíssimos em esperar a próxima tarefa.

— O que eu faço agora? O que eu faço agora? O que eu faço agora?

— Lê um livro, desenha ou espera.

— Ah, não, esperar, não!

Esperar e ficar sem fazer nada também fazem parte do desenvolvimento. As novas gerações não aprenderam isso. As crianças do Fabio não sabem o que é ouvir uma música no rádio e esperar, ansiosos e felizes, o locutor dizer o nome no final. Eles só precisam aproximar o iPod de alguma caixa de som e um aplicativo já dá todas as informações sobre a música. Simples e rápido. Sem a parte da espera e da emoção.

Parece que foi ontem que esperamos uma infância inteira lançarem a história do Aladim, para completar nossa coleção da Disquinho com vinis compactos e coloridos e ouvir todos na minha vitrola vermelha.

Parece que foi ontem que meus filhos aguardavam ansiosos a programação da MTV para poder ver o clipe de uma banda favorita.

Fico pensando se a palavra "espera" está caindo em desuso, sendo substituída por outras. Tudo hoje é tão imediato, descartável e efêmero.

Oscar Wilde disse uma frase de que gosto: "Se você não se atrasar demais, posso te esperar por toda a minha vida".

Você está na minha lista de esperas.

COMO NÃO FUI EU QUE FIZ?

AQUELE EM QUE VIREI AMIGA DE UMA AGENTE DA CET

Você não vai acreditar, mas fazia um ano e meio que eu não ia ao cinema. Fico até com vergonha de falar. Como a mãe de uma cineasta não vai ao cinema? Nem me reconheço, às vezes. Mas enfim, na semana passada, fui assistir a *Relatos selvagens* com a Maria.

Claro que não vou dar spoiler e te contar o filme, mas sabe situações de injustiça, traição e revolta que a gente poderia muito bem ter vivido? O filme fala disso.

São situações tão comuns que fica fácil de qualquer um se identificar. E que podem te levar a um ataque de fúria e a desejar um desfecho parecido com o do filme, mesmo que só no seu mundo interno.

No meu caso, meu lado B desperta cada vez que uma enfermeira antecipa seus remédios, entope sua sonda gástrica e abandona o plantão. Ou quando sei que alguém machucou ou matou alguém por estar embriagado ou drogado. Ou ainda, com toda essa podridão que envolve a política e a mídia, e que produz a indústria do medo, da descrença e da miséria. Do "é assim, vai ser sempre assim, não tem mais jeito".

É tão fácil se envenenar, né? Eu tinha uma raiva incontida de CETs,[1] por exemplo. Acho que por isso me identifiquei com uma das histórias do filme. Para mim, todo CET era sádico, oportunista e injusto. Não tinham família, nem amigos, nem sentimentos.

---

1. CET: Companhia de Engenharia de Tráfego do município de São Paulo. (N.E.)

Brotavam do meio da calçada, em alguma esquina, e já nasciam segurando uma caneta, um bloquinho e vestidos para multar.

De novo as generalizações burras e preconceituosas, das falsas certezas socialmente partilhadas. Claro que existe CET mau caráter. Assim como advogados, médicos, políticos, dachshunds.

Na Páscoa do ano passado, eu estava saindo de casa e tinha um carro estacionado na frente da minha garagem. Não era a primeira vez. O meu carro estava na rua, então eu conseguiria sair, mas fiquei transtornada. Entrei em casa e liguei para a CET, imaginando que demorariam horas para mandar alguém e ainda não resolveriam.

Juro, em dez minutos, chegou uma viatura com uma mulher-CET. Desceu do carro e eu contei da folga do sujeito e disse que queria que o carro fosse guinchado. Ela pegou o bloquinho, multou o carro e começou a conversar. Contou que era de Minas, que estava de folga, mas tinha resolvido trabalhar, porque esse ano não queria comemorar a Páscoa.

Um irmão querido tinha morrido do coração havia pouco tempo. Contei sobre você. Para resumir a história, nos abraçamos na rua, choramos, dividimos um ovo de chocolate e ela me aconselhou a não perder tempo esperando o guincho. Se ela pudesse, correria para perto do irmão para celebrar a Páscoa, mesmo que ele estivesse dormindo.

Acho que hoje posso dizer que tenho uma amiga-CET, mas ainda não posso dizer que quando você acordar vai encontrar um mundo melhor. Em todo caso, te adianto algumas boas-novas:

O homem mais velho da Austrália, com 109 anos e morando num asilo, tricota roupinhas para os pinguins das Ilhas Phillip. Porque, depois de um derramamento de óleo, os pinguins precisam usar casacos para não morrerem de frio.

Outro homem, também na Austrália, salvou mais de dois milhões de recém-nascidos fazendo doações de sangue frequentes. Ele tem 78 anos e um tipo de sangue raro em seu braço direito. Só no braço direito. Nessa parte do corpo, ele produz poderosos anticorpos. Os anticorpos são usados na elaboração de uma vacina, que é usada para salvar bebês durante a gestação. As mães que precisam tomar a vacina têm sangue com RhD negativo e os bebês têm RhD positivo.

Roman Povey, um garoto britânico de 10 anos, tem atraso na fala, o que dificulta que ele faça amigos. Segundo a mãe, por essa razão, o menino nunca desejou comemorar o aniversário com uma festa, mas sabe que ele fica triste. No último dia 29, Roman completou 11 anos e a mãe fez um post em sua página no Facebook pedindo para que os usuários da rede social enviassem cartões desejando felicidades ao filho. O post foi compartilhado por milhares de pessoas e Roman recebeu cartões de diversos lugares do mundo. Roman, a mãe dele e eu ficamos muito felizes.

Adianto também um trecho de um texto do rabino Ian Mecler, que cabe tão dentro de mim...

"Você merece estar aqui. E mesmo que você não possa perceber, a Terra e o Universo vão cumprindo o seu destino. Assim, esteja em paz com Deus, como quer que você O conceba. Mantenha-se em paz consigo mesmo. Apesar de todos os enganos, problemas e sonhos desfeitos, este ainda é um mundo maravilhoso. Entusiasme-se. E faça tudo para ser feliz!"

MAS VOCÊ ADORA UM SE

AQUELE DAS CONDIÇÕES DA SUA VOLTA

Você não vai acreditar, mas preciso saber se você tem condições para acordar. Não tô falando de condições físicas. Falo de *if clauses*, da dependência entre uma circunstância e um fato. De uma condição e um resultado.

Quais seriam suas condições para voltar?

Se picolé voltasse a ser só picolé e não paleta mexicana você acordava?

E se a moda fosse brigadeiro de Nescau e não de cachaça?

E se tivesse Kombis de pastel e não de *food trucks* em um festival de rua?

E se a pipoca com sal e piruás invadissem os cinemas e não as de sabor limão e de trufas brancas?

E se a galinha-d'angola voltasse a ser enfeite de louça e não recheio de coxinha de frango?

E se o quindim fosse amarelo-ovo e não vermelho-framboesa?

E se hambúrguer fosse de carne e vendido em qualquer esquina e não de 225 reais e sal azul da Pérsia como ingrediente?

E se sucesso fosse sorvete de flocos e não de vinagre balsâmico?

E se a rabanada fosse de Natal e de canela e não de banana split no meio de maio?

E se o churrasco fosse no quintal e não na varanda gourmet, com carvão de acendimento instantâneo, com menos fumaça e maior tempo de queima?

Tá complicado mesmo, né? Não sei se é rabugice do meu inferno astral ou meu paladar que é vira-lata, mas também estou achando essa gourmetização de tudo cruel demais.

Tem gente revirando o lixo para comer. Tem muita gente que conhece a fome.

Mas calma, me ouve, não desiste. Vamos falar de nós.

E se o Lucca e o Fabinho virassem palmeirenses?

E se a casa de Camburi ainda fosse sua?

E se a Maria comesse brócolis?

E se reprisasse a novela *Celebridade*?

E se o Derek falasse seu nome e a Bruna não falasse mais tanto palavrão?

E se não fechasse o Bom Motivo?

E se a Isabella fosse sua afilhada?

E se a água da piscina de casa fosse sempre morna e azul?

E se o Fabio fizesse ioga?

E se o Oswaldo Montenegro não fosse tão cafona?

E se agora a Dani tivesse gêmeos?

E se os vizinhos não fossem esquisitos?

E se a mãe ficasse na sala e eu na cozinha?

E se a Portela ganhasse o Carnaval?

E se ainda desse tempo de dar mais um abraço no pai?

E se de repente a gente não sentisse a dor que a gente finge e sente?

E se tudo isso fosse, Ita, você voltava?

VIDA QUE VAI NA SELA DESSAS DORES

AQUELE DA FESTA-SURPRESA

Você não vai acreditar, mas já não me lembro da última vez que você veio na minha casa. Lembro-me da última vez que te vi acordado. Eu estava indo embora, meu carro parado na porta, a gasolina escorrendo do tanque. Fiquei preocupada e te chamei. Você apareceu com cara de sono, disse que era porque o tanque estava muito cheio. Meus filhos se despediram de você e disseram que te amavam – aprendi com eles a dizer "te amo" com tanta leveza e facilidade. E você foi dormir duas semanas depois com essa certeza: era amado.

Tenho registrado sem querer a última vez que o pai foi na minha casa. Ele e a mãe prepararam uma festa-surpresa para mim. Aliás, não sei por que eles tinham mania de me fazer festas-surpresa. Nunca gostei. Você já estava dormindo e o pai já estava doente, mas ainda não sabia.

Foi em outra festa-surpresa que você me contou que estava noivo da Cris e que se casaria perto do seu aniversário. Você estava feliz e cantamos juntos "João e Maria". Outubro chegou e você continuou solteiro. Não me surpreendi.

Fico pensando por que a gente não sabe das nossas últimas vezes: última vez que vai ver alguém, que vai perguntar alguma coisa, que vai cantar uma música do Chico. Essa coisa da vida não ter avisos me incomoda. Sou avessa a surpresas.

Meus filhos prepararam uma festa linda para mim. Não foi surpresa, mas ainda me surpreende não poder esperar você e o pai chegarem. O pai seria o primeiro. Ele e a mãe trariam muitas flores e mais cinco centos de salgados para ter certeza da fartura. A chuva não seria uma preocupação, porque ele colocaria um toldo retrátil duas semanas antes e faria de tudo para deixar todo mundo à vontade e me ver feliz.

Você chegaria tarde, quase na hora dos parabéns, e cantaria junto da Mari, dos Botossos e dos meus meninos. Acenderia o cigarro da Lu e da Fer antes de elas pensarem em pegar o isqueiro e estaria atento a todas as gentilezas próprias de um libriano-sedutor-bico-doce.

Esperaríamos o fim de festa para de novo sermos nós, sentados no sofá e comendo enroladinho frio. Quase posso ver o Derek dormindo no colo da Dani, a Isabella grudada no celular e o Fabinho e o Lucca falando sobre o São Paulo. O Fabio contando alguma história que daria um filme e a Maria falando do próximo filme que faria. A mãe adorando abrir comigo os presentes e a Bruna atenta a todas as gentilezas próprias de uma libriana-preocupada-e-família.

O pai faria piada dos seus planos futuros, Ita. Porque poderia ser morar em Itacaré e viver da pesca ou abrir um hotel seis estrelas na Vila Olímpia. Sinto saudades das suas indecisões...

A vida segue com essas faltas e ausências e nos surpreende: como a gente pôde se acostumar?

TEM UNS QUE VIRAM JESUS

AQUELE DA BALA PERDIDA

Você não vai acreditar, mas hoje eu sinto que o deus que habita em mim precisa renascer. Escuta isto: O menino Eduardo de Jesus, de 10 anos, morreu em uma operação no complexo do Alemão. Um menino. Uma criança. Dez anos.

Agora escuta esta historinha:

Um professor estava no térreo de onde morava, ouviu um ruído e foi olhar. O filho do vizinho tinha caído da varanda e estava no chão. Mesmo sendo uma pessoa de idade, tomou o menino nos braços e começou a correr desesperado para o hospital a poucas quadras. No caminho vinha descendo a ladeira uma senhora que, ao vê-lo desesperado, falou: "Calma, professor, não se apresse tanto, o senhor já não tem idade para correr assim com uma criança no colo!". A senhora, então, se aproximou e, em pânico, constatou: "Ai meu Deus, é meu neto! Corre, professor, corre, pelo amor de Deus".

Fico pensando se só existe legitimidade da dor quando é com um dos nossos. Que cegueira é essa que não enxerga a urgência e a dor do outro?

Quando fiz o curso de Cabala com o pai, o rabino Nilton Bonder citou que, em um debate, perguntaram para ele como seria o Messias para os judeus. Ele respondeu que seria parecido com Jesus do Novo Testamento, porque o Messias se traduz em um ser amoroso que não precisa culpar o outro para se redimir. O Messias é alguém como Jesus que preferiu ser ele mesmo o bode expiatório em vez de achar que o mal está no outro, seja ele o ladrão, o bastardo, a prostituta, o general ou o sacerdote.

Hoje é Páscoa. Hoje faz quatro dias que o menino Jesus, de 10 anos, morreu no complexo do Alemão. Há dois mil anos, a pergunta é a mesma: quem matou Jesus?

Fui eu.

Fui eu quando fechei a janela e os olhos para as crianças pequenas nos semáforos e pontilhões.

Fui eu quando vi a imagem e silenciei sobre meninos dormindo sobre respiros do metrô para poderem se aquecer.

Fui eu quando li e não me indignei ao saber que uma mãe paga a prestação do caixão do filho vivo e saudável, porque ela sabe que esse é o destino de negros e pobres, cuja expectativa de vida é de 20 anos, e não quer a humilhação de esmolar por não ter como enterrá-lo. Ela já enterrou outros dois. Ela já esmolou duas vezes.

Fui eu quando votei em um deputado que faz parte de uma Câmara que aprova a redução da maioridade penal, mesmo que ele não tenha votado a favor.

Fui eu quando suportei pequenas barbáries e grandes vilanias e é como se subisse os complexos, morros e apontasse também os fuzis.

Fui eu quando julguei e não aceitei a opinião ou a ação ou as escolhas do outro em qualquer situação por serem diferentes das minhas.

Fui eu. E fomos todos nós. Quinta-feira ou há dois mil anos.

A Cabala ensina que assim como cada célula do corpo carrega todo o nosso código genético, cada um de nós carrega o Universo inteiro em nossa alma.

E é nesse mesmo Universo que moram os meninos e as meninas dos morros, os PMs, os políticos, os cristãos, os judeus, os muçulmanos, os ateus, o ladrão, o bastardo, a prostituta, o general, o sacerdote, você e eu.

Teremos de dar conta. Teremos de nos responsabilizar muito mais do que culpar. Drummond escreveu que "mesmo no silêncio, e com o silêncio, dialogamos".

O que então estamos querendo dizer?

QUE É PRA TE DAR CORAGEM PARA SEGUIR VIAGEM

AQUELE DAS MÃES TATUADAS EM MIM

Você não vai acreditar, mas o Lucca fez uma tatuagem há uns dois meses. Engraçado, né? Ele que nunca demonstrou essa vontade. Mas sabe o que ele tatuou? Uma homenagem para a avó. Ele pediu para ela escrever "Bila" num papel e o tatuador copiou. Até o pingo no i tá igual. E a mãe chorou.

Fico pensando nas mães que tenho tatuadas em mim.

Mesmo viúva com três filhos, o mais novo na época com nove anos, vó Gilda foi muito corajosa em sair de Santa Rita, onde tinha família e amigos, e vir para São Paulo. Entre as vitórias, matriculou o Zé no concorrido Caetano de Campos e conseguiu pensão para as esposas de delegados. A partir de um pedido que fez pessoalmente à Eloa Quadros, no Palácio do Governo, esse benefício passou a valer não só para a vó Gilda, mas para todas as viúvas de delegados. Coração valente.

Vó Silvinha perdeu a Verinha com sete meses. Dor sem medida ou explicação. Encontrou forças e passou a lutar pelas minorias. Principalmente mulheres, negras e pobres. Fazia delas exemplos e amigas. Trocava cartas e histórias com as que moravam em outras cidades ou estados. Fazia parte de projetos sociais para oferecer uma perspectiva social e econômica às mulheres de rua, prostitutas, esquecidas. E virava meio mãe delas. Encontrei muitas cartas recebidas por ela em que escrevem: "Dona Silvia, a senhora é como uma mãe...". Coração fraterno.

A mãe sempre foi querida pelos nossos amigos, namorados e namoradas. Era simpática, generosa, próxima, divertida. Mas que ninguém ousasse falar ou maltratar um dos pintinhos! A mãe mostrava as garras. Ou as asas de galinha-choca. Lembro que uma vez, uma amiga sua, bem próxima da mãe, caiu na besteira de criticar você para ela.

— Tia, acredita que um dia o Ita não cozinhou na praia e passou o dia só comendo fios de ovos? Meio egoísta, não acha?

— Não, não acho. O carro em que vocês viajaram é dele, a casa foi ele quem alugou, o supermercado foi ele quem fez e os fios de ovos fui eu que mandei. E você ainda tá reclamando dele?

Sem graça, a amiga mudou de assunto rapidamente. "Seu cabelo tá tão bonito, tia." Coração protetor.

A Dani é uma mãe muito próxima das crianças. Isabella já tem 11 anos e tem na Dani uma confidente. Sabe que pode contar com ela. Toda semana, Bella leva um grupo enorme de amigas para casa e a Dani sai para andar de bicicleta com elas, leva ao clube, ao cinema, faz churrasco. E com os meninos não é diferente. É a mãe que está sempre presente nos jogos de futebol, nas aulas de judô ou de manhã cedo na natação do Fabinho, que a abraça e diz a toda hora "eu te amo". E o Derek não precisa dizer nada para ela o entender completamente. Coração parceiro.

Tenho a maternidade tatuada em mim. A minha e de afetos colecionados ao longo da minha vida.

Tenho Lilas e Lais. Tenho Gildas, Silvias e Janinas. Tenho Irenes e Amélias. Tenho Zitas, Naras e Cecílias. Tenho Wilmas, Lauras e Clarices. Tenho Anas e Fernandas. Tenho Paty, Sandra e Mari. Tenho tantas. E terei Bruna, Maria e Isabella.

Semana do Dia das Mães. E a sua ida ao hospital, Ita, justamente agora, não estava nos planos. Pneumonia sem graça e fora de hora. Você está na UTI e, de novo, a mãe com o coração lá. E de novo Nossa Senhora espalhada pela cama, em mesinhas, nas paredes do quarto. Pacto de mães.

Tive dúvidas sobre você esses dias. Senti muito frio lá dentro da UTI. E um frio interno, sabe? Frio na barriga.

O que mais me incomodou foi ter escolhas: eu podia sair para me aquecer, podia sair para não ver te aspirar, podia sair para não estar mais ali. Mas você não.

Sexta-feira conversei com a mãe e disse que achava que você queria ir embora. Ela me olhou profundamente. Sem coragem, mudei de assunto rapidamente. "Seu cabelo tá tão bonito, mãe."

Sexta à noite ligaram do hospital para avisar que você estava melhor e que iria para a semi-intensiva.

E a mãe me disse que você queria mesmo ir embora. Para casa. Coração invencível.

EM ESTANTES GAIOLAS EM FOGUEIRAS

AQUELE SOBRE UM TRECHO DE LIVRO

Você não vai acreditar, mas fico pensando que trabalhar em escola é se preparar constantemente para despedidas. Já me despedi como mãe de aluno. Me despedi de queridas que trabalharam comigo e me despeço de muitas crianças ao mesmo tempo a cada final de ano. Nenhum dentista, médico ou arquiteto perde tantos pacientes ou clientes de uma só vez. Só professor. Ninho abandonado com livros esquecidos de crianças não tão mais crianças.

Lembrei-me de quando a nossa casa também era lotada de livros fora das estantes. Livros que o pai trazia, comprados ou emprestados da vó Silvinha ou do Raul. Como Manoel de Barros, "nosso conhecimento não era de estudar em livros. Era de pegar de apalpar de ouvir e de outros sentidos. Seria um saber primordial? Nossas palavras se ajuntavam uma na outra por amor e não por sintaxe".

Essa semana passei na hora do almoço na casa da mãe. Ela geralmente almoça na casa do Fabio, mas anda chocando você desde que voltou para casa na terça-feira depois da última internação.

Ela estava almoçando sozinha na copa. Sozinha. Me deu um aperto. Parecia um trecho do livro *Éramos seis*. Você lembra? Na história, Lola sempre conta sobre os pacotes de doces caseiros que recebe da mãe do interior. Falar dos doces indicava que já era final do ano e pela quantidade de pacotes, a gente sabia dos membros da família que ainda moravam com ela. "Mamãe tinha mandado seis latinhas pequenas de goiabada em calda, seis pacotinhos de figo cristalizado e seis quadrados de pessegadas."

No final do livro, chegam pelo correio só uma caixinha de figo cristalizado, uma lata de goiabada em calda e um tijolo de pessegada. Lola estava só. Os outros tinham partido ou morrido.

Esse final me dava um aperto. O mesmo que senti vendo a mãe comendo ali sozinha.

Ainda bem que nos fins de semana quebramos o encantamento silencioso e solitário da casa e trazemos vozes e movimento de novo para a sala de jantar. Depois do almoço, afastamos a toalha e jogamos – meus filhos, os filhos do Fabio, a Dani e eu – War ou Academia.

Éramos cinco. Hoje somos onze. Você ainda está na minha conta. Acostumei-me com livros esquecidos em estantes ou perdidos com o tempo, mas ainda não estou preparada para outras despedidas.

ESPERANÇA DE TUDO SE AJEITAR

AQUELE DAS AMIZADES DESFEITAS

Você não vai acreditar, mas não sei mais nada sobre ela. Desistimos uma da outra. Não existimos mais como amigas. Nem sei te dizer como isso aconteceu. Enterramos nossas afinidades, desperdiçamos nossa história.

Essas coisas não têm um dia certo. Vão escorregando pra fora da gente e quando você percebe já não se importa mais. Não sei onde ela mora. Ela não conhece meu jardim. Não sei se o sobrinho dela virou mesmo arquiteto. Ela não sabe do meu amor por aqueles três do Fabio.

Não sei se ela ainda faz o melhor *vitello tonnato*. Ela não sabe que meus filhos são o melhor de mim. Quanto tempo? Faz tempo, mas não tanto tempo assim. Ela ainda foi ao hospital ver você e foi ao enterro do pai. Choramos um pouquinho abraçadas, mas um abraço burocrático. Não foi no ombro dela que encontrei conforto naquela manhã.

Teve um Natal depois disso. Ela apareceu na sua casa e ajudou a mãe a embrulhar uns presentes. Me ligou dizendo que estava lá, que queria me ver. Não pude ir, nem sei se quis.

Não lembro mais da última vez que ela ligou no meu aniversário. Sei que não liguei no ano passado. Acho que nem no outro.

Lembra quando ela morou em casa? Brinquei de ter irmã nesse tempo. Foi bom. Com poucos laços familiares, sempre foi fácil pra ela partir, mesmo que fosse só para o outro lado da rua. A coragem e o desapego me encantavam e visitei lugares do mundo com os olhos emprestados dela.

Nossa amizade resistiu aos anos em que ela morou fora, mesmo sem a existência da internet. Trocávamos cartas e ela viu meus meninos crescendo por fotos semestrais.

Paula, ela e eu éramos um trio. Invencíveis. Achei que estaríamos juntas para sempre. Escolhi para madrinhas de casamento e madrinhas de filhos. Mas sem o menor cuidado, ela e eu perdemos a mão da nossa amizade e o tempo passou.

Quando a mágoa é maior que a saudade nada se reconstrói. Pode esquecer. Onde colocamos as nossas afinidades? O que houve? Onde foi parar a nossa amizade honesta? Será que somos amigos de uma fase, e não somos cúmplices de toda a vida? Será que me enganei? O que era para ter sido já foi, e agora seremos conhecidos, e não mais que isso?

Você sente falta deles, Ita, dos seus amigos? Queria que eles viessem ver você, mesmo que assim? Queria saber deles? Alguns se casaram, alguns tiveram filhos, outros se separaram, mudaram, faliram ou ficaram doentes. Confesso que meu coração é seletivo e que consigo entender alguns afastamentos e faltas, mas outros, não.

Acho que é porque às vezes sofro por achar que você está sofrendo ou por ver o sofrimento da mãe por esses distanciamentos. Ela repete, quase se convencendo: "Mas o Ita não morreu. Ele tá aqui, nada mudou".

E se nada mudou, acha que ainda dá tempo para eu falar com ela? Um e-mail, uma mensagem, um telefonema? Alguém deve saber onde ela mora. Deve ser em uma casinha amarela, projeto de um sobrinho arquiteto, com uma salamandra de ferro fundido que aquece a sala e uma chaminé por onde escapa o cheiro do melhor *vitello tonnato*.

Artur da Távola um dia escreveu que "afinidade é um dos poucos sentimentos que resistem ao tempo e depois. Não importam as impossibilidades, os adiamentos, a distância, a ausência. Qualquer reencontro retoma a relação".

Será?

QUALQUER MANEIRA DE AMOR VALE AMAR

AQUELE DAS PERSPECTIVAS

Você não vai acreditar, mas tem um programa da Globosat chamado *Visto de cima*. Ele mostra imagens de diversas paisagens urbanas e rurais por uma visão aérea. Achei que era um programa meio chato, mas sabe que não é? Visto de cima a gente tem até outra perspectiva do mundo.

Esses dias, eu disse para os meus alunos desenharem uma sala de aula. Alguns perguntaram se podiam fazer a sala vista de cima. E, pra eles, a sala nada mais é do que uma quantidade enorme de retângulos e quadrados de diferentes tamanhos e cores.

Quase 3.650 dias depois de dormir, queria saber qual é sua perspectiva de mundo. O que você quer? O que você espera? Sua visão é aérea? Como você vê tudo por aqui? E por aí?

Também tenho outra perspectiva de mundo depois de todo esse tempo. Entre outras coisas, fiquei com uma escuta crítica e impaciente para reclamações pequenas e preconceituosas.

A propaganda de O Boticário, por exemplo. Com tanta coisa importante para se discutir ou sentir, com tanto horror e iniquidade, tem gente se indignando com o amor! É sério isso?

Nesse mesmo país que se revolta com a propaganda com casais gays, tem líder político dando as costas à população em defesa de interesses pessoais. Tem líder religioso lançando perfume com o cheiro de Jesus ou decidindo abrir processo contra o Zé Celso por causa da apresentação de uma peça na PUC.

Nesse mesmo país tem criança sem colo. Tem idoso abandonado. Tem gente precisando ser cuidada e amada.

Eu, em pé ao lado da sua cama, desejo te ver de outro jeito. De qualquer outro jeito. Sob qualquer outra perspectiva. Não me importaria se, acordado, namorasse o Eduardo ou a Mônica. O Leo ou a Bia. A Paula ou o Bebeto. Se fosse porco, bambi ou gambá. Evangélico, umbandista ou agnóstico. Homem ou mulher. Pobre ou rico. Homo ou hétero.

Fico pensando por que o amor, as escolhas, a orientação, as crenças e a felicidade do outro incomodam tanto. Porque, vistos de cima, a gente nada mais é do que uma quantidade enorme de círculos de diferentes tamanhos e cores.

"E depois de todas as tempestades e naufrágios, o que fica em mim é cada vez mais essencial e verdadeiro", como tão bem escreveu Caio Fernando Abreu.

AMANHÃ ESTÁ TODA A ESPERANÇA, POR MENOR QUE PAREÇA

AQUELE DO *GAME OF THRONES* NO MEU JARDIM

Você não vai acreditar, mas eu tenho um lado obscuro. Lado sombrio, sádico, mau. Quando pego uma raquete que eletrocuta pernilongo, sinto prazer em ouvi-los explodir. Aperto aquele botão como se não houvesse amanhã e procuro por eles em toda parte. Luto contra o sono para vê-los sofrer. O barulho de biribas-pernilongo me acalma e me sinto vingada. Durmo em paz. Ou, na dúvida, com o ventilador ligado.

E acredita que de uns tempos pra cá tem formigas caminhando nas paredes do meu quarto? À luz do dia ou na escuridão da noite. E não são pequenininhas. São grandes, meio vermelhas. Não sei bem o que elas querem. Nem se estão indo ou voltando. Li que se você colocar sucrilhos do Tigre, ou flocos de milho, no caminho delas, elas comem, têm uma reação química, aumentam de volume e explodem! Ainda não cheguei nesse grau de crueldade em provocar gases em formigas.

No quintal, descobri uma casa de marimbondo se formando perto da churrasqueira. E justo no dia em que a gente estava fazendo churrasco. Pensei em abandonar tudo e ir comer fora, mas me controlei. Tenho pavor de marimbondos desde que você, alérgico, levou aquela picada na boca e seu lábio se transformou num bife de picanha. Acho marimbondos antipáticos e prepotentes.

Mas tenho simpatia por abelhas. Algumas habitam o meu quintal por causa das flores. Sabia que tem algo estranho acontecendo com elas? É sério, as abelhas estão sumindo da Terra e ninguém sabe muito o motivo. Esse "fenômeno" é chamado de Desordem do Colapso da Colônia. Elas estão abandonando suas colmeias e desaparecendo. Por isso, estão todos proibidos de matá-las aqui em casa. Só podemos espantá-las de maneira carinhosa. Mesmo se alguma tentar picar seu olho.

Diferente dos pernilongos. Ah, contra eles, a luta é duríssima. Eu, com aquela raquete na mão, me sinto em uma batalha de *Game of Thrones*, arrancando cabeças, esfolando vivo. Tudo para garantir meu reino de Westeros.

Pernilongos são da Casa Lannister, certeza. Traiçoeiros, se disfarçam de Aedes e fazem alianças e conchavos com vírus perigosos. Às vezes, parecem inofensivos e se infiltram silenciosos. Sob o lema "Ouça-me Rugir", atingiram, só em São Paulo, 11.392 pessoas em menos de seis meses.

Os marimbondos são da Casa Baratheon. Egocêntricos, o importante é construir seu reino, destruindo inimigos externos e criando inimigos internos. Sem escrúpulos e muito violentos, seu lema é "Nossa é a Fúria".

Formigas são da Casa Tyrell. Ninguém torce muito por elas, mas escondida em algum lugar existe uma rainha-mãe capaz de qualquer coisa para garantir seu formigueiro. À noite, em momentos de delírios, fico com medo de elas escolherem minha fronha para construir seu reinado. Porque cada vez que acendo a luz, vejo mais e mais caminhando pelas paredes. Seu lema é "Crescendo Fortes".

No meu quintal, existem outras Casas. Tatus-bola são da Casa Tully. Não aparecem muito, estão meio escondidos embaixo de vasos e madeiras, mas, quando se precisa deles, fazem o trabalho sujo. Seu lema é "Família, dever, honra".

Minhocas são da Casa Martell. Não fazem mal, mas, quando aparecem inesperadamente, sempre assustam. Seu lema é "Insubmissos, não curvados, não quebrados". Bem minhocas mesmo.

Hoje é o último episódio da temporada de *Game of Thrones*. Estou ansiosa, deu pra perceber?

Sinto falta das nossas conversinhas antes do almoço de domingo, entre os patês e as caipirinhas da mãe. A gente junto, na nossa Winterfell, sempre com algum meio-irmão convidado para o almoço, cercado por lobinhos. Saudade de contar sobre a semana, de rir de bobagens, de falar de projetos "inconcretizáveis". Acho que hoje a gente falaria sobre o final da série, mas não tenho certeza se você seria fã. Eu sou.

Torço pela Targaryen. Para mim, as abelhas são da Casa Targaryen. Seu lema é "Fogo e sangue". As abelhas têm por direito todo o território. Por quê? Porque elas são responsáveis pela polinização de mais da metade das 240 mil espécies de plantas floríferas que existem no mundo. O desaparecimento das abelhas tem consequências muito mais graves do que só a falta de mel. Um mundo sem abelhas é um mundo, no mínimo, sem flores.

Einstein escreveu que se as abelhas desaparecessem, a espécie humana teria somente mais quatro anos de vida. "Sem abelhas não há polinização, ou seja, sem plantas, sem animais, sem homens."

Invadimos um espaço que não era nosso e agora a Natureza está cobrando e provocando essa luta entre os reinos. Dizem que Deus perdoa sempre, o homem perdoa às vezes e a Natureza, nunca!

The winter is coming.

TANTO SENTIMENTO DEVE TER ALGUM QUE SIRVA

AQUELE DAS ONDAS

Você não vai acreditar, mas foi assim. Sabe quando a gente atira uma pedra na água e formam aquelas ondas em círculos? A Marília, irmã do Guto e do Paulinho, me deu de presente essa imagem quando falou sobre as nossas conversas, Ita. E eu gostei.

Foi como se, há um ano e meio, eu tivesse jogado uma pedra na água. Joguei você, Ita – e ita é pedra, lembra? – e as ondas começaram a se formar.

Nas primeiras delas, a família e os amigos próximos me disseram que era um começo e seguiram comigo.

As próximas ondas foram mais longe e trouxeram para perto amigos distantes. Algumas foram buscar os amigos dos amigos dos amigos dos amigos.

Tantas ondas encontraram conhecidos. Outras ondas tocaram desconhecidos. E assim elas se perderam de vista.

A Física explica que as ondas carregam energia a partir do ponto de onde a pedra caiu e fala de conceitos como amplitude, comprimento e frequência.

Nas nossas vidas, Ita, *como num filme a ação que não valeu*, as ondas foram rebobinadas e voltaram pra gente. Trouxeram energia carregada de força e afeto. Muito afeto e tanta gente.

Teve gente que compôs uma música linda pra você.

Teve gente que me contou sobre os pais e os irmãos.

Teve gente que me pediu conselho.

Teve gente que me deu conselho.

Teve gente, muita gente, que colocou você em oração.
Teve gente que compartilhou nossa história.
Teve gente que prometeu fazer um bolo para você.
Teve gente que me falou de fé.
Teve gente que me emprestou coragem.
Teve gente que ficou mais perto da própria família.
Teve gente que ficou mais perto da nossa família.
Teve gente que veio do passado.
Teve gente que me falou sobre você.
Teve gente que escreveu sobre você.
Teve gente que sonhou com você.
Teve gente que pensou num símbolo para o blog.
Teve gente que sentiu vergonha.
Teve gente que se sentiu tocada.
Teve gente que sentiu saudades.
Teve gente que ofereceu colo.
Teve gente que está com a gente desde sempre.

Tem sido tão emocionante que eu queria que cada um se reconhecesse nesse bem que nos faz.

Sabe, Ita, pego emprestado Mia Couto pra dizer que "para ti criei todas as palavras e todas me faltaram. Para ti dei voz às minhas mãos, abri os gomos do tempo, assaltei o mundo e pensei que tudo estava em nós".

Não estava em nós. Ou só em nós. Precisava dessa troca que nos envolve agora com amor, alegria, serenidade e certezas. Certeza de que você está feliz com isso tudo. Porque eu estou e, nesse momento, eu, você e o outro somos um só.

MESMO QUE EU MANDE GARRAFAS, MENSAGENS POR TODO O MAR

AQUELE DOS DESAPARECIMENTOS

Você não vai acreditar, mas eu acreditei. Alguém compartilhou a notícia de um navio chamado Cotopaxi, desaparecido há noventa anos no Triângulo das Bermudas, que teria sido encontrado agora em maio, pela Guarda Costeira de Cuba. Tinha até uma foto do barco à deriva.

Eu acreditei, mas me deixa explicar. O Cotopaxi existiu mesmo e afundou em 1925 durante uma viagem entre a Carolina do Sul e Havana. O Triângulo das Bermudas sempre foi um lugar cercado por lendas e teorias sobre barcos e aviões desaparecidos e acontecimentos inexplicáveis.

A gente mesmo ficou morrendo de medo quando o pai e a mãe viajaram para os Estados Unidos, lembra? Um dos medos era de que o avião desaparecesse quando passasse por ali.

Mas a tal notícia do navio era falsa. Esse boato surgiu de uma publicação feita num site humorístico e alguns sites divulgaram como real. E a foto era apenas um frame do filme *Contatos imediatos do terceiro grau*.

Tenho medo de desaparecimentos, de buscas por pessoas. Não sei se porque na infância fomos aterrorizados pela notícia do desaparecimento do Carlinhos, aquele menino lindo e que foi sequestrado no Rio e nunca mais apareceu. Me impressionei quando a irmã do Vitor Belfort desapareceu em 2004.

Pessoas desaparecem todos os dias, em todos os lugares. Só no Brasil, li que, a cada 45 minutos, 22 pessoas desaparecem. Muito, né?

Triste, né? O bom é que 60% dessas pessoas são encontradas. Ou voltam pra casa. Talvez não mais os mesmos de quando saíram, mas voltam.

A mãe contava aquele caso de um amigo dela que saiu de casa, pegou um táxi e sumiu por dias, sem ninguém saber dele. Foi encontrado duas semanas depois, sentado na porta do prédio onde passou a infância em Santos, sendo essa a única memória que ainda guardava.

Outro dia, o Jaime, rapaz da manutenção da escola, me perguntou sobre você e me contou do irmão mais novo que foi trabalhar em Maresias, saiu pra dar um mergulho e nunca mais voltou. Já faz anos. Todos os dias, o Jaime espera que ele não tenha morrido e que volte pra casa. "Você deve pensar isso também toda manhã, não é, Bettina? Será que é hoje que meu irmão vai voltar?" Acho que sim, Jaime, embora o tempo e a esperança sejam inversamente proporcionais.

Quem sabe eu ainda acredite, Ita, que você e essas pessoas desaparecidas morem em algum lugar especial, fazendo alguma coisa especial e se preparando para um dia voltar em um momento especial.

Você espera por alguém? Precisa terminar algo? Está escondido perto do Triângulo das Bermudas ou na Atlântida?

Me manda um sinal? *Sinal de que o mundo é dos que sonham que toda lenda é pura verdade?*

NÃO PENSAR EM VOCÊ NÃO É FÁCIL, É ESTRANHO

AQUELE DA VIDA A CINQUENTA POR HORA

Você não vai acreditar, mas a velocidade da Marginal Pinheiros passou a ser de cinquenta quilômetros por hora. Cinquenta é tão pouco. Você tem aquela sensação estranha de fazer parte de uma cena em câmera lenta, de ter sido atingido por um gás paralisante.

Pensei muito em você, que com certeza ficaria furioso com a nova medida. Também fiquei. Indo pra sua casa ontem, precisei olhar mais para o velocímetro do que para frente, para não ultrapassar.

O Haddad, que é o prefeito, acredita na urbanização transformando psicologicamente o cidadão. "Ambientes civilizados civilizam pessoas." O estranho é pensar que chegamos num ponto em que a civilidade precisa ser construída de fora pra dentro, meio à força.

Cinquenta quilômetros por hora é estranho. Parece que você está em outro lugar.

E essa semana eu estive mesmo. A mãe e eu fomos para Santa Rita na quinta-feira. O motivo era triste, não férias. Tia Maria Gilda foi embora quarta-feira.

A gente chega devagar naquela cidade – acho que nem a cinquenta por hora. As primaveras florescem de todas as cores na estrada do trevo. Muitas ruas ainda são de paralelepípedo e o sol entra na alma mesmo você estando dentro do carro.

Você olha para o lado e é normal aquela sensação de fazer parte de uma cena em câmera lenta e de ter sido atingido por um gás paralisante. É como revisitar uma parte muito feliz que mora em mim. Nessa velocidade consigo reconhecer cheiros, lugares e memórias.

Lá, as pessoas, das calçadas e nas janelas, têm tempo de se olhar. *As casas tão verde e rosa que vão passando ao nos ver passar.*

Passei pela matriz, pela estação, pela casa da Albertina, onde ela fazia os doces e o cheiro de goiabada escorregava até a calçada. Não, ela e o cheiro não estão mais lá.

Passei por onde era a telefônica e lembrei que eu ia até lá todas as noites, quando você e o Paulo passaram aquelas férias em Cabo Frio, e o meu amor e o dele precisavam ter horário marcado.

Vi onde era a entrada da Fazenda da tia Zita e ainda estranho não ter o mata-burro. Apagaram essa parte de mim.

Meus meninos também passaram muito da infância naquelas ruas. Era o único lugar no mundo que eu deixava que eles saíssem sozinhos aos oito anos. O sonho de liberdade era ir da casa da vó Gilda até a loja de 1,99, separadas por alguns passos. Até hoje eles lembram das compras fundamentais que faziam: vasinhos de porcelana, biribas, bolinha de gude e um peixe dentro de uma bola de vidro.

Nas ruas, carros, tratores, cavalos, carroças, pedestres e bicicletas. Muitas bicicletas.

Nas casas, flores tristes e baldias, como a alegria que não tem onde encostar.

Fiquei pensando se a felicidade e a civilidade precisam desse tempo das pessoas se olharem para serem construídas. "Quando falo dessas pequenas felicidades certas, que estão diante de cada janela, uns dizem que essas coisas não existem, outros que só existem diante das minhas janelas, e outros, finalmente, que é preciso aprender a olhar, para poder vê-las assim", escreveu Cecília Meireles.

Talvez a gente só tenha que ir mais devagar mesmo para poder olhar. E talvez precise mesmo ser a cinquenta por hora. Eu sei, é estranho.

SAY, BROTHER
AQUELE SOBRE DONS E PROPÓSITO

Você não vai acreditar, mas nunca é tarde para você ser quem poderia ter sido. A Maria, por exemplo, vai ser protagonista de uma série da Fox. Conseguiu o papel concorrendo com quinhentas meninas. Ela, que é cineasta e trabalha atrás das câmeras desde que se formou. Ela, que nunca havia pensado em correr atrás desse caminho. Ela, que foi chamada para fazer o teste pela diretora que viu nela uma atriz, antes mesmo de a Maria perceber que era. Ela, que tem personalidade forte, inteligência emocional e defende questões feministas com propriedade. Ela que vai fazer a Bruna Surfistinha.

A minha Bruna trabalhou na *Trip* de estagiária até se tornar repórter. Num desses passaralhos comuns da mídia impressa, saiu de lá. Ano passado, foi chamada de volta, agora para ser editora de uma das revistas produzidas por eles. Este mês, essa revista está concorrendo ao prêmio de melhor lançamento do ano. A Bruna prefere muito mais produzir conteúdo sobre educação do que sobre beleza. E nesse tempo que ficou fora, trabalhou em uma produtora e, com a experiência, investiu na ideia de colocar para frente a produtora dos três, a Ao Cubo Filmes. Junto do Murilo, abriu caminho para fechar com clientes importantes e produzir vídeos sobre ações voluntárias das empresas.

O Lucca percebeu que não queria ser advogado no segundo ano de Direito. Antes mesmo de terminar a faculdade, começou a trabalhar em uma agência de publicidade e hoje é redator de uma outra agência. Ele gosta de escrever sobre as coisas que o inquietam. No TCC, já mostrou isso ao falar sobre o Direito ao Esquecimento

– sobre cumprir penas, mas parecer estar em prisão perpétua, marcado para sempre como ex-detento. Na publicidade, prefere as ações que mexam com temas importantes a propagandas em que pouco acredita.

Fico pensando nessas metas e desafios que a vida vai colocando na nossa frente, para que encontremos nosso caminho. Tem gente que resiste, tem gente que rapidamente pega um atalho. Tem gente que encontra a direção certa, tem gente que erra feio e precisa aprender a voltar.

Lembra quando o Fabio resolveu fazer Academia de Polícia? A gente achou um absurdo o pai deixar. Era muito perigoso. O pai disse que tinha certeza de que, no primeiro plantão de fim de semana que impedisse o Fabio de surfar, ele largaria a polícia. O pai errou. Um, dois, três, vinte, cem plantões de fim de semana e ele continua lá. E continua como chefe de um grupo de elite da polícia civil.

Isso é dom. E dom tem um propósito. Assim como os caminhos dos meus meninos. Consigo ver o dom e o propósito de cada um deles.

Demorei muito para começar a escrever. Fui deixando para depois o que sabia que era meu caminho. O reencontro não foi por amor. Foi pela dor. Hoje não sei mais como não fazer. E consegui ver amor onde só era dor. As palavras escritas me curam.

E você? Onde está seu dom?

Fala, Ita, quem você poderia ter sido?

PRA LÁ DESSE QUINTAL ERA UMA NOITE QUE NÃO TEM MAIS FIM

AQUELE DA VIDA SEM MANUAL

Você não vai acreditar, mas tem pais que contratam uma pessoa para ensinar o próprio filho a brincar. Hoje existe um coach de brincar. Acho que preciso repetir para eu mesma ouvir e tentar acreditar. Coach de brincar.

Estão terceirizando até as brincadeiras? Essas coisas a gente aprende? Não era só ir para o jardim e pronto? "No mistério do Sem-Fim equilibra-se um planeta. No planeta, um jardim. No jardim, um canteiro. E no canteiro, o dia inteiro. Entre o mistério do Sem-Fim e o planeta, a asa de uma borboleta", escreveu Cecília Meireles.

A gente brincava – e brigava – entre a gente. Às vezes com bola, com algum brinquedo ou com tatus e grilos do quintal. Faz tanto tempo que não vejo um grilo. Será que hoje existem coaches para substituir os grilos?

O pai e a mãe traziam sempre os jogos de tabuleiro para as noites de férias e fim de semana: Dama, War, Detetive, Banco Imobiliário, Leilão de Arte. Lembra do Leilão de Arte? Esqueci as regras, mas o objetivo era comprar obras de arte famosas e pagar um bom preço por um quadro muito valioso.

Quando não tinha vocês por perto, tinha minha irmã imaginária, a Siriri. Ela conseguia coisas: subir na árvore da casa do Dino, escalar o muro do dr. Valter, nadar na parte funda da piscina. Eu era um pouco medrosa e ela me contava da vida por trás dos muros.

Fico pensando se hoje em dia você precisaria de um coach ou um manual para ser pai. Se sim, então me arrisco a ajudar:

Tenha filho. Se puder, tenha mais que um. Vale a pena.

Mude para um predinho baixo. Visite o espaço do térreo. Não precisa de piscina ou quadras elaboradas. O playground pode se resumir a um gira-gira, um escorregador e um trepa-trepa quase enferrujado. O importante é um lugar onde crianças sejam bem-vindas e que pareça um quintal ou uma vila.

Ouça os sons e confira os aromas que vêm dos apartamentos. Isso é muito importante. Saber quem mora ali.

Perceba se você pode escutar a voz de um Thiago vindo do apartamento 11 e de uma Giulia vindo do apartamento 12. Se escutou é certeza de que a vida dos seus filhos será garantidamente mais feliz. E eles serão amigos para sempre e vira e mexe brincarão da velha infância.

Veja se no segundo andar mora alguém como o seu Cléo, um personagem folclórico, um senhor meio calado, que anda com um papagaio no ombro e acha que ser síndico é quase uma missão.

Acostume-se com a alta rotatividade dos moradores do sexto andar. Alguns você vai conhecer, outros, não. A vida é assim.

Espere algumas brigas com o morador da cobertura. Tem uns que se acham melhores que os outros por olharem as pessoas de cima. Bobagem.

More no terceiro andar, no apartamento 33. Aprenda ali a ser mãe – ou pai – e plante as raízes dos seus meninos.

Esteja certo de que seus filhos vão gostar de passar mais tempo no térreo do que no apartamento pequeno. E isso vai ser uma sorte.

Entenda que você nunca vai saber se foi a água ou um pé de vento ou a corrida pelas escadarias que fez dessas crianças crescidas pessoas tão legais.

Porque criança não precisa de muita coisa. Os meus não precisaram. Tinham os irmãos e tinham esses muitos amigos espalhados por todos os andares.

Tinham histórias de terror. Tinha um enfeite em uma das portas que parecia um diabo. Tinha até uma vilã de histórias, moradora do segundo andar, que pedia silêncio bem cedo e furava as bolas que caíam no terraço.

Tinham joelhos esfolados para aprender a andar de bicicleta. Tinha acampamento no salão de festas. Tinha coleção de figurinhas, de gogos, dos bichinhos do Kinder Ovo. Tinha videogame e futebol de botão nos dias de chuva.

Tinham os pais lá embaixo, trazendo pipoca, combinando aniversários, piqueniques, festas juninas, churrascos e natais. Tinham vizinhos que viraram amigos, desses que se carregam até hoje e você fica feliz de encontrar na rua, em casa ou no coração.

E tinha muito futebol e todos os seus aprendizados. Meninas jogam bem, sim, e gostam de bola, nem sempre de boneca. Tem de saber ganhar e saber perder. Tem de respeitar as regras e o outro. Tem de saber resolver sozinho o problema com o amigo que naquele momento é seu inimigo. Tem de ouvir que seu time é o pior do mundo e tem de ter garra para provar que não é. Tem de ter a certeza de que é importante contar com o outro, porque ninguém ganha nada sozinho.

Ita, quer saber, esqueça os coaches, as receitas ou os manuais. Lembre-se do nosso quintal. Eu, por exemplo, como o Manoel de Barros, "enfiei o que pude dentro de um grilo".

E, mesmo que o tempo passe rápido demais e a gente siga por outros caminhos, guarde a certeza de que você tem para quem e para onde voltar.

MAL POSSO ESPERAR VOCÊ VOLTANDO PRA GENTE

AQUELE DAS TRILHAS SONORAS

Você não vai acreditar, mas eu amo o Emicida. Você não deve conhecer, porque já estava dormindo quando ele apareceu. O Emicida é um rapper que escreve o mundo de um jeito diferente e necessário.

Ontem à noite fizemos um churrasquinho aqui em casa. A trilha sonora foi justamente ele e chorei quando tocou "Chapa". Sim, choro com o Emicida até em churrasco. A música é sobre um homem que desapareceu e o vazio que ele deixa em todos que o amam. *Chapa, dá um salve lá no povo, te ver de novo faz eles reviver...*

No ano em que você dormiu tocava sem parar na rádio "Love Generation", "Um minuto para o fim do mundo" e "Ela vai voltar", esta do Charlie Brown. E é triste pensar que já faz dois anos que o Chorão morreu.

Todos os dias, indo ou voltando do hospital, eu ouvia *Quanto tempo será que demora um mês?* E achava que era isso. Você acordaria em no máximo um mês e seria tudo como antes – *daqui a um mês, quando você voltar, a lua vai tá cheia e no mesmo lugar.* Já esperei mais ou menos umas 120 luas cheias e nada de você voltar.

As coisas realmente mudaram de um tempo pra cá. Acredita que o Chico Buarque não é mais unanimidade nacional? Passou a ser odiado por alguns. Em tempos de revoltas seletivas e ódio disseminado, "Cálice", "Apesar de você" ou "Deus lhe pague" não fariam sucesso, já que tem gente que pergunta por que não mataram todos em 1964!

Ainda gosto de Los Hermanos. Em 2007, a banda não falou em separação, mas em recesso por tempo indeterminado. De lá pra cá, já fizeram algumas turnês juntos. Sei que você ouviu, mas não sei se foi dormir sabendo da história por trás da música "Conversa de botas batidas". O Camelo se baseou na notícia do desabamento do hotel Linda Rosário, onde um professor e uma bancária reviviam um amor de juventude em segredo. Morreram abraçados durante a tragédia. A música fala *Deus parece às vezes se esquecer. Sem saber que o fim já vai chegar.* Confesso que algumas vezes pensei que Deus tinha esquecido da gente...

Ando querendo uma nova trilha sonora pra nossa vida, Ita. Então, como canta Emicida, o dia que você voltar *Vai ser tão bom, tipo São João. Vai ser tão bom, que nem Réveillon. Vai ser tão bom, Cosme e Damião. Vai ser tão bom...*

TEMPO ACORDADO DE VIVER

AQUELE SOBRE BUSCAR RESPOSTAS

Você não vai acreditar, mas não trabalho mais às segundas-feiras. Assim, segunda é quase um domingo prolongado, com mais trânsito, mas menos gente passeando.

Às segundas-feiras sou tia do Derek. É nesse dia que tenho ido com ele a alguns lugares: andar de bicicleta no parque, ver os animais no Zoológico e, essa semana, visitar o Aquário.

Quando cheguei, ele já estava pronto, lindo numa camisetinha amarela e bermuda cáqui. Só faltava calçar as Havaianas, com o elástico na parte de trás. Perguntei se podia calçá-lo, ele sorriu e me disse que sim.

O Derek vai no caminho mostrando as motos, as ambulâncias e o trem. Fico pensando naquilo que a gente deixa de ter tempo de olhar e precisa de uma criança de três anos conhecendo o mundo pela primeira vez para a gente reconhecer as coisas por meio dela.

No Aquário, os primeiros tanques. E o tubarão, a enguia, as arraias mergulhando na vida dele. Era mágico. Eu, ali, torcendo para que ele visse tudo o que é diferente para que eu pudesse ajudá-lo a olhar. Ele suspirava a cada janela e a proximidade de um novo animal. Às vezes no meu colo. Às vezes ao meu lado. E eu respirando o mundo como se fosse a primeira vez.

Fernando Pessoa era quem conseguia me traduzir naquela tarde: "Dá-me uma mão a mim e a outra a tudo que existe". O Derek me fazia perguntas enquanto olhava o novo. Queria saber se as tartarugas olham para o céu, se o suricato era feroz, se o canguru sabia dormir, se o urso polar comia a bola de borracha.

E eu buscava na memória curiosidades ou lembranças de cada animal para poder impressioná-lo. Contei que os cavalos-marinhos conseguem mudar de cor. Ele não pareceu muito interessado. Lembrei que você, o Fabio e eu corremos atrás de um pinguim numa praia do Chile. Ele sorriu e dormiu na volta. A felicidade não necessita de palavras. "E naquela tarde, a mim ensinou-me tudo. Ensinou-me a olhar para as coisas."

Quarta-feira amanheceu com a imagem de Aylan, um menino sírio também de três anos deitado em uma praia na Turquia. Estava calçado e com uma camisetinha vermelha.

Aylan não veria mais o mar, as tartarugas ou os cavalos-marinhos. Não saberia sobre pinguins e trens. Não passearia com a tia pelas ruas do Canadá. Talvez não tenha tido tempo de aprender sobre os suricatos, mas sim que o homem é feroz.

Todas as palavras me faltaram, amarradas no nó da garganta. E eu de novo pensei no que a gente deixa de ter tempo de olhar e precisa de uma criança de três anos conhecendo o mundo pela primeira vez para a gente reconhecer as coisas através dela.

A gente precisava do olhar do Aylan. A gente precisava das perguntas do Aylan. E o mundo não tem respostas para dar. "Creio no mundo como num malmequer, porque o vejo. Mas não penso nele, porque pensar é não compreender."[2]

Que mundo é esse?

Eu acho, Ita, que é melhor esperar mesmo mais um pouco. Ainda não é tempo de você acordar.

---

2. Trecho de poema de Alberto Caeiro (heterônimo de Fernando Pessoa).

EU PROTEGI TEU NOME POR AMOR

AQUELE EM QUE EU SALVEI UM BEIJA-FLOR

Você não vai acreditar, mas quase atropelei um beija-flor. Não, não foi agora. Já faz um tempo, mas acho que alguns acontecimentos definem a vida de uma pessoa.

Foi assim: entrei no estacionamento ao lado da escola e vi o que parecia ser um papel queimado rolando no ar, bem baixo. Caiu perto da minha porta, ao lado do pneu. Pensei que era um picomã. Picomã era aquela fumaça em pedaços que voava quando queimavam o canavial em Santa Rita, lembra?

Desci do carro e percebi que era um passarinho. Vi a asa estendida, mas não dava para ver a cabecinha. Abaixei para pegar, com o manobrista aflito atrás de mim querendo saber se eu sairia logo ou se ele poderia colocar o carro no fundo.

Naquele momento, não me importava. Eu tinha nas mãos um beija-flor. Achei que ele havia morrido, mas não. Estava com os olhos fechados e respirava bem devagar. Virei para o manobrista e disse:

— É um beija-flor!

Ele me respondeu:

— Vai lavar o carro hoje?

Percebi que não era um dia que falaríamos a mesma língua.

A rua da escola na hora do almoço está sempre lotada. São muitos pais, crianças e professores descendo ou subindo, entrando ou saindo. Passei pelas pessoas meio alheia, cumprimentando rapidamente, querendo salvar o beija-flor.

Tinha nas mãos um segredo e não queria me separar dele. Talvez as crianças quisessem pegá-lo, talvez algum inspetor pudesse ficar com ele para eu dar aula. Mas aquele encontro era nosso. Não é todo dia que se pega um beija-flor. Eu não quis dividi-lo com ninguém.

Levei para a sala – eu ainda tinha um tempo antes de começar a aula. Enchi uma tampa de plástico com água e coloquei perto do bico. Um fio de língua apareceu para fora. Esvaziei uma caixa de giz e coloquei o beija-flor lá dentro. Pensei em encher com as folhas da planta do vaso da porta, mas me achei incapaz de ter a sabedoria infantil em fazer ninhos improvisados em caixas de sapato.

Meu beija-flor não gostou da caixa, porque logo tombou com a cabeça para baixo. Peguei de novo nas mãos, com medo de ele ter morrido. Respirava ainda mais devagar, com os olhos fechados.

Estava combinado: um beija-flor moraria na minha mão para o resto da vida.

Fiquei ali parada, segurando a insustentável leveza, precisando olhar firme para ter a certeza de que eu ainda carregava alguma coisa, porque, de tão pequeno e frágil, meu beija-flor parecia não existir.

As crianças já começavam a subir. Escolhi um lugar no vaso para escondê-lo e então ele voou. Assim, sem avisar.

Sabia que o beija-flor tem um coração enorme? Sabia que o colorido das asas é por causa da refração da luz nas penas? Sabia que os beija-flores são os maiores polinizadores das flores do Parque do Itatiaia? Sabia que o beija-flor cai em um sono profundo e quase hiberna? Sabia que ele protege com fúria o ninho? E, olha só, sabia que o beija-flor canta, mas o som é tão agudo e rápido, que o ouvido humano não consegue escutar?

Falando nisso, ontem o Fabio fez uma seleção de músicas antigas para você escutar. Fiquei curiosa em saber qual era a playlist, mas achei que seria um momento só de vocês.

Quarta-feira completa dez anos do seu sono, Ita. Talvez a realidade seja mais dura e triste do que a gente queira ver: uma pessoa em estado vegetativo persistente já há uma década. Essa pessoa, nosso irmão.

Milan Kundera escreveu que "quanto mais pesado o fardo, mais próxima da terra está a nossa vida e mais ela é real e verdadeira. Por outro lado, a ausência total de peso faz com que o ser humano se torne mais leve do que o ar e que seus movimentos sejam tão livres quanto insignificantes". Então, o que escolher? O peso ou a leveza?

Escolho a leveza do peso. Escolho significados.

Você é meu irmão semirreal com um coração enorme e agora tão frágil que tenho medo de não existir. Você dorme um sono profundo, quase hiberna.

Talvez fale, mas não tenho um ouvido treinado para escutar. Você tem luz e, embora sutilmente, espalha sementes por aí.

Aprendi com você e por você a defender com fúria nosso ninho. E esperar. Porque não é a todo o momento que se tem um beija-flor nas mãos.

SOU EU ASSIM SEM VOCÊ

AQUELE QUE O LUCCA TE ESCREVEU

Você não vai acreditar, mas o Lucca me fez chorar no meio de uma reunião de trabalho. Isso porque ele escreveu e postou um texto lindo para você. Olha só:

"Em dez anos, perdi a hora de manhã, assisti ao *Arena SporTV* à tarde e estudei à noite. Dei meu primeiro beijo, conheci os padrinhos dos meus filhos e repeti o segundo colegial. Em dez anos, vi o São Paulo ser Tricampeão. Brasileiro, da América, do mundo. Cantei na formatura, dancei arrocha, fiz promessas. Andei de barco, fumei narguilé e assisti a *Breaking Bad*. Em dez anos, briguei na rua, fiz tatuagem e me formei. Fiz direito, peguei DP e tirei dez no TCC. Trabalhei em banco, em agência e dei trabalho também. Atravessei a rua sem olhar para os dois lados, tomei glicose na veia e falsifiquei o boletim. Peguei cola, fui expulso da sala e quebrei vários copos. Em dez anos, perdi o controle remoto, a chave de casa e o medo de barata. Tive muitos ataques de riso. Tive poucos ataques de choro: por você, pelo vovô e pelo Jazz. Fiz um blog, viajei para fora e pulei Carnaval. Em dez anos, roubei bem-casado, fui numa patinação no gelo e peguei jacaré. Fui no show do Strokes, inventei apelidos para minha mãe e decorei as falas de *Harry Potter*. Aprendi a fórmula de Bhaskara, química orgânica e a pular corda. Fiz melhores amigas, tive pesadelos e rezei na montanha-russa. Em dez anos, tive Nextel, coloquei indiretas no nick do MSN e mandei scrap. Escrevi crônicas, andei à noite por Moema e abri uma produtora com a Bubu e a Maria. Rompi o ligamento, fui num jogo da Copa e nem liguei pro 7 a 1. Apareci na

TV, nadei pelado e aprendi a fazer cocada. Me apaixonei. Me desapaixonei. Namorei. Fui romântico, fui imaturo e sofri por ter feito sofrer. Em dez anos, joguei muito futebol e me joguei na propaganda. Cantei no banho, xavequei em italiano e fiz baldeação. Passei na primeira fase da OAB e não fui na segunda. Guardei meu primeiro holerite, abri uma conta e negociei dívidas. Mudei de sala, de escola e de posição política. Tomei caldo, tirei carta e fui promovido. E descobri que é possível amar cada vez mais a nossa família.

Fiz muitas outras coisas nesses dez anos, mas só quero que você saiba uma delas: não passou um dia sem que eu pensasse em você e sentisse a sua falta.

Há exatos dez anos, não me despedi só do seu nome na agenda do celular e do apelido que você me deu. Perdi meu sorriso mais aberto e o sossego do meu coração. Não sou plenamente Lucca, não sou plenamente Cléolo. Ainda. Uma parte minha dorme com você.

E, quando eu durmo, você aparece. O problema é que no próprio sonho eu sei que não é real e tento prolongar esse tempo juntos. Acordar é complicado – é por isso que você está demorando tanto?

Guardo comigo as memórias que a gente nunca viveu. E aguardo as que a gente ainda vai viver, Má."

MUITOS TEMORES NASCEM DO CANSAÇO E DA SOLIDÃO

AQUELE SOBRE OS SILÊNCIOS

Você não vai acreditar, mas um bibliotecário japonês tuitou a frase: "Lembre-se de nós como um refúgio, se estiver pensando em escolher a morte em vez da escola". Chocante, né? Chocante, mas urgente.

Esse mês foi lançado um movimento chamado Setembro Amarelo para tratar sobre um assunto invisível, mas real: o suicídio.

O Japão registrou o suicídio como primeira causa de morte entre pessoas de 10 a 19 anos. O número cresce no Brasil entre os jovens. O número cresce no hemisfério norte agora na volta às aulas. É preciso estar atento para os pedidos de ajuda. É preciso escutar.

Fico pensando que ser um bom ouvinte é uma qualidade subestimada. Meus filhos são. Ouvem, perguntam, se interessam, querem saber da dor e da alegria do outro. Isso é bom. É bom falar com eles.

Quando você estava triste, se isolava. Ficava no quarto, quieto, chato. Você precisava de uns dias. Talvez para elaborar o que te incomodava, talvez para deixar que o incômodo se acomodasse em algum lugar e pudesse ficar guardado até a próxima ocasião.

Você me disse uma vez, uns anos antes de dormir, que andava sem sonhos. Não pensava em conhecer algum lugar específico, ou ter um carro X, ou namorar essa ou aquela menina. Tive medo de você desistir.

Às vezes o silêncio é uma maneira de ser escutado.

Nesses tempos intolerantes, querer saber do outro é quase impossível. Se eu não compartilho da mesma opinião, da mesma orientação, da mesma crença, eu excluo. Um botão ao alcance da mão e desaparece da minha linha do tempo o diferente.

Nesses tempos intolerantes, crianças e adolescentes sofrem humilhações potencializadas pelo anonimato e a certeza da impunidade da Internet. Nesses tempos intolerantes, alguns velhos sofrem com suas incapacidades e com a solidão. Nesses tempos intolerantes, o refugiado morre nas fronteiras fechadas.

Cada pessoa parece hoje viver em seu exílio particular, fugindo de si mesmo, tentando atravessar águas profundas para chegar num outro continente e que nem sempre é fácil de enxergar se existe.

Talvez o que ela só precise é de alguém que se aproxime e pergunte: "tem algo que eu possa fazer para te ajudar?".

Rubem Alves dizia que o que as pessoas mais desejam é alguém que as escute de maneira calma e tranquila. Em silêncio. Sem dar conselhos. A fala só é bonita quando ela nasce de uma longa e silenciosa escuta.

Quero ainda poder te escutar, Ita.

P.S.: O Centro de Valorização da Vida realiza apoio emocional e prevenção do suicídio, atendendo de forma voluntária todas as pessoas que querem conversar por telefone, e-mail ou chat. Número 188.

EXISTIRMOS A QUE SERÁ QUE SE DESTINA

AQUELE DAS URGÊNCIAS

Você não vai acreditar, mas tenho medo. Tenho medo do que a gente deixa para depois. Tenho medo do que a gente vai deixando de sentir. Tenho medo do que a gente vai se tornando com o tempo.

Tem dias em que não entro no seu quarto. Fico lá embaixo com as crianças, com meus filhos, com a Dani, com o Fabio, com a mãe. Almoço, converso, brinco, dou risada, vou embora e não subo para ver você. Acho sempre que vai ter outro dia, mais um dia.

Defino o tempo e acredito que tenho controle sobre ele. Nesse tempo, você não existe.

Sempre pretendo ter um tempo para fazer um trabalho voluntário. Contar histórias em um hospital. Ou cantar com os meninos em um asilo. Ou quem sabe participar de um projeto bacana da Justiça de São Paulo que procura pessoas dispostas a dedicar uma hora da semana para conversar, ir ao cinema, passear com meninos e meninas em situação de abandono. O projeto seleciona e prepara pessoas que queiram "ser pais" por uma hora de crianças e adolescentes com mais de 10 anos e com poucas chances de conseguir uma família adotiva permanente.

Se não me engano, trabalho voluntário era uma das minhas metas para esse ano; certeza de que era do ano que passou e talvez do que veio antes dele também.

Entramos em outubro, o décimo mês do ano, e ainda não comecei. E nem sei se vou começar. Porque sei que amanhã encontro urgências na minha frente: é a troca do óleo, é o trânsito, é o post sobre a falência de um país.

E depois vêm as provas, o fechamento do bimestre, o supermercado da minha casa e da sua casa, a fila do banco, o pagamento das muitas contas, a resposta do e-mail do advogado, a reunião marcada, a conversa com o médico da mãe.

Numa rotina sem tempo, tirei uma hora para assistir ao documentário *Human*, do cineasta Yann Arthus-Bertrand. Ele passou três anos viajando por sessenta países e conversando com pessoas para entender qual é a essência e o significado da vida humana. Registrou histórias de vida de 2 mil mulheres e homens em duzentos depoimentos e tratou de assuntos como o amor, a condição da mulher no mundo, as relações de trabalho, a pobreza, a guerra, o perdão, a homossexualidade, a família, a felicidade, a educação, as deficiências e a corrupção. Surpreendente, impactante, verdadeiro.

Em um depoimento, um homem diz: "O que é a pobreza para mim? É quando preciso ir à escola, mas não posso ir. É quando preciso comer, mas não posso. É quando preciso dormir, mas não posso. Quando minha mulher e meus filhos sofrem. Não tenho nível intelectual necessário para sair dessa situação. Eu me sinto pobre no corpo e na mente". Definitivamente, pobreza é aquilo que a gente nem imagina o que seja.

Não que a gente já não saiba daquilo tudo, das injustiças, das contradições, das diversidades ideológicas, de ricos e pobres, negros e brancos, cristãos e muçulmanos etc. Mas toda essa sabedoria vai ficando no fundo do armário, na posta-restante, milênios, milênios no ar.

Não dá mais. Há urgências. Tem um menino de 10 ou 12 anos que nunca teve a oportunidade de ir a um cinema e conversar sobre um filme ou sobre a vida por uma hora com alguém que queira estar ali com ele.

Tem alguém em um asilo que não recebe visita há uns meses ou anos e pode só querer cantar em alguma tarde.

Tem alguém em algum lugar querendo ouvir uma história e esquecer do que virá.

Tem um irmão que dorme e quer que a irmã aperte a sua mão.

Atrás do computador, não vou consertar a política, o país, o mundo. Só constatar ou reclamar disso tudo é pouco. Muito pouco. Se eu quero mudar, tenho de ser antes um elemento de transformação.

Tudo importa, tudo conta, tudo afeta todo resto.

E amanhã, Ita, mesmo sendo uma terça-feira, eu vou te ver. Me espera.

UM RELICÁRIO IMENSO DESSE AMOR

AQUELE SOBRE AS SUAS COISAS

Você não vai acreditar, mas o Lucca ficou muito sensibilizado com a obra de uma artista latino-americana. Nela estão expostos sapatos femininos de mulheres desaparecidas durante a guerra civil colombiana.

Lucca foi ao MoMA, e talvez seja outra coisa em que você não vai acreditar, porque ele é claramente das outras artes, mas ainda assim foi, gostou muito e me escreveu sobre a *Atrabilious* – esse é o nome da obra de Doris Salcedo. "É muito bonito e emocionante. Para mulheres sequestradas eram só sapatos, calçados no dia a dia. Mas para as famílias, depois que elas desapareceram, os sapatos assumiram outro significado. Falam da identidade delas, como se fosse uma assinatura, uma marca que deixaram."

Quando o pai morreu, convenci a mãe a doar, junto das roupas dele, as suas também. Disse que você é vaidoso de um tanto que não vai querer usar as roupas antigas. Ela concordou e deu a maioria. Algumas ela não conseguiu. Confesso que eu também não. Guardei aquela camisa xadrez que o Fabio te trouxe, o casaco impermeável amarelo, a parca azul-marinho, a mochila enorme de couro, os sapatos... ah, os sapatos! Perfumes começados e vidros vazios. Algumas agendas antigas. Gosto de olhar a sua letra. Gosto de como você escreve "Ita".

Eu estou às voltas com você nessas duas últimas semanas. Primeiro porque estava chegando seu aniversário. Muitos já dormindo. Me incomodei. Algumas datas e dias me machucam especialmente. E então questiono, não acho justo, me afasto e me calo.

Depois, porque você está com pneumonia e vai passar o aniversário longe de casa, no hospital. E então mais uma vez questiono, não acho justo, me aproximo e me calo.

Assim como as mulheres desaparecidas na guerra civil colombiana, você está em algum lugar entre a vida e a morte. Nem presente nem ausente. Nem aqui nem em outro lugar.

Nunca fomos capazes de viver nosso luto, pois isso significaria que a nossa esperança estaria abandonada. E assim, vivemos lutos possíveis, nos despedindo de você e das suas coisas. "Quando te ausentas, busco teus olhos em todos faróis. Vagando nas ruas, olhando os risos. Preenchendo os dias vazios com fantasias de estar sempre a te ver!"

Outro dia a mãe estava revirando caixas de fotos. Em uma delas, junto de moedas sem valor, carretéis sem linha e santinhos amassados – sim, essa ainda é a mãe –, encontrei um bilhete seu, daqueles que você colocava na porta do quarto: "Pai, me acorda às 6:30. Beijo, Ita".

Você está atrasado, já passou da hora. O pai nem está mais aqui.

Acorda, Ita. "Para esquecer todos os dissabores, refazer todas as lembranças de ti e não sentir mais saudades de mim."

DORME QUE EU VOU TE EMBALAR

AQUELE SOBRE A PARTIDA DA DRI

Você não vai acreditar, mas os pais de um bebê com paralisia cerebral criaram um rodízio de colo para ninar a filha. O movimento faz com que Olívia deixe de chorar. O ritmo da "dança" é embalado por Beatles. Em dois meses, ela já teve mais de cinquenta colos diferentes. Em dois meses, os pais de Olívia fizeram bons amigos.

Essa sexta-feira foi assim. Em uma dança bonita e silenciosa, embalada por Mari cantando "Blackbird", muitos amigos se despediram da Dri. *You were only waiting for this moment to arise.*

Dri era a professora de Inglês do Lucca e da Maria no ano em que você dormiu. Fizemos parte da mesma equipe. Viramos amigas. Porque a Dri era daquelas pessoas que você se senta ao lado e já se sente envolvida. Pela intensidade da fala, pelas risadas cortando o discurso, por saber muito mais da vida do que muita gente.

Nas aulas, falava de literatura, cinema, seriados, esportes e música. E, sem se dar conta, os alunos aprendiam present perfect, esse tempo indefinido no passado…

Há uns anos ela trabalha no Gracinha e muitos alunos estavam lá, embolados na despedida. A escola suspendeu as aulas nas séries em que ela dava aula. Alunos mais velhos acenderam uma vela na hora do intervalo e ficaram em volta em silêncio.

Foi emocionante ver tanta gente reunida, não só sexta, mas durante esses meses se dobrando e se desdobrando por amor. Assim como origamis de tsurus.

E, assim como os tsurus, tem gente que não precisa de cola para unir as partes. A Dri é assim. A pequena Olívia é assim. Você é assim, Ita.

Generosos, espalham colos para embalar a gente durante o sono de vocês. Isso é dom, não é dor. Guimarães Rosa acredita que "a gente não morre, fica encantado". E eu sigo encantada por vocês.

EMBARAÇAM AS LINHAS DAS MINHAS MÃOS

AQUELE SOBRE AS IMPRESSÕES DIGITAIS

Você não vai acreditar, mas, quando a gente morre, as últimas coisas que desaparecem são as impressões digitais. Esse desenho das linhas das mãos e dos dedos são únicos, perenes e imutáveis. E por serem únicos, são o registro da nossa identidade.

Quando a Bruna foi renovar a carteira de habilitação, a atendente do Poupatempo perguntou se ela usava muito o computador. Bruna respondeu que sim, por ser jornalista. A menina completou dizendo que por isso então as impressões dela estavam desaparecendo.

Isso era um exagero, já que li que as impressões se regeneram. Mas fico pensando se, de alguma forma, estamos mesmo desgastando e fazendo desaparecer a nossa identidade por meio do acesso a esse mundo virtual.

Que lugar é esse das redes sociais? As pessoas criam perfis falsos, assumem ser outras pessoas, simulam novas identidades. E por trás da trama virtual, espionam, ofendem, machucam o outro. Destilam o ódio, o preconceito, o horror. Que doença real!

Bauman é certeiro quando diz que vivemos tempos líquidos, quando nada é feito para durar. Nem mesmo a identidade? Ela também precisa ser redefinida por causa da fragilidade das relações humanas?

É com o tempo que a gente vai construindo a própria identidade. Nascemos só com as linhas e tecemos com as mãos as relações. Bordei quem sou sendo irmã de vocês, filha deles, neta de quem fui.

Amarrei cadarços entre meninos e meninas da Escola do Jockey e aperto alguns nós até hoje. No Colégio Palmares costurei amores e amigos para sempre. E certeza de que alinhavei minha vida profissional por ter estado ao lado dos grandes do Colégio Gávea.

Sei que na vida há cortes enviesados que machucam – e por eles você tem de reinventar seu desenho. Como quando você decidiu ser um homem invisível e minhas linhas ficaram tortas, soltas, apagadas. Tive de tentar me customizar para finalmente eu me identificar.

Hoje sei que você é ainda você. Mesmo sem palavras. Mesmo sem gestos. Mesmo com uma pele tão lisinha que esconde as linhas dos seus dedos. Mesmo não conseguindo mais segurar a minha mão.

Seu RG está guardado comigo, mas com partes amassadas e descoladas. Precisei fazer uma cópia autenticada, também porque agora sou sua curadora.

Em tempos líquidos e virtuais – e também tão reais – precisamos redefinir quem somos pela circunstância. Mas não pela fragilidade da nossa relação ou da nossa identidade, Ita. Essas são únicas, perenes e imutáveis.

Porque éramos nós estreitos nós. E ainda somos.

É UM CORPO NA CAMA...
É A LAMA, É A LAMA

AQUELE SOBRE OS ATENTADOS

Você não vai acreditar, mas fiz um post nas minhas redes celebrando o aniversário da vó Silvinha e errei o dia! Pulei o dia 13 de novembro, como se ele não tivesse existido.

Engraçado é que eu sabia que seria uma sexta-feira 13 e sabia que o feriado do dia 15 seria neste domingo. Ainda assim, errei e postei sexta-feira as fotos em homenagem ao pai e a mãe e o texto para a vó Silvinha. Como se não soubesse.

Sexta é o dia em que não trabalho na escola nem tenho reuniões de outros projetos. Faço o meu tempo. Vejo vocês, leio as notícias com calma, almoço sem pressa. E vou ao banco! Fui falar com meu gerente – que tinha visto só uma vez – e ele conversou comigo como se fosse um amigo desesperançoso, dizendo que somos reféns de um grupo muito restrito que se beneficia com a crise.

Mais tarde, li as notícias da cidade de Mariana e o imenso desastre ambiental. Barragens, rompimento, negligência, licenças de operação vencidas, devastação, comprometimento econômico da mídia, exploração, envenenamento da terra, solidariedade, desaparecidos, mortos.

Um mar inescrupuloso de lama nessa primavera brasileira. Morreu um rio. Morreram a fauna e a flora. Morreu uma menina chamada Emanuely.

À noite, vi as notícias dos atentados em Paris e o imenso terror instalado. Atentado, EI, ISIS, fanatismo, AK-47, tiros, bombas, barbárie, medo, califado, jihadistas, infiéis, inimigo infiltrado, vulnerabilidade, bombeiros, solidariedade, feridos, mortos.

Um banho covarde de sangue neste outono europeu. Morreram franceses, britânicos, chilenos, americanos, belgas e espanhóis. E três brasileiros ficaram feridos. Entre eles a Camila.

A Camila é filha da Toia, querida que trabalha na escola há anos. Toia é daquelas pessoas que você não precisa ver sempre para se sentir próxima e gostar tanto. É leve, divertida, carinhosa e generosa no que sente. Agora a Toia está em Paris, cuidando da Camila, que foi para lá estudar.

Embalando a Camila, que postou, meses atrás, que Toia é uma mãe-coragem, uma doce fortaleza e a pessoa que tem o abraço que mais acalma, a Toia está lá e levou junto a oração de tanta gente.

Era uma sexta-feira mesmo para não ter existido. *Vimos um mundo doente*. E vi que o meu gerente tinha razão: somos reféns de um grupo muito restrito que se beneficia com a crise. Qualquer crise.

Quem sabe não seja a hora de falar que há 85 pessoas no mundo que têm mais da metade de toda a riqueza do planeta. Já a metade mais pobre da população mundial detém menos de 1% desses recursos.

Quem sabe não seja a hora de dizer que um povo miserável, humilhado, sem perspectiva, sem futuro, sem educação é terreno fértil para violência – as ideias de Hitler, Saddam Hussein e de outros germinaram assim.

Ainda que não seja agora, em algum momento a gente vai ter de pensar sobre essas coisas. Porque, mesmo que a gente queira muito, não é possível pular os dias como se eles pudessem não existir. Aprendi isso há anos. Aprendi isso com você.

LEMBRA QUE O PLANO ERA FICARMOS BEM

AQUELE QUE A BRUNA TE ESCREVEU

Você não vai acreditar, mas o Derek também te chama de Má. Só ele e meus três filhos. A Bruna quem te deu esse apelido e hoje ela te deu este texto mais lindo do mundo. Se prepara, Ita…

"Má, vem comigo revisitar a minha infância feliz, sem lembrar do que ainda está por vir. Vamos pegar carona para o meu passado em um dos seus carros grandes, bonitos e cheirosos. Me deixa entrar de novo no seu quarto e roubar os chicletes de hortelã – e me arrepender para sempre de provar as balas de anis prateadas.

Consigo ver os seus sapatos enfileirados no canto do armário e os óculos, CDs e relógios espalhados pela mesa. Tira da minha cabeça a ideia de pular na sua cama e adia por mais alguns anos o flagra da roupa do Papai Noel secando no varal.

Quero revisitar o quarto que era da minha mãe. Ele ainda guarda um pouco de quem ela era, através dos pôsteres e fotos que restaram na parede. Minha mãe sempre foi a mulher mais linda do mundo.

Pela fresta da porta do quarto da vovó, vejo a penteadeira cheia de santinhos e perfumes. A luz que entra pelo vitral deixa tudo tão colorido…

Vou brincar de me esconder no closet e vestir todas as gravatas do vovô. E quem sabe pular na piscina e deixar o Fabio me assustar fingindo ser um tubarão.

Dá tempo de jogar bola com os meus irmãos na varanda? Quero ganhar e perder mais um milhão de vezes.

Me leva para passear e me ensina a comer pipoca com tabasco e prova comigo todos os sabores dos sorvetes da Brunella. Vamos nos sentar na muretinha e comentar sobre a vida e a gente lá de casa.

No caminho, quero passar na vó Silvinha e tocar aquela campainha charmosa. Me segura no colo para acompanhar pela janelinha ela chegando. Vamos entrar e conversar um pouquinho. Quem sabe ainda tem uma caixa vermelha de chocolates no fundo do armário da sala – prometo não me importar se morder o meio amargo.

Me ajuda a me despedir da escola antiga e esteja ao meu lado na hora de conhecer os amigos da escola nova e esbarrar nas descobertas do primeiro amor.

Aparece na minha rua de surpresa e me leva para um dia de superlativos absolutos. Vamos inventar juntos apelidos para as suas namoradas e comprar todas as calças da loja da Levi's, mesmo eu só precisando de uma.

Me impressiona pedindo o barco com o combinado no restaurante japonês e depois chega para frente na cadeira, para eu resistir até finalmente dormir atrás de você.

E nos meus sonhos, eu volto para aquela casa na rua sem saída: o som do milk-shake sendo preparado na cozinha, as bolinhas de miolo de pão pela mesa, a batida de coco e os aperitivos, o ipê, os mistérios do salão, o nosso assobio ecoando pelos cantos.

Forço os olhos e torço ser possível ficar mais um pouco. Mas já é hora de ir embora e descobrir tudo aquilo que me espera – tem tanta coisa que vale a pena ser vivida depois dos 10 anos.

A escola nova me deu velhos amigos e a penteadeira da vovó hoje decora a nossa sala de estar. Nada melhor do que conhecer o verdadeiro amor e apagar para sempre o gosto de anis do paladar.

Arraias e dinossauros agora habitam o jardim e meus primos podem ganhar e perder mil vezes nas brincadeiras no quintal. Abro os olhos e percebo: ainda está tudo tão colorido…

A gente tem muito tempo para viver junto, Má. Vem comigo. Eu te espero."

ÀS VEZES TE ODEIO POR QUASE UM SEGUNDO, DEPOIS TE AMO MAIS

AQUELE DO HATER

Você não vai acreditar, mas alguém te chamou de semimorto. Quem foi? Um sujeito qualquer, desses haters que ocupam as redes e que, conhecendo a nossa história por meio de uma matéria bonita em uma revista, disse que eu perdia meu tempo ao escrever para um semimorto.

Era fim de ano. Tempo da falta de tempo. Tão lugar-comum como peru, frutas secas, árvore e presentes, era tempo das despedidas, dos encontros e desencontros, de ficar presa no trânsito.

Era fim de ano. Tempo de tempo de sobra. Tão lugar-comum como as Havaianas, o filtro solar, a água de coco, era tempo de achar que o dia 27 de dezembro é o dia mais longo do ano. Que ele é o verdadeiro solstício de verão, o dia de respirar com calma.

Era fim de ano. Tempo de balanço. Tão lugar-comum como o branco, os sete pulinhos, a lentilha, os caroços de romã, era tempo de colocar na balança o que vale a pena. De enxergar o copo meio cheio. De saber qual lobo interno devo alimentar.

E como era fim de ano, os dias foram passando sem eu me dar conta de quanto eu estava ferida. O ano começou com manhãs de sol, tardes de chuva e uma virose chata acompanhada de dor de garganta e mal-estar.

Vieram os últimos e primeiros domingos do ano, a volta para São Paulo, a última semana de férias e no meio do caminho tinha uma pedra. No rim. Enorme, de mais de um centímetro. Maior que a pedra, só a minha dúvida: por que não estou conseguindo retomar as nossas conversas, Ita?

Ainda não tenho respostas. Tenho alguns palpites. A palavra "semimorto" é um deles.

Como uma pessoa perde tempo em se cadastrar, abrir uma conta e fazer um comentário assim, gratuito, desnecessário, sem se preocupar se do outro lado vai machucar alguém? Só por ódio? Que ódio!

Como eu posso ter me importado tanto, mesmo sem perceber e tentando disfarçar, já que tenho encontrado tantos lovers nesse nosso caminho? É tanto amor!

Talvez acostumada ao lugar-comum, não me dei conta de que ainda esse ano vão ter os dias do copo meio vazio, de amansar o outro lobo, de conviver com o lado da balança que não vale a pena.

De entender que a virose e a dor de garganta imensa só vieram por ficar tão perto do Derek, com virose, e amar cada segundo ao estar ali com ele. De saber que tem um rim que filtra meus sonhos, os bons sentimentos e presságios. E outro que filtra minha sombra e tudo o que ainda não perdoei. Preciso dos dois.

De lidar com meus peixes do meu signo, um que nada em águas rasas e um que nada em águas profundas. De querer desesperadamente que você equilibre os seus pratos librianos porque *vai por mim, somos corpo e alma, meu irmão, meu par.*

De aceitar o semimorto e agradecer o semivivo. A dualidade é necessária e universal.

Quem sabe em 2016?

Na busca em encontrar respostas, tento a numerologia: os números que compõem 2016 são do dia do seu nascimento, 20, e do dia em que você dormiu, 16. A soma de todas as coisas eu ainda não sei.

AS MARCAS QUE GANHEI NAS DISCUSSÕES COM DEUS

AQUELE DA CARTA PARA DEUS

Você não vai acreditar, mas encontrei aquela carta que você escreveu. Lembra que a Helô, amiga da Malu, me disse para escrever uma carta pra Deus pedindo com todas as letras as coisas que eu queria para minha vida? Coisas materiais e imateriais?

Foi no final de 2002 e eu queria muito uma casa. O apartamento era pequeno e os meninos grandes. E eu pedi. E deu certo. Logo no começo do ano eu comprei a minha casa. No final daquele ano, você escreveu os seus pedidos.

Encontrei a carta na minha mala de fotos por acaso. O Fabio vai participar de um programa de TV e o produtor me pediu para revirar fotos, vídeos e memórias nossas. A carta estava lá, um pouco rasgada e sem o seu cheiro.

Ela é tão singela, quase infantil. Você pede por nós: saúde, paz e fartura. Você pede um lugar espaçoso e confortável. Você pede amigos verdadeiros sempre ao seu lado. Você pede a pessoa certa para amar.

Senti tanta pena. Por que Deus não te atendeu? Por que Deus não me atendeu? Nesse tempo todo, o que a gente mais ouviu foi: "Peça com fé". Será que é a gente que não sabe pedir? Está fazendo tudo errado? Ou Deus faz escolhas?

Queria que você tivesse comido o atum com crosta de gergelim que fiz ontem. E o tartar de atum com guacamole. E que depois de poucos elogios e muitas piadas, você dissesse, econômico: "Alpert, você demorou cinquenta e um anos, mas conseguiu fazer alguma coisa gostosa na cozinha".

Queria que você discutisse comigo sobre a política do último mês. E que discordássemos e concordássemos um milhão de vezes. E que depois, com seu jeito passional e surpreendente, passasse em casa naquela sexta-feira e seguíssemos juntos para a Paulista.

Queria que você conversasse hoje com a mãe de um jeito que o Fabio e eu não temos conseguido. E que ela ouvisse você. Ela anda impossível!

Queria que você levasse o Derek segunda-feira na Livraria da Vila e se encantasse com os livros que ele escolhe. E que convencesse o Fabio a deixar a Isabella ir ao shopping na sexta só com as amigas, porque "nada vai acontecer com ela, porque nós somos protegidos". E que acordasse domingo de manhã só pra ver a troca de faixa do Fabinho e vibrasse com ele.

Queria que você fosse com meus filhos a um restaurante japonês essa semana e que me deixasse de fora do programa. Entre baterás e gargalhadas, vocês teriam um momento só de vocês. E então você se daria conta de que eles cresceram e que são as pessoas que você gostaria de ter sempre por perto, independentemente de serem seus sobrinhos.

Queria que você ajudasse com a reforma que precisa fazer na casa da mãe. Descobrisse vazamentos e encanadores honestos. E que pudesse realizar o sonho de comprar mais uma casa na rua. A da Mariana está à venda.

Queria as suas delicadezas despretensiosas que fazem o dia melhor.

Queria que você cumprisse o nosso combinado de fazer o Caminho de Santiago de Compostela entre maio e outubro. E já trouxesse as botas, as passagens e a certeza de que dá para viver um mês carregando só o essencial quando se tem um projeto de vida.

Ah, Ita, queria, então, que você me fizesse entender que quase no finalzinho da carta você pediu para ser uma pessoa mais útil e que fizesse o bem ao próximo. E que eu finalmente compreendesse que, se a sua história de vida puder levar de alguma forma o bem para as pessoas, os anjos, de alguma forma, disseram amém.

AH, LOOK AT ALL THE LONELY PEOPLE

AQUELE DOS SOLITÁRIOS

Você não vai acreditar, mas Albert Woodfox passou quarenta e três anos na solitária de uma prisão americana. Nas vinte e três horas diárias dentro da cela, o Pantera Negra leu qualquer coisa que caísse em suas mãos para não enlouquecer.

A solidão existe. Imposta ou não, ficcional ou não, passageira ou não, ela existe.

Neusa arruma as malas todas as manhãs e vai até o aeroporto. Senta-se ao lado da bagagem, não conversa, não lê, não sorri. Volta pra casa quando anoitece.

Kenneth prepara sorvete e doze hambúrgueres caseiros, porque espera os seis netos para jantar. Só um deles aparece.

Eleanor recolhe o arroz deixado na escada da igreja onde os casamentos acontecem. Depois, passa o resto do tempo debruçada na janela.

Ornélio caminha até a praça, alimenta os pombos com os restos de comida, enquanto assiste aos jogos de futebol na televisão do bar do outro lado da rua. Não importa o time jogando, importa o tempo longe de casa.

Clarice não tem medo nem de chuvas tempestivas nem de grandes ventanias soltas. Ela encontra força na solidão, pois também é o escuro da noite.

Luiz, de 12 anos, chega de volta ao abrigo apenas com uma mochila nas costas, sem brinquedos ou livros. O menino está ali porque foi devolvido. Depois de cinco anos em uma família, a mãe adotiva não o quer mais.

Dilma liga a televisão e assiste ao mesmo episódio da mesma série no volume mais alto para conseguir não ouvir a manifestação de ódio do lado de fora da janela.

Leo desce e sobe as escadas do colégio no recreio, fingindo pressa, quando na verdade ninguém o espera. Ele não vai a lugar nenhum. O sinal bate e Leo se sente aliviado.

Augusta abre a janela do quarto, acende a luz da sala, alimenta os pássaros da gaiola, conversa com o cachorro e vai para a cozinha preparar alguma coisa para comer. Sente-se mal e cai no chão. O corpo só é encontrado oito anos depois.

Panetone abana o rabo quando o escrivão se aproxima e joga um pedaço de presunto para ele. Deitado na porta da delegacia há doze dias, espera pelo dono condenado.

Lúcia cria um perfil falso em uma rede social. Escolhe a foto de uma morena sorridente, posta posicionamentos e crenças que não são dela, recebe uma dúzia de curtidas e cinco solicitações de amizade. Vai dormir feliz, com a sensação de pertencer.

Nos meus momentos de solidão, a sua solidão me apavora. Imagino você preso em uma solitária, tentando entender quem é, com malas prontas para seguir para uma viagem sem destino certo, aguardando por alguma coisa que nunca chega ou esperando ser devolvido para o abrigo de onde não deveria nunca ter saído.

Imagino recolhendo memórias no escuro e alimentando poucas sensações, enquanto assiste ao mesmo cenário – o que tem de tão especial naquele teto branco?

Como alívio e certeza, só saber que você ainda nos pertence, mesmo que o tempo e a distância digam "não".

OLHOU PRA MIM, OLHOU PRA MIM E FEZ ASSIM

AQUELE SOBRE O MEU CARRO

Você não vai acreditar, mas uma lagartixinha mora no meu carro. Isso mesmo que você ouviu: no meu carro mora uma lagartixa-doméstica-tropical, também conhecida como briba, labigó, osga, tiquiri, crocodilinho de parede.

Lagartixas são amigas e se alimentam de insetos em geral. Tem formigas no meu carro, tem borboletinhas pálidas no meu carro, tem pernilongos no meu carro. Não posso imaginar que tenha baratas no meu carro. Não paro para pensar sobre isso.

Minha relação com lagartixas é amistosa. Minha relação com carros é estranha. Em alguma vida passada me perdi num ambiente hostil e precisei morar no carro por meses, cercada por ursos, abomináveis homens e avalanches.

Digo isso porque mantenho esta tradição: meu carro é um carro-dormitório. No porta-malas, roupas de todas as estações; uma enxada que emprestei para a mãe; garrafas vazias de água e de plástico; um presente do Natal que preciso trocar; tupperwares LIMPAS acumuladas em sacolinhas; livros que pretendo há tempos doar; um pé de vários sapatos sem sola para levar ao sapateiro e não desci para ver o que mais.

Se lavo o carro? Sim. Tá, não com a frequência necessária. Lavo quando paro em estacionamentos e acho absurdo o valor só para ficar ali parado. Então lavo e ganho umas horas gratuitas. E digo para o rapaz que estou com umas coisinhas no porta-malas. O Lucca acha que poderíamos colar um adesivo com os dizeres: "esse carro pertence ao Zoológico", assim todo mundo entenderia por que ele está sempre com cocôs de passarinho no capô.

Lembro que a gente brigou algumas vezes por causa de carros. Brigou porque eu falei que levaria meu cachorro comigo todos os dias e você falou que no banco de couro do Corolla, não. Brigou quando eu fundi o motor do Berlingo porque não troquei o óleo na data e levei no porta-malas quatrocentos quilos de grama para fazer o meu jardim. Brigou quando eu mesma coloquei litros de água no tanque de óleo da Cherokee que tinha esquentado um pouquinho. Agora eu pergunto: precisava ficar tão impaciente?

Com exceção do primeiro e desse que eu tenho, todos os outros carros foi você quem me deu. Você realizou meu sonho adolescente de ter um Karmanguia conversível original. Lindo, vermelho, mas muito conversível para andar com um bebê-Bruna no banco de trás. E logo para uma mãe como eu, que levava no porta-malas boias de braço cheias e uma corda para conseguir salvar meus filhos em caso de uma enchente repentina.

Carro não é um assunto que domino. Prefiro mil vezes que o Derek me pergunte se o urso-de-óculos é onívoro ou se o condor-dos-andes come esquilos do que me pedir para pegar na sacola uma Lamborghini – e me olhar incrédulo quando trago um caminhão.

Apesar dessa falta de intimidade, os carros me trazem lembranças absolutamente significativas. Lembro um pouco do Fusca café com leite da mãe e muito das diferentes Brasílias do Itinha. Lembro do cheiro de carro novo e de você bater o Passat vermelho na garagem.

Lembro das muitas visitas ao salão do automóvel e de uma casca de pipoca presa na minha garganta em uma das vezes. Lembro do nosso acidente com o Opala marrom na Pedroso de Moraes. No carro, nós cinco e o Ique. Ninguém se machucou, mas lembro de escovar o cabelo e me impressionar ao caírem caquinhos de vidro. Por ter ficado tão nervoso, no dia seguinte o pai não foi trabalhar e por isso não estava na reunião no Edifício Andraus na hora do incêndio. O ditado "Deus escreve certo por linhas tortas" fez sentido.

Quando o pai estava doente – e a doença traz limitações tão difíceis – lembro que ele sentia muita falta de trabalhar e dirigir. Em um sábado à tarde, escondidos, fui com ele e com a Bruna até a Cidade Universitária e deixei ele dirigir. Primeiro inseguro, depois confortável com o cotovelo apoiado na janela, rimos da nossa grande contravenção.

Foi difícil tirar as coisas dos porta-luvas e porta-malas dos seus carros, Ita. Tinha sua agenda, seu cheiro, seus CDs. Fotos amassadas de dias felizes na praia e no Bom Motivo. Vários telefones anotados em papéis coloridos. Precisavam ser tantos? Bilhetes e carros?

Sabe aquela cena da Bela Adormecida em que as fadas adormecem as pessoas do reino, para que elas não percebessem a dor de ver a Aurora dormindo? Nos primeiros tempos, eu tinha aquela sensação de feitiço caindo em nossas vidas para a gente adormecer com você.

E todas as vezes que, durante anos, vi seus carros ali na porta de casa, parados, tive a sensação de que, enfeitiçados, eles também estavam esperando.

Esperando, esperando, esperando, esperando o sol, esperando o trem, esperando a festa, esperando a sorte, esperando a morte, esperando o Norte, esperando o dia de esperar ninguém, esperando enfim, nada mais além que a esperança aflita, bendita, infinita...

Ainda tem um carro seu lá na porta de casa. Sujo, com os pneus no chão e decerto cheio de lagartixas. Duvida? Acorda para ver.

YOU SAY WHY AND I SAY I DON'T KNOW

AQUELE DA AULA SOBRE OS BEATLES

Você não vai acreditar, mas semana passada fiquei de ressaca: cabeça pesada, gosto amargo na boca, vontade de não falar nada, só deixar o tempo passar. Não ressaca por bebida. Nem ressaca de sono. Foi sim uma ressaca moral, daquela tristeza por ter vivenciado uma situação muito ruim, um show de horrores. *Gente estúpida, gente hipócrita.* Uma imensa ressaca política dominical.

Escolhi, então, o silêncio. Porque segundo Quintana "o mundo, às vezes, fica-me tão insignificativo, como um filme que houvesse perdido de repente o som". Para não te contar das tantas mentiras tratadas como verdades absolutas, preferi hoje te contar do barulho da sala de aula e de como ainda me surpreendo quando as crianças conseguem trazer leveza para dias tão difíceis.

O objetivo da aula de quarta-feira era ensinar aos alunos a música "Hello, Goodbye". Comecei perguntando o que eles conheciam dos Beatles. Alguns sabiam muito, outros nunca tinham ouvido falar. Deixei que uns contassem para os outros as informações que sabiam. Reproduzo aqui, em forma de diálogo, as pérolas que colhi durante esse dia especialmente divertido.

CENA UM. Crianças de 3º ano aprendendo "greetings", as formas de saudações e despedidas.

EU – E agora a gente vai ouvir uma música dos Beatles. Quem conhece os Beatles?

ELE 1 – Eu não gosto dos Beatles.

ELE 2 – Os Beatles inventaram o rock. Um chamava Paul, outro John, outro George e o outro...

ELE 3 – Bob...

ELE 2 – Ai, nada a ver.

ELE 3 – Era, sim, ele chamava Bob...

ELE 2 – Não é, Bettina, que não tinha Bob?

EU – O último é o Ringo.

ELE 3 – Meu pai que se confundiu então, ele sempre disse que chamava Bob.

PAIS ÀS VEZES SE CONFUNDEM.

ELE 4 – Sabia que o Paul McCartney fez um show no Allianz Parque...?

ELE 1 – (em pé) Palmeiras! Palmeiras!

ELE 2 – (em pé) São Paulo! São Paulo!

EU – Pessoal, vamos nos sentar e ouvir.

ELE 4 – O Paul McCartney fez um show no Allianz Parque no ano passado e minha mãe foi. Ela me deu o bilhete dele, tá lá no meu quarto.

ELA 1 – O Beatles deu um bilhete para a sua mãe?

ELE 4 – Não! É o bilhete do show.

ELA 1 – Ah, o ingresso? Não chama bilhete, chama in-gres-so.

ELE 4 – É, tanto faz.

ELE 2 – Beatles é a segunda... não, a terceira banda favorita do meu pai. A primeira é Led Zeppelin.

ELE 5 – Na minha lista de coisas favoritas primeiro é minha família, segundo é carne, terceiro é o Fogo de Chão...

UMA LISTA REALMENTE CARNÍVORA.

EU – Pessoal, vamos focar! O que mais vocês sabem sobre os Beatles?

ELE 1 – Eu não gosto dos Beatles.

ELA 2 – Eu sei que dois morreram. Um foi assassinado.

ELA 3 – Assassinado?! (assustadíssima)

ELA 2 – É. Ele tava num ponto de ônibus e levou um tiro.

ELE 2 – Nada a ver! Ele tava na casa dele, daí tocaram a campainha, daí deram uma facada nele. Na cara... acho.

ELE 6 – Ah, eu tô com a mão levantada e você não deixou eu falar nenhuma vez. Eu sei que o John Lennon levou um tiro de um fã.

ELA 3 – Um fã matou ele? Credo! Eu tenho medo de gente morta!

ELE 4 – É! Era um fã que tinha muito amor e muita raiva dele. Daí matou. Mas eu acho que ele mentiu que era fã, ele só tinha raiva.

AMOR ABSOLUTO POR ESSA CONCLUSÃO. QUEM AMA NÃO MATA.

ELA 2 – E o outro que morreu?

ELE 3 – Foi o Jorge Harris.

ELA 1 – Eu sei como ele morreu! Ele tava comendo muuuito pouco e queria ficar branco.

ELE 4 – Esse é o Michael Jackson!

ELA 1 – Sabia que eu fui num show que um moço imitava o Michael Jackson muito perfeito?

EU – Vamos focar de novo, pessoal! Alguém quer contar mais alguma coisa sobre os Beatles?

ELA 4 – Eu! Eu!

EU – É sobre os Beatles?

ELA 4 – É! Sabia que minha avó tem uma espingarda?

AVÓ, ESPINGARDA, BEATLES. NO FUNDO, TUDO A VER.

EU – Agora a gente vai assistir a um vídeo dos Beatles cantando "Hello, Goodbye".

ELA 3 – Eu tenho muito medo de gente morta! (tapando parcialmente os olhos)

ELA 5 – Então você vai ter muito medo do 5º ano. Só tem livro de mistério e morte no 5º ano...

ELA 3 – E a gente que lê? Não é a professora? Eu não vou pro 5º ano! (definitiva)

ELE 4 – Ai, como você é medrosa! Eu não tenho medo de gente morta!

ELA 2 – Mas tem medo da Véia da Gudeia que nem existe.

ELE 4 – Alguém pegou meu apontador?

O MELHOR DISFARCE PARA MUDAR DE ASSUNTO É SEMPRE PROCURAR O APONTADOR.

EU – O vídeo dos Beatles, pessoal, vamos ouvir!

ELE 1 – Eu não gosto dos Beatles.

ELA 3 – Eu tenho muito medo de gente morta! (tapando parcialmente os olhos)

ELA 2 – A gente pode dançar?

EU – Olha só, pessoal, no finalzinho da música, eles cantam "aloha". Aloha é uma palavra da língua nativa do Havaí, que significa "oi" ou "tchau". Ou "hello" e "goodbye".

ELE 7 – Eu sei uma coisa do Havaí. Sabia, Bettina, que os havaianos chamam neve de pó de abacaxi?

EU – Pó de abacaxi? (pausa) Não, eu não sabia…

ELE 7 – Eu sabia. E faz tempo.

ELES – Bateu o sinal! Bye, Bettina!

ELAS – Aloha, Bettina! (para a amiga). Passou rápido, né? É legal quando a aula é de Beatles!

ÚLTIMA CENA. Eu, em frente ao computador, procurando no Google a relação entre neve e pó de abacaxi. Crianças em off cantam Beatles. Sobem os créditos.

Claro que não consegui reproduzir a intensidade e a verdade de todas as inquietações, convicções, questionamentos, constatações desse grupo de crianças e da leveza desse dia.

E claro que não sei te dizer, Ita, em que momento a gente deixa de ter medo só de gente morta e da Velha da Gudeia.

Em que momento a gente constrói e significa o desconhecido. Em que momento a gente, por mais difícil que seja, deixa de procurar os apontadores internos e se permite dizer "eu não sei". Em que momento a gente, mesmo não gostando ou concordando, para e ouve o outro, o novo.

Nesses dias de pouca escuta, verdades e crenças exageradas, eu prefiro sempre ressignificar a compreensão do coletivo.

EM TUDO EU VIA A VOZ DE MINHA MÃE

AQUELE SOBRE ELA

Você não vai acreditar, mas eu já nem sei mais o que dizer dela. Dela quem? Da mãe. Essa mania que ela tem de se transformar em tudo, de estar no alimento, nos cantos da casa, nas letras das músicas, na força das meninas, na sensibilidade dos meninos. Fica difícil defini-la, estabelecer um contorno. Onde ela começa, onde ela termina?

E depois a mãe se multiplica, se desdobra, se mimetiza.

Para um filho em perigo, uma mãe super-heroína.
Para um filho que não sabe voltar, uma mãe guia.
Para um filho que hesita, uma mãe conselho.
Para um filho que fraqueja, uma mãe peregrina.
Para um filho que precisa, uma mãe necessária.
Para um filho que cobra, uma mãe perdão.
Para um filho envenenado, uma mãe antiofídica.
Para um filho que se perde, uma mãe latitude.
Para um filho que silencia, uma mãe canção.
Para um filho que adoece, uma mãe morfina.
Para um filho que adormece, uma mãe canguru.

Porque acho, Ita, que mesmo não entendendo o sentido disso tudo, a mãe refaz o amor diariamente, costura a sua vida na dela, te carrega na bolsa exposta quando nem mesmo pode se aguentar. Antropofágica, te trouxe para dentro dela e te gerou outras vezes, muitas vezes.

Nossa mãe em todas as mães.

Desejo que para todos a mãe seja no mínimo a Terra.

A TUA AUSÊNCIA ME CAUSOU O CAOS

AQUELE DO EFEITO BORBOLETA

Você não vai acreditar, mas a gente é feito de estrela. Não, não estou inventando. E não é um privilégio nosso. Todo ser humano é formado por elementos que vieram das explosões de estrelas, como carbono, hidrogênio, oxigênio e nitrogênio.

Diz se não é muito mais poético considerar que somos poeira de estrela do que explicados pelos elementos de uma tabela periódica sem graça?

Você sabe, os conceitos químicos e as teorias físicas sempre foram complicados pra mim. Não tenho raciocínio lógico. Quando precisei aprender entalpia, achei que o céu não era mais azul.

Talvez tenha sido por causa dessa minha falta de conhecimento exato que encontrei dificuldade em aprender a resiliência. Resiliência, na Física, é a propriedade de um material submetido a situações de rupturas ou, depois de ter sofrido tensão, ter a capacidade de voltar ao seu estado normal. Você foi a ruptura da vida como eu conhecia.

Sabia que no ano em que você nasceu foi formulada, pela primeira vez, a Teoria do Caos? A ideia central da teoria é que a mudança de um evento qualquer pode trazer consequências absolutamente desconhecidas no futuro e, portanto, imprevisíveis. Como se o bater das asas de uma borboleta no Brasil causasse, tempos depois, um tornado no Texas.

Na nossa vida, Ita, o que aconteceu com você transformou meu jeito de entender o mundo. Mudei a minha forma e meu conteúdo. Fiquei sem contorno. Fisicamente. Literalmente. Você foi o efeito borboleta e o bater das suas asas causou um redemoinho em volta de mim.

    Imprevisível é o seu futuro. Imprevisível é por onde esse caminho está nos levando. Imprevisível tem sido essa quantidade de força que a gente está recebendo. Para cada ação existirá uma reação oposta e de mesma intensidade. Tem muita dor, mas também tanto amor...

    Então tem sido assim. Depois que acalma a tempestade, pego carona no meu cometa Ita-Bopp, pedra de gelo de cauda longa brilhante, e sigo para onde ele me levar e sem saber para onde.

EU VEJO UM NOVO COMEÇO DE ERA

AQUELE DA GUERRA CIVIL SENTIMENTAL

Você não vai acreditar, mas eu esqueci de te contar que a locadora 2001 da Cidade Jardim fechou. Já faz anos. E a Blockbuster faliu. Você sabe, né? O que resta dela se aglomera em duas ou três prateleiras, entre biscoitos de polvilho e um saldão de cuecas, nas Lojas Americanas.

Em 2005, ano em que você dormiu, eram alugados mais de 3.500 filmes aos sábados e domingos, em mais de 4 mil lojas espalhadas pela cidade. Você era um cliente fiel. Quando estava namorando até o atendente da locadora sabia, porque você alugava todas as comédias românticas para assistir a dois em dois dias.

Hoje as novas mídias e tecnologias provocaram esse fim melancólico.

E você não vai acreditar também que o Mercado do Sul fechou. Acho que você nem conheceu, para você não vai fazer diferença. Sou eu mesma que estou precisando acreditar. É como se te contar algumas coisas me fizesse elaborar a realidade.

Passei de carro pela Santo Amaro com Vahia de Abreu sexta-feira. Já tinha visto que o bar da esquina havia fechado, mas só na sexta percebi que o tapume cercava também o mercado. Torci secretamente para ser uma ampliação dos negócios.

Hoje tive a confirmação. Passei na frente. Vi a placa pendurada: "Encerramos nossas atividades. Agradecemos a todos que estiveram conosco". Gelei por dentro. O Itinha, quando contava da infância no Sul, falava do minuano: "É um vento frio e forte que sopra depois das chuvas e que corta a gente por dentro". Acho que hoje senti o minuano.

Com que direito as pessoas mexem assim no nosso passado sem aviso prévio? Eu preciso bem mais do que trinta dias para cicatrizar feridas. Eu preciso que minhas lembranças não estejam debaixo dos escombros de uma guerra civil sentimental.

Quando mudei para essa casa, ainda com o porta-malas cheio de bagagens, foi ali que parei para comprar açúcar, pão, café, sal e canela. Não sei qual amiga da mãe tinha dito que eram esses itens que trariam abundância para dentro da nova morada. Na dúvida...

Achei que estaria no Mercado do Sul só de passagem. Continuaria a fazer compras em um hipermercado ou no sacolão perto do apartamento antigo. Era um mercadinho de bairro. Um bairro que ainda não era meu.

Sem me dar conta, o do Sul passou a fazer parte dos nossos dias. Entregas em casa, anotar no caderno para pagar depois, encontrar a erva para chimarrão do pai no primeiro churrasco que fizemos no salãozinho, comprar o torrone da mãe. Sabe aqueles lugares onde as pessoas lembram seu nome, perguntam dos filhos e até do Zé de Abreu? Até para locação do curta da Maria ele serviu.

Você deve ter lembranças das mudanças e transformações das nossas memórias afetivas. Aquele portão de ferro substituindo as grades vazadas que deixavam aparente a escultura de um elefante perto da casa da vó Silvinha. As vidraças quebradas da Edgar Discos ao lado da delegacia. O aquário vazio no consultório do dr. Jacques. A banca de jornal do Moacir e da Lourdes fechada por anos. O bate-estaca no lugar das árvores e passarinhos do terreno da nossa rua.

É mesmo o fim de uma era. Era uma vez um mercadinho...

O que faz falta é fechar definitivamente a porta, como Mia Couto diz, a essa multidão que foi sendo silenciada dentro de cada um de nós.

ATORDOADO EU PERMANEÇO ATENTO
AQUELE SOBRE O FEMINISMO

Você não vai acreditar, mas o agressor dorme no homem comum. Forte, não é? Li a frase em uma matéria. O repórter participou da sessão de um grupo reflexivo de homens enquadrados pela Lei Maria da Penha.

Ali, onde ele achava que encontraria agressores violentos, o repórter viu homens comuns: psicólogos, porteiros, empresários, vendedores, músicos, engenheiros, estudantes, médicos, desempregados, aposentados. Todos, sem exceção, eram resistentes em assumir seus erros.

Nesta semana, a barbárie veiculada nas redes sociais: uma jovem sofreu estupro coletivo. Na delegacia, um dos participantes negou a agressão e sorriu para a câmera. O delegado disse ainda investigar se tinha havido consentimento da jovem e se ela tinha por hábito participar de sexo em grupo. A culpa é da vítima?

Percebeu a urgência de se falar muito, diariamente, incansavelmente sobre o machismo? Mesmo que você esteja dormindo. Mesmo que eu esteja dormindo. Mesmo que outras tantas e tantos estejam dormindo. Porque algumas mulheres ainda reproduzem um discurso que é machista, porque muitas mulheres morrem, porque muitas mulheres são agredidas, porque todas as mulheres sentem medo.

Por isso, Ita, quando você acordar, vai descobrir que precisa treinar a escuta, pensar na fala e vigiar as ações cotidianas. Porque são elas que definem o tipo de pessoa que você vai ser daqui para frente.

Quando você acordar, vai constatar que o significado de ser homem ou mulher é uma construção histórica, social e que mudou com o tempo. E que esse é o tempo das mulheres se unirem, lutarem e dizerem "não".

Quando você acordar, vai entender que não é você que pode determinar o que assusta ou não as mulheres. E o que pode e deve fazer é ter empatia pelas dores delas, mas saber que são dores que você nunca viveu ou vai viver.

Quando você acordar, vai perceber que precisa parar de fazer alguns comentários e rir de muitas piadas. O humor tem limite, sim. E se o mundo desse jeito ficou chato para alguns, certamente "esses alguns" não eram o alvo das piadas.

Quando você acordar, vai se revoltar em sentir as consequências de um ministério composto por uma elite machista, classista, racista, hipócrita e autoritária, mesmo sob o verniz da democracia e do estado de direito.

Quando você acordar vai saber, definitivamente, que o que o feminismo defende são direitos iguais e a liberdade de escolha para as mulheres. E que a luta não é contra o machismo individual, contra você ou aquele outro, mas sim contra o machismo estrutural, que existe desde que o Brasil é Brasil. E o mundo é mundo.

Quando você acordar vai se orgulhar das suas sobrinhas. A Bella é de uma geração que cria coletivos femininos nas escolas. A Bruna, com o equilíbrio e a sensatez que você conhece, ensina a mãe a não reproduzir comportamentos machistas. E a Maria é da comissão de frente nas lutas feministas. Maria é radical.

Li que um dia fizeram uma pergunta a Pilar, mulher do Saramago:

— Pilar, por que você é feminista radical?

E ela respondeu:

— Porque tenho que ser feminista por mim e por todas aquelas que não são.

Maria tem sido por ela e por aquelas que ainda não são. Aprendo com ela diariamente. Não estou pronta. Nunca estamos. Maria fez disso sua causa. Lê, ouve, escreve, fala e vai pra rua. Você me conhece, me preocupo, mas tenho enorme admiração.

Depois da barbárie desta semana, é difícil estar otimista com as coisas, mas tenho esperança nessas meninas que vêm por aí.

E de esperança acho que entendo.

NOS PERDEREMOS ENTRE MONSTROS DA NOSSA PRÓPRIA CRIAÇÃO

AQUELE SOBRE OS POKÉMONS

Você não vai acreditar, mas pessoas estão perseguindo monstros em diferentes países. Esquisito? Difícil de entender? Coisas dos dias atuais, que vou tentar te explicar.

Essa é uma novidade. Um jogo de realidade aumentada para baixar em celulares, que está sendo jogado por adolescentes, mas principalmente por nostálgicos adultos da geração dos meus filhos. Sim, embora eu duvide, meus filhos cresceram e "adulteceram".

Lembra dos Pokémons, aqueles bonequinhos coloridos que a vó Gilda insistia em dar para os meus filhos? Diferente dos outros colegas de classe, eles nunca foram fãs. Maria preferia as Meninas Superpoderosas aos tais Pokémons – indício de uma futura feminista atuante. Entre a Poké Bola e a bola, Lucca sempre optou pela bola e o futebol improvisado em qualquer canto. E a Bruna não trocaria o Doug e a Paty Maionese por um Pikachu.

Com esse aplicativo do jogo Pokémon Go, você anda pelo mundo real caçando monstros virtuais, treinando-os para lutar uns contra os outros. Ainda não está disponível no Brasil. Não fomos nem somos os escolhidos para começar a jogar, porque somos Terceiro Mundo.

Nesse momento, a discriminação nos iguala e só assim podemos sentir na pele o que é ser uma minoria social, mesmo quando fazemos parte de uma maioria numérica da população.

Nenhum brasileiro ainda pode jogar aqui no país. Nem o filho do presidente golpista nem a filha da pessoa que trabalha na casa dele.

Incômodo fazer parte dessa exclusão social, não é? Incômodo sofrer desigualdade, só porque não moramos nos Estados Unidos, na Inglaterra, na Austrália ou na Nova Zelândia.

Incômodo ser brasileiro e morador do Reino Unido, agora que o reino está deixando a União Europeia e com forte discurso contra a imigração. Incômodo precisar abandonar suas origens e viver com o estigma de ser refugiado em outro país.

Incômodo sofrer discriminação por causa da sua crença e cor. Incômodo incomodar por escolher uma forma diferente de amor e de amar. Incômodos os olhares das pessoas, quando chegamos de ambulância ao São Luiz com você deitado na maca.

A gente já falou sobre isso. A gente só passa a ter afinidade e se identificar com o outro, quando compreende as suas emoções, embora seja impossível sentir o que ele sente.

Não sei o que você sente quando te olham. Assim como não sei o que sente um negro, um homossexual, um indígena, uma pessoa em situação de rua.

Parece difícil, Ita, de encontrar uma conexão entre o Pokémon Go e o mundo contemporâneo? Nem tanto assim... Comecei a nossa conversa dizendo que as pessoas estão perseguindo monstros virtualmente. Só que no mundo real, acontece o contrário: tem monstros perseguindo as pessoas. Não são coloridos e divertidos, mas intolerantes, violentos, extremistas, reacionários e sexistas.

Nem precisa de GPS para identificá-los em diferentes lugares. Alguns estão nas Câmaras e nos palanques, aqui, nos Estados Unidos ou em Israel; outros estão em caminhões em Nice, nas boates ou embriagados nos carros na Vila Madalena. Tem os que estão em templos, nos Poderes e os que financiaram, armaram e treinaram os monstros que hoje perseguem os monstros que eles mesmos criaram.

Esquisito? Difícil de entender? Nem vou tentar te explicar. Você não vai acreditar.

E O CÉU DE UM AZUL-CELESTE CELESTIAL

AQUELE DE SANTA RITA

Você não vai acreditar, mas esse fim de semana me peguei repetindo para os meus filhos as curiosidades e as lendas urbanas contadas pela vó Gilda sobre Santa Rita. Comecei falando que o nome "Passa Quatro" era por causa de um riacho que passava pela cidadezinha quatro vezes.

O clima de Santa Rita era bom, por isso ali foi construído um sanatório, onde os doentes com tuberculose antigamente eram levados. Contei também sobre o jequitibá-rosa que fica ali no Parque Vassununga, que são necessárias dez pessoas dando as mãos para abraçar o tronco e que é a árvore mais antiga do Brasil.

Disse que a vó Gilda acreditava que manga caída do pé não prestava porque era quente, que limão com sal cortava o sangue, que as pessoas ficavam com a boca torta quando o reflexo do sol iluminava o rosto no mesmo instante em que passa um vento.

Depois contei sobre a quantidade anormal de raios que cai na cidade. E que a vó Gilda colocava a culpa disso na grande quantidade de ferro do solo. Lembrei-me da história da Bepa, mulher que precisava ser enrolada em correntes, e subir em um pneu nos dias de tempestade, porque ela atraía os raios. E do caso de gêmeos que morreram na queda de dois raios diferentes, enquanto trabalhavam em fazendas distantes uma da outra.

Falei das conversas impressionantes sobre o Chico Pó de Arroz, o malfeitor da cidade; das Guataparás, as três irmãs que só caminhavam juntas, vestidas de preto; da Belém e de suas mil e tantas bijuterias penduradas; e da Elza Bombini que, além de dezenas de gatos, tinha também um sapo de estimação.

Meus filhos me olhavam incrédulos, como se eu estivesse contando histórias de realismo fantástico, escritas em qualquer livro do García Márquez.

Enquanto eu falava sobre a mitologia santa-ritense, os três remexiam as memórias da infância visitando o Deserto do Alemão, o terreirão da Paulistinha, a casa onde a mãe viveu e que agora é uma pizzaria.

A mãe te contou por que a gente foi para Santa Rita no sábado? Ela, meus filhos e eu fomos fazer parte de um sonho acordado. A Manuela se casou. O casamento mais lindo e emocionante que já vi.

A casa estava vestida de flor. O ar era preenchido por cores, aromas e música. "Naquele dia fazia um azul tão límpido, Meu Deus, que eu me sentia perdoado pra sempre não sei de quê", escreveu Mario Quintana. E eu me sentia assim.

A noite fria era aquecida pela beleza da lua, do céu sujo de estrelas e do Ge tocando uma música para a irmã. A Manuela parecia um poema.

A tia Maria Gilda não estava ali. A tia Maria Gilda estava ali. Em cada canto, em cada pedra do alpendre e naquela borboleta que voou entre os convidados e pousou nos noivos. Acredita?

Outro dia li que os antigos diziam que "a tosse, a miséria e o amor não são passíveis de ocultação duradora. Acabam se mostrando com indisfarçável realismo".

O amor nesse sábado foi mesmo indisfarçável. E sendo em Santa Rita do Passa Quatro, indisfarçável realismo fantástico.

E O CORAÇÃO DE QUEM AMA FICA FALTANDO UM PEDAÇO

AQUELE DA PRAÇA PÔR DO SOL

Você não vai acreditar, mas a prefeitura vai cercar a Praça Pôr do Sol, com grades e horário para fechar e abrir. Sabe por que, né? Aquela ideia insistente de que o espaço público não é de todos, é de ninguém. Então, o lugar virou pós-balada da Vila Madalena, com muito barulho, drogas lícitas e ilícitas sendo vendidas e cacos de vidro, lixo e preservativos deixados no parquinho.

Ali foi praticamente o quintal da nossa infância. Naquele cimentado do centro, aprendi a andar de bicicleta sem rodinha e fiz um galo enorme num tombo de patins. A gente nem chamava de praça, era o morrinho, lembra? "Vamos escorregar lá no morrinho?" Esse era o convite que inaugurava as nossas férias de inverno. Tempo das caixas de papelão abertas na grama e que a mãe trazia aos montes do Gonçalves Sé. Confesso que meu maior pesadelo era rolar lá para baixo e cair no asfalto da estrada das Boiadas.

Depois da aventura bem-sucedida, a ida com a Ormezinda até a lojinha da dona Tereza para comprar chicletes Ploc que custavam cinco centavos e a escolha da pipa de papel para empinar com o pai no mesmo morrinho. Ainda que a cada ano o chiclete tivesse novos sabores, as tardes de julho sempre tiveram gosto de hortelã e pipas coloridas.

Acho que foi o Filé o primeiro a me perguntar se eu morava no Morro do Pôr do Sol. Eu ainda estava crescendo e não conhecia a nomenclatura e a programação adolescente do bairro. Foi com o Filé que aprendi que, no fim de tarde, a Turma do Balão pedia uma média na Padaria Pioneira e depois subiam todos de moto para o alto do morro para ver o sol se pôr.

Eram os meninos mais lindos do bairro, da cidade, do mundo. Deuses do Olimpo e agora a Paula e eu fazíamos parte da turma e subíamos também para ver o pôr do sol.

Desde pequenos, em nossas milhares de subidas e descidas do morrinho, a pé, de bicicleta, de patins, de moto, de carro, sozinhos, acompanhados, a gente foi vendo mudar a silhueta do horizonte com as novas construções e *a força da grana que ergue e destrói coisas belas.*

Não sei mais soltar pipa. Não existe mais chiclete Ploc nem a loja da dona Tereza. Nada mais custa cinco centavos. Filezinho, como deus, escolheu morar no Morro do Olimpo. Beto foi fazer companhia e o resto da turma faz parte só da minha rede virtual. Você dormiu e o pai foi embora.

Hoje é Dia dos Pais. Além de rolar morro abaixo num pedaço de papelão, sempre tive medo do Dia dos Pais sem meu pai. É estranho. Já não tem na mesa de centro a latinha de queijo preferido e a garrafa de vinho. Não tem as risadas, as histórias nem os corações amassados em um, dois, vinte milhões de abraços.

Vão cercar a praça, Ita. E eu fico pensando se preciso também cercar essas memórias para elas não escaparem para debaixo dos meus dias.

Volta e me ajuda a lembrar.

RECRIAR A LUZ QUE ME TRARÁ VOCÊ

AQUELE DOS RELATOS DE QUEM TE CONHECEU

Você não vai acreditar, mas hoje, exatamente hoje, faz onze anos que você está dormindo. Onze anos que eu acordei naquela sexta-feira e fui atrás de uma loja de painéis de cortiça no Jabaquara.

Onze anos que me perdi no caminho e passei em frente à igreja de Nossa Senhora das Graças.

Onze anos que eu quis, então, esquecer das cortiças e conhecer essa igrejinha, já que eu tinha sonhado e comprado uma imagem branca de Nossa Senhora das Graças pouco tempo antes.

Onze anos que, quando entrei, ouvi um órgão tocar. Onze anos que achei aquela cena bonita: a igreja vazia e alguém tocando órgão. Onze anos que comentei com o Renato, que estava comigo, e ele me disse que não estava ouvindo nada nem nenhum instrumento tocando. Onze anos que achei aquilo absolutamente estranho e que quando saí de lá, telefonei para a mãe do caminho para contar sobre aquela situação bizarra.

Onze anos que, ao fundo, ouvi a sua voz. Pela última vez. Há onze anos.

No final daquela tarde, a sua dor, o hospital, a parada, a imagem da Nossa Senhora branca ao seu lado, a nossa dor.

Há onze anos, a nossa dor.

E essa sensação de estar vivendo o rascunho da vida. Só ensaio, ainda não tá valendo. Há onze anos tentando montar um quebra-cabeça com uma peça faltando. Há onze anos acontecendo coisas incríveis, maravilhosas e você aí dormindo.

Sabe, vai ficando uma distância tão grande de antes daquele dia que eu tenho que ficar me agarrando em memórias, lembranças e histórias que nem sei mais se são verdadeiras. Como Saramago, "no silêncio mais fundo desta pausa, em que a vida se fez perenidade, procuro a tua mão, decifro a causa". Mentira, não decifro. Encontro a sua mão, mas não a causa.

Quero saber as coisas que seus amigos têm para contar sobre você, me alimento disso.

Nos primeiros dias no hospital, quando o saguão ficava cheio de amigos, quase todo mundo se conhecia. Todo final de tarde aparecia uma menina bonita, sempre com os olhos muito vermelhos, que não falava com ninguém e ficava sentada sozinha. A gente achava que ela estava ali por causa de outra pessoa na UTI.

Em um final de tarde, meus filhos foram ao hospital e lá estava ela novamente. "Mãe, aquela que é a Fiona, que namorava o Má." Lembra que um tempo antes de dormir, você tinha saído para jantar com os meus três e apresentado uma nova namorada? Eles acharam a menina a cara da Fiona do Shrek – a princesa, não a ogra –, mas não lembravam o nome dela.

Vendo os três, ela se aproximou. E me contou a história de vocês. Ela era ex-mulher de um cara perigoso. Ele não aceitava a separação nem o namoro de vocês. Ele "stalkeava" você. Sabia das flores que você mandava, onde vocês jantavam, a que filmes assistiam. Telefonava nos lugares em que você trabalhava, fazendo ameaças veladas. Foi no dia que ele ligou lá em casa que você resolveu mudar para o flat, ela contou. Foi para nos proteger, não foi?

Fiona falou do sofrimento quando vocês se afastaram. Não coube nesse conto de fadas que viviam um vilão contraventor jurando você de morte.

Talvez um pedaço de mim tenha essa mania de roteirizar os dias, acreditando que todos os milagres e amores são possíveis, independentemente das tantas diferenças entre Montecchios e Capuletos e das grandes ou pequenas vilanias.

As mulheres continuam por perto. Recentemente, conheci a Claudinha. Ela me falou do seu "colo" bom no dia em que ela terminou um namoro. A Renata me mandou fotos do dia em que você a ajudou a secar o apartamento dela inundado. A Lívia me contou que vai esperar o tempo que for para o padrinho do Gui acordar e finalmente batizá-lo. A Wal me disse das cestas básicas que você mandava para uma senhorinha na Zona Norte, que fazia mais de mil pratos para doar. A Eveline me entregou o casaco que você emprestou quando ela foi morar na Europa. E a Fiona foi ver você.

Outro dia o Betão foi te visitar. A gente ficou conversando. Ele disse que não se conformava em te ver assim e me perguntou se eu sabia que você tomava bola. Falei que não, nunca soube. E ele disse que ninguém era forte daquele jeito, grande daquele jeito, sem fazer muito esporte. Como você não fazia esporte, era claro que você tomava anabolizante. Acreditei. Acredita?

Perguntei para o Fabio se ele sabia. O Fabio disse que eu estava ficando louca de achar que isso era verdade. Que óbvio que você nunca tomou nada disso. Eu deveria mesmo ter imaginado que o Betão não sabe do que são feitos grandes homens, em todos os sentidos, e por isso desconfiou da sua força. Homens como você, o Fabio, o pai, o Lucca. Mas acho que acreditei nele porque criei o hábito de ir recriando, na tentativa de te sentir mais perto e para entender o que não é entendível.

Abro a mala de fotos e vejo que elas estão ficando raras e amareladas. Me aflige. Quero outras, quero mais. Lembro que ainda não te contei do som do órgão na igrejinha de Nossa Senhora das Graças e é impossível não pensar no seu filme preferido, *God, You're Devil*. E em todas as cenas em que Deus quer mostrar que está perto do protagonista, ouve-se uma música tocada por um órgão e um arco-íris aparece no céu.

Li que na casa do Saramago o relógio da sala sempre marca 16 horas, horário em que o escritor conheceu a sua esposa Pilar del Río. Em algum lugar interno, meu relógio emocional marca dia 16 de setembro de 2005, 18h30. E eu espero os ponteiros andarem.

O ZIGUE-ZAGUE DO TORMENTO, AS CORES DA ALEGRIA, A CURVA GENEROSA DA COMPREENSÃO

AQUELE DA FORMAÇÃO COLETIVA

Você não vai acreditar, mas às vezes consigo até ver um sentido no que aconteceu com você. Tenho, claro, um pedaço imenso que sente saudade, dor e incerteza. Mas tem outro, ainda pequeno, que agradece.

"O que não nos mata nos torna mais fortes", diz uma expressão. "Há coisas que não nos matam, mas nos enfraquecem para sempre", diz outra. Oscilo entre as duas. Às vezes mais forte com tudo isso que a gente tem vivido, às vezes frágil querendo de volta o que a gente viveu. Presente e passado. E o futuro?

O futuro são meus filhos. Amo as pessoas que eles se tornaram e como costumam relações generosas diariamente. Tenho certeza de que "preparar pessoas" é um trabalho coletivo. Depende muito de uma rede de apoio. Depende de vivências, lugares, olhares. E dores.

A tristeza – sim, ela faz parte – da sua impermanência, Ita, permitiu de alguma forma que eles pudessem ser quem são. Porque a gente precisa entender o recado da tristeza, para reconhecer as fragilidades do outro, ter a possibilidade de se conhecer e buscar de novo o que é ser feliz. "Refresca teu coração. Sofre, sofre depressa, que é para as alegrias novas poderem vir", disse Guimarães Rosa.

Quando pequenos, morar em um predinho cheio de crianças e jogos coletivos no térreo ensolarou os dias e, assim, iluminou as ausências. Depois, o auxílio luxuoso de avós como os deles e a presença ainda de avós como os nossos provaram que tempo, acolhimento e amor de qualidade nunca são demais.

Você e o Fabio sempre foram os tios que deram as férias na praia. Metaforicamente, mostraram o horizonte.

Uma infância com arte, música, amoreiras e uma livraria na porta com o Zeco fizeram a diferença. Assim como as escolas e os professores que tiveram.

Penso nos meus amigos e amores. E os amigos e amores deles. Pessoas queridas mesmo que distantes. Pessoas erradas mesmo que por perto – ufa, foram poucas – mostrando também o que não se deve ser.

Agora olhar para eles tão construídos, num desenho sólido, dá muito orgulho. Esses dias, a Maria contou a história de uma maquiadora que reconheceu o sobrenome Bopp e perguntou o que ela era da Bruna. Quando soube, a menina disse que há alguns anos foi roubada e perdeu duas malas de maquiagem. Ficou desesperada e sem poder trabalhar.

O acontecimento correu pelas redações das revistas que maquiavam com ela e chegou na *Tpm*, da qual a Bruna era repórter. Sem conhecê-la, e sem contar para ninguém, a Bruna enviou para ela um kit completo com produtos, junto de uma carta carinhosa. A maquiadora, surpresa com o gesto de uma desconhecida, espalhou a história entre os amigos e, motivados, eles também começaram a ajudá-la. "Sabe gente que faz o bem sem plateia? Elas existem e sua irmã é uma delas, Maria", completou a maquiadora emocionada.

Há uns dias, o Lucca foi na Viva conversar com alunos de 10 anos. Isso porque uma das crônicas dele foi lida para um grupo do 5º ano, na aula de uma das educadoras mais incríveis que conheço, a Flavia Elisa. Ela está trabalhando crônicas que trazem reflexões sobre a cidade, sobre o "invisível" do seu dia a dia e o entendimento de que todo mundo que a gente conhece está em uma luta particular. O Lucca é sensível e bom nisso de viver a vida procurando os detalhes.

O encontro e a devolutiva não poderiam ser melhores: as crianças fizeram perguntas, trocaram experiências, acharam que durou pouco e querem que essa parceria não se esgote. Já estão escrevendo textos incríveis e vão mandar para o Lucca. Seu sobrinho é assim, só sabe falar da vida com paixão.

Próximo da estreia, a Maria participou de coletivas de imprensa da série. Aqui e na Argentina. A Bubu a acompanhou e, orgulhosa, contou da propriedade da Maria ao falar de feminismo e prostituição. Avessa a protagonismo ou estrelismo, dividiu a importância da diretora e do elenco para se tratar de temas delicados como esses. Uma das mais experientes atrizes do elenco confidenciou à Bruna: "Sua irmã é uma atriz necessária". Ao final, a Maria, segura diante do paredão de jornalistas e fotógrafos, fugiu de respostas óbvias.

Parecem prontos, Ita. Prontos principalmente para olhar para o outro, não se importando se o outro é você, a avó ou o avô; se é um desconhecido, é invisível, é criança, é puta ou é a América Latina.

E SONHOS NÃO ENVELHECEM

AQUELE DO SEU ANIVERSÁRIO

Você não vai acreditar, mas amanheceu chovendo muito, com raios e trovões. A luz acabou e voltou em seguida. Isso eu sei, porque o ventilador parou e voltou em pouco tempo. Acordei e voltei a dormir. A lua está minguando e vai desaparecer depois de amanhã. Tem feito muito calor.

A gata entrou no meu quarto de madrugada. Percebi, porque a ouvi fazendo um barulhinho. Tenho medo desse barulhinho. Ele anuncia que ela pegou algum bicho e trouxe para me dar de presente. Tive pavor de olhar e descobrir o que era. Ainda no escuro, corri para o quarto das meninas. Elas dormiram fora, então acabei meu resto de sono ali, longe da gata e do presente.

Quando acordei definitivamente já estava claro e azul. Fui na varanda e vi que minha fonte estava vazia. Coloquei água antes que queimasse o motorzinho. É aquele motorzinho de aquário, que queima se funcionar fora da água, sabe? Não sei se a bacia da fonte está rachada ou se a água evapora. Não precisei regar as plantas, porque choveu bastante.

Minha primavera está florida. Ainda é primavera e tem feito muito calor. Já falei? Gosto de horário de verão. Você também gosta. Ou gostava. A nova faxineira mandou um áudio dizendo que não viria. Sinto falta da Maria do Carmo. Ela foi morar um ano na Bahia.

Dei comida para os cachorros. O Indie está imundo. Saindo, vi que o seu enfermeiro havia me mandado uma mensagem. Disse que você está precisando de sabonete líquido, espuma de barbear e hidratante. Fui para a escola de carro, para comprar no caminho essas coisas. Só tinha sabonete líquido Palmolive. Acordado, você não usaria Palmolive. Sensação Luminosa ou Segredo Sedutor? Percebi que estava atrasada.

Estacionei na rua, sem zona azul. Hoje na aula um aluno me perguntou se a mozzarella de búfala é vegetal. Achei bonitinho. "Ah, mas coloca na salada!" Ele tem razão. Essas coisas que se acomodam fora do lugar esperado confundem mesmo a gente.

Pensei em dar um banho no Indie agora à tarde, pois preciso esperar o cara da NET vir trocar um aparelho que deu problema. Já te falei quanto eu odeio a NET? Tinha pensado em pedir para a faxineira recebê-lo, assim eu me livraria dele e iria até sua casa mais cedo. Ela não veio, vou ter de ficar aqui. Paciência.

Coloquei a escrivaninha do Itinha no meu quarto no sábado. Quando o Lu se mudou, me deu – me deu ela? A me deu? Deu-me? Tô meio burra hoje. Bom, fiquei com a escrivaninha. Deixamos um tempo na sala de jantar, por não saber muito bem onde colocar. Sábado, decidi. Tirei a minha e coloquei a escrivaninha do Itinha no lugar. Sob protestos. Amo o cheiro das gavetas. Mistura de saudade e naftalina. Quem diria que se pode se emocionar com cheiro de naftalina?

Desisti do banho no Indie. Cheguei perto do esguicho e ele correu pelo jardim enlouquecidamente. Imagina se o cara da NET chega no meio do banho? O incontrolável Indie ensaboado e molhado querendo avançar no rapaz no portão. Confesso que já pensei em avançar em atendentes da NET.

Briguei com a mãe pelo telefone. Gritei com ela. Me arrependi e chorei em seguida, mas não me desculpei. Tenho dificuldade em pedir desculpas. O Fabio se ofereceu para comprar um bolo. Ela disse que não precisava, que eu comprava. Que eu pagava. Que eu levava. Acho que ela podia me poupar de algumas coisas. Gostaria de chegar só como convidada às vezes. Estou envelhecendo. Estamos. Eu, ela e o Fabio.

O Lucca chegou da academia e me viu borrada. Perguntou por quê. Contei do bolo e da briga e da raiva. Está calor e ele me pediu uma carona de volta para a agência. Como é perto, já levei e já voltei antes do cara da NET aparecer. O Lucca desceu do carro rapidinho e pediu pra eu esperar na esquina. "Dois minutos, não custa." Ele comprou um bolo de maçã com canela. A mãe gosta. Ele quer que eu peça desculpas. Ele sabe que eu tenho dificuldade.

Às vezes o Lucca me lembra muito você. Quando gargalha, quando critica pés, quando compra bolos de maçã de surpresa ou quando me pede coisas que tenho dificuldade. Ele usa escapulário e fitinha do Bonfim também. Alma emprestada.

Já são quase quatro horas. Parece que vai chover de novo. Os dias passam mais rápido no horário de verão. Olha aí, quase deu o horário e o cara da NET não apareceu!

Ah, não quero falar com aquela atendente por horas nunca mais. Não quero tirar da tomada, colocar na tomada, tirar da tomada de novo, contar até dez e nada resolver. Desejei que minha gata levasse um presente de madrugada para ela. Ou será que ela gostaria de dar banho no Indie? Tô meio amarga hoje.

Hoje é seu aniversário, Ita. Parece que você não envelhece. Os cabelos estão escuros e não tem marcas no rosto. Já tem gente que pergunta se o Fabio e eu somos mais velhos. Quem sabe somos. Mia Couto me traduz: "Essa que em mim envelhece assomou ao espelho a tentar mostrar que sou eu".

Não comprei presente. Hoje tô achando você meio mozzarella de búfala. Vou até a sua casa agora levar Palmolive Sensação Luminosa.

E para o Ita nada. Nada.

Desculpa.

PARECIA QUE NÃO IA ACONTECER COM A GENTE

AQUELE EM QUE A MÃE FICOU CEGA

Você não vai acreditar, mas a mãe estava ficando cega, segundo uma médica sem nenhum tato. Calma, deixa eu te contar como foi.

Há uns seis meses, ela começou a ficar com os olhos irritados, vermelhos. Parecia uma conjuntivite. Foi a uma clínica, a médica examinou e descartou conjuntivite. Recomendou um colírio e deu a receita para novos óculos.

No final do ano, os olhos voltaram a ficar irritados e agora com uma secreção pela manhã. Ela quis voltar em uma clínica aonde já havia ido uma vez com o pai. Demora no atendimento, assistente inadequada, médica antipática, diagnóstico bombástico após exame rápido.

— Sua mãe está ficando cega, você sabia? As córneas estão completamente deformadas, degeneradas, irreversíveis. Não consigo examinar, não consigo ver o fundo do olho. Tá tudo embaçado. Nunca vi uma deformação assim. Tem cegos na família de vocês?

E eu, que achava que iria sair dali com um colírio antibiótico e ponto, tentava repassar rapidamente nossa árvore genealógica buscando encontrar respostas. Eu, que tinha certeza de que a mãe não precisava ouvir esse diagnóstico em uma sexta-feira ordinária.

— Coisa de meses... Não sou especialista em córnea, então marque um retorno com o médico especialista com urgência. Até logo.

Saí de lá arrasada, disfarçando, querendo saber o tanto que a mãe já tinha digerido as informações. No elevador, a mãe falou:

— Médica metida, né? E com um perfume horroroso, daqueles de dar enxaqueca.

Cheguei em casa aos prantos. Como depois de tudo, e tanto, a mãe teria de aprender a ser deficiente visual nessa altura da vida?

Liguei pro Fabio – nosso homem de contatos – e ele me disse que falaria com um amigo oftalmo. "A mãe deveria ter ido nele." Eu nem sabia que o Fabio tinha também um amigo oftalmo.

Sabe quando você vai fazer uma prova e não sabe nada da matéria? E, por mais que você não queira, aquilo fica rondando a sua cabeça na hora do almoço, no banho, assim que abre os olhos e antes de dormir? Então, foram assim nossos dias até a consulta na terça-feira.

No consultório, a primeira impressão foi ótima. Ele me ignorou completamente e pediu para a mãe contar um pouco do que estava acontecendo – por que será que a gente tende a achar que pessoas, a partir de uma certa idade, precisam de interlocutores e tradutores da própria vida, como se eles não estivessem mais ali?

A mãe foi contando o que sentia, enquanto o dr. Mauro a ajeitava no aparelho. Assim que acendeu a luz, ele falou:

— Que olhos lindos! A senhora tem uma lente de contato aqui nesse olho e… no outro também!

Como assim? Ela ainda usava lente? Aquela lente que comprei havia meses? Aquela lente que ela reclamou que não tinha conseguido colocar? Aquela lente que, então, ela tinha conseguido colocar sozinha? Misto de culpa e alívio. Eu tentava lembrar da última vez que, brincando, perguntei se ela tinha certeza de que não estava usando lente.

— Vai ficar tudo bem com a senhora. Os olhos estão inflamados, naturalmente, mas use esse colírio e nos vemos na semana que vem.
— Olhando para mim: — Não se culpe, acontece.

Será mesmo?

Além de mim e da mãe, dois oftalmologistas não perceberam que ela usava uma lente descartável fora do prazo de validade. Falar que médicos de convênio erram com muito mais frequência, apesar de ser gravíssimo, não é meu assunto principal nessa nossa conversa. Talvez porque o alívio seja maior do que a raiva. Talvez porque haja outras urgências.

A mãe continua cega, Ita, de alguma forma. Não posso julgá-la. Não posso sequer entendê-la. A dor da sua presença ausente deve colocá-la em uma escuridão interna tão grande que ninguém pode alcançá-la.

Nesse tempo, não sei se percebi que ela foi colocando lentes, tampões, vendas para não te ver assim. Tem dificuldade de caminhar, literalmente, sem você por perto. Não dá mais para cozinhar sozinha, sem ajuda. Mas também, para quê, se um dos dela não vai poder comer?

Claro que a idade chega para as mães – e tem chegado para mim também –, mas para ela não foram degraus descendentes, entende? Ela despencou, rolou a escada interna e não consegue se levantar. Te levantar.

Não é a córnea, o fêmur, a hérnia de hiato ou de disco. É dor. É desistência.

Eu, mimada, fico querendo minha mãe de volta, dona de todos os bailes, passarelas, alamedas, quadras e manifestos. A mais bonita, simpática, de gargalhada fácil. A inesquecível, a acolhedora, a generosa e doce, minha mãe.

Se vira, cara, não dá mais para ela ver você assim.

NO MEU CORAÇÃO FIZ UM LAR

AQUELE DOS NOSSOS SOBRINHOS

Você não vai acreditar, mas, na noite anterior ao parto do Derek, a Dani me fez um pedido. Ela estava ansiosa, um pouco aflita, desse jeito que as mães ficam antes de ter bebê e depois que já têm outros filhos. Eu também passei por isso.

Ela me chamou na cozinha e disse: "Bê, se me acontecer alguma coisa, ajuda o Fabio com a Bella e com o Bito e cuida do Derek para mim, como se ele fosse seu".

Quase cinco anos se passaram, o parto foi tranquilo, a Dani está ótima, mas naquela noite, *entre o fogão e a geladeira e a televisão* eu pari mais um bebê. Acho que foi a força do pedido, acho que foi a responsabilidade, acho que foi o amor de uma mãe ou talvez tudo isso junto, não sei bem. Só sei que foi assim.

O coração da gente deve ter portas, com um olho mágico na entrada e vários cômodos no interior. A gente vai acomodando as pessoas, decorando os cantos, escolhendo os lugares estratégicos. Algumas pessoas eu coloco na "despensa" e deixo por lá, esquecidas.

Os nossos três sobrinhos inauguraram em meu coração um jardim de inverno. Você deve saber como é, já que foi tio muitos anos antes de mim. O lugar deles é uma salinha em que todo mundo queria estar. E são eles que aquecem o ambiente, iluminam em volta. Organizam uma festa dentro de mim, faxinam dores, empurram alegrias para dentro.

A Isabella já tem 14 anos. Na maternidade, as duas covinhas anunciavam uma permanente alegria, a mesma alegria que faria morada na nossa casa com essa chegada. Naquela manhã de sol de uma terça--feira de outubro, bisavós, avós, primos, você e eu ali, espremidos no vidro do berçário, recebemos a quarta libriana da família.

O Fabinho tem 12 anos. O Bito é *meu bálsamo benigno, meu signo, meu guru, porto seguro*. Meu pisciano de águas doces e profundas, nada óbvio, nada literal. E eu, que me achava uma leitora de almas, me pego desarmada, sem ferramentas, pronta para aprender com ele e fascinada com esse desafio. Menino bom.

O Derek é o que te contei. Pari uma criança que não era minha ou por ser tão minha não precisava sair de mim. E ele está lá, quentinho, ocupando espaços dentro e fora. No dia em que nasceu, o carreguei no colo, me afastei da luz do quarto da maternidade, procurei um lugarzinho escuro e seguro. Ele abriu os olhos e nos vimos. Nos olhamos, cúmplices.

Meu coração bate naquela casa e, como não estamos sob o mesmo teto, me desequilibro com excessos. Quero protegê-los, quero que o mundo veja como eu os vejo e exagero. Fico preocupada se ela não é convidada para uma viagem, se ele está no banco de reservas, se um amigo não liga no aniversário. Mais do que preocupada, indignada.

— Tá tudo bem, tia Bê — eles dizem, adormecendo minha passionalidade.

Acho que preciso da sua experiência. Você já é tio há vinte e nove anos. Mesmo que não esteja pronto, "vem como estás, metade gente, metade universo, com dedos e raízes, ossos e vento", como sugere Cecília Meireles.

NA PAREDE DA MEMÓRIA ESSA LEMBRANÇA É O QUADRO QUE DÓI MAIS

AQUELE DA MORTE DO BELCHIOR

Você não vai acreditar, mas o Belchior morreu de madrugada. Então assim, ó, vou pegar aqueles dois LPs que você tem dele e que estão no quartinho e vender em algum sebo. Tem o *Acústico* e *Alucinação*. Agora devem valer mais. Ou talvez não venda, talvez eu troque por algum livro que eu queira de lá. Tá na hora de desocupar lugares e ventilar ideias. Tá na hora, Ita. *Deixemos de coisas, cuidemos da vida, senão chega a morte ou coisa parecida e nos arrasta moço sem ter visto a vida.*

O quê? Não gostou? São suas coisas, são seus discos? Ué, mas você tá aí há tanto tempo, sem ver a vida, sem cantar as músicas dele, sem mexer nos LPs e correr atrás de uma vitrola para poder ouvir ou voltar a tocar no violão "Hora do almoço". Achei que você tinha mesmo desistido do Belchior e de tudo mais. Agora eu preciso encontrar um jeito de lidar com a minha fúria e essa pressa de viver.

Tô mentindo? Não é isso que você tem feito? Escolheu ficar aí trancado no quarto e dentro de você mesmo? *A sua mão fechada, a sua boca aberta, o seu peito deserto, sua mão parada, lacrada, selada e molhada de medo?*

Medo, Ita? Logo você? Você que me fez acreditar que podia tudo e que a gente era invencível. Tá certo, eu sei o que os médicos disseram. Eu conheço as respostas da ciência, pode não ser uma escolha. Eu penso nisso. *Mas não quero o que a cabeça pensa, eu quero o que a alma deseja*. E queria que sua alma, escondida aí em algum canto, desejasse muito também.

Médicos erram, a medicina não é uma ciência exata. Erraram com os olhos da mãe, te falei. E, sabe, tem um garoto lindo aqui da rua, o Caio. Depois de um acidente de moto, depois de perder 45% do cérebro, depois de ficar sessenta dias em coma, depois dos médicos darem 3% de chance de sobreviver, o Caio acordou e está se recuperando. Já tornou real muitas coisas. Outras ainda são sonhos: voltar a andar e falar. Mas ele acordou, Ita, *porque viver é melhor que sonhar.*

Não conheço o lugar onde você está. Mas sei que não pode ser só esse quarto com paredes brancas e uma delas verdinha, porque verde é cura. Não pode ser só essa vista para um pedaço do céu e de vez em quando o voo de um bando de maritacas. Não pode ser só estar cercado por vozes de quem nem conhece a sua voz. Não pode só ser esse canto da nossa casa, *porque sei que qualquer canto é menor do que a vida de qualquer pessoa.* Cadê a sua vida?

Nunca mais você saiu à rua em grupo reunido. Nunca mais. Nem meninas, nem praia, nem sobrinhos, nem jantares, nem sorvetes, nem enterros, nem nós, nem paz, nem pais, nem surpresas, nem carros, nem motos, nem roupas, nem passe, nem acupuntura, nem missa, nem risadas, nem música, nem piadas. Nada.

Foi assim, um dia, sem avisar, para lugar nenhum. Responde: *nem te lembras de voltar, de voltar, de voltar*, porra?

E se pensa, eu sei, há que se ter coragem. *Porque no presente a mente, o corpo é diferente e o passado é uma roupa que não nos serve mais.* Não é fácil, nem vai ser fácil. Tem negação, raiva, barganha, depressão e aceitação. As cinco fases do luto – tem palavra mais gelada do que sequela?

Mas escuta, enfrenta, tem a gente com você. Dá tempo. Aprender é caminho. Tenho aprendido tanto. Aprendi que nem *tudo é divino, tudo é maravilhoso* e que nada é secreto, nada é misterioso. Aprendi até que nas frases em itálico do Belchior cabe um pedaço de nossas vidas.

Então, *vem viver comigo, vem correr perigo. Andar caminho errado pela simples alegria de ser.*

Faz um pacto com a vida e pede e conta e diz: *vida, pisa devagar meu coração, cuidado, é frágil.*

Ah, Ita, eu *quero lhe contar como eu vivi e tudo o que aconteceu comigo.*

Vem, volta. Decide logo, agora, *à tarde, às três, que à noite tenho um compromisso e não posso faltar por causa de você.*

Tô sendo dura? Eu sei. Cansei, eu acho. *Às vezes ainda vejo vir vindo no vento o cheiro da nova estação e eu sinto tudo na ferida viva do meu coração.*

Só não sei se a nova estação traz o inverno ou o verão.

DO TEMPO QUE TRANSFORMA TODO AMOR EM QUASE NADA

AQUELE EM QUE O AMOR ACABA

Você não vai acreditar, mas você usava macacão jeans aos 13 anos. Macacão jeans não se parece com você, mas você usava. A prova é a foto em que nós dois estamos abraçados ao Roberto Carlos. Mais inacreditável que você de macacão jeans é eu ter só 12 anos nesse dia e ainda lembrar do cheiro do cachimbo que ele fumava.

Mais inacreditável do que lembrar dos detalhes desse dia é, esse mês de setembro, fazer doze anos que você está dormindo. Não. Não existe nada mais inacreditável do que isso. Eu tinha 12 anos na foto com o Roberto, hoje tenho 52, isso faz quarenta anos e quando eu tinha 40 anos você dormiu. E daí? Bom, daí nada.

Sabe, dia 16 passou, setembro já está acabando e eu não estive por aqui para as nossas conversas. Talvez não seja só setembro que esteja acabando. O amor também acaba.

Quando o amor acaba, fazer contas e pensar em números tentando encontrar uma lógica não faz mesmo mais sentido nenhum.

Quando o amor acaba, o telefonema da mãe dizendo que seus olhos caíram no chão vira piada e não preocupação.

Quando o amor acaba, passar pela rua dos Pinheiros é perceber que é só mais um caminho e não a vontade de te reencontrar dentro da Eurostar.

Quando o amor acaba, a playlist do Lucca no carro, com "Disparada" e "Canteiros" tocando, é só a constatação de um filho old school e não uma emoção inesperada.

Quando o amor acaba, *e isso lhe trouxer saudades minhas, a culpa é sua.*

Quando o amor acaba, não há interesse em saber se você gostaria do "juiz"(entre muitas aspas) de Curitiba, do prefeito vaidoso e imaturo e do que resta daquela esquerda incorruptível.

Quando o amor acaba, é frio constatar que as pessoas deveriam ir embora enquanto ainda são amáveis.

Quando o amor acaba, a Fiona no seu quarto, a sua lágrima, o seu olhar, a sua virada repentina de cabeça, é movimento involuntário, como um soluço, e só.

Quando o amor acaba, a segunda temporada do protagonismo da Maria é esperada já sem contar com você.

Quando o amor acaba, o começo de outubro e com ele um outro aniversário depois de tantos sem ver a vida real já virou costume.

Paulo Mendes Campos disse que o fim do amor "acontece até no andar diferente da irmã dentro de casa", e eu posso concordar.

Quando o amor acaba, a chegada do retorno de Saturno da Bruna, ela já com 29 e o padrinho tão perto e ainda tão longe, é de alguma forma cruel.

Quando o amor acaba, é esforço imaginar como seria outra vez você na mesa no almoço de domingo, suas convicções, suas paixões, sua voz. "A imaginação é a memória que enlouqueceu" para o Quintana.

Quando o amor acaba, os dias seguem não por causa da dor, mas apesar dela.

Quando o amor acaba, entrar no seu quarto e te olhar no fundo do olho, buscando sua alma, deixa de ser rotina. Por isso, *de vez em quando você vai lembrar de mim.*

"Na floração excessiva da primavera; no abuso do verão; na dissonância do outono; no conforto do inverno; em todos os lugares o amor acaba; a qualquer hora o amor acaba; por qualquer motivo o amor acaba; para recomeçar em todos os lugares e a qualquer minuto."

E neste minuto, li numa matéria que existe uma nova terapia, que dá estímulos elétricos no nervo vago de pacientes em estado vegetativo, e outra matéria que conta que um belga que estava havia vinte e três anos dormindo conseguiu finalmente se comunicar e já escreveu um livro: *Nosso amor não se acaba.* Você nos pertence e vive em cada um de nós. Seriam horcruxes? Relíquias da vida? Não sei. O que sei é que, nos detalhes tão pequenos de nós todos, escolhemos a maneira excessiva, esquisita e infindável de te amar.

TUDO MÉTRICA E RIMA E NUNCA DOR

AQUELE SOBRE A SAUDADE DO PAI

Você não vai acreditar, mas hoje já faz sete anos. Não, não tem dor. Tem saudade. "Falta aquele homem no escritório a tirar da máquina elétrica o destino dos seres, a explicação antiga da terra. Falta uma tristeza de menino bom caminhando entre adultos na esperança da justiça que tarda – como tarda", como diz Erico Verissimo.

Fico pensando quais seriam os atos para definir o pai se ele estivesse na Wikipédia – a Wikipédia é um projeto de enciclopédia coletiva que fornece conteúdo sobre alguma coisa ou alguém.

Pensei em muitos. Mas escolhi um: durante treze anos foi voluntário do Pavilhão 8 do Carandiru, apesar dos riscos envolvidos por ser pai de um policial. Isso era tão nobre, solidário, generoso. Fazia e poucos sabiam.

Ainda assim, não valeria muito se o pai fosse do estilo pomada: só para uso externo.

Porque às vezes é mais difícil amar o próximo, aquele que está dentro da própria casa, do que o grande público.

Aqui em casa a gente tinha o melhor dele. E para todas as gerações: foi o melhor filho, o melhor pai, o melhor avô.

Por isso, escolhi hoje lembrar dele pelas palavras dos meus filhos, que escreveram textos para o pai ao longo desses sete anos de ausência.

"Corri meus olhos na agenda do celular e esbarrei em você. Já faz mais de dois anos e eu ainda não consegui apagar seu número. Não quero apagá-lo. Apagar é aceitar que não vou mais ver seu nome me chamando no visor enquanto o telefone toca.

Apagar é assumir que você nunca mais vai me ligar. E por mais que você não me ligue há dois anos, ainda gosto de acreditar que um dia a gente vai se falar de novo. Um papo desses casuais, sobre um caso do trabalho, o jogo do São Paulo e se estou precisando de alguma coisa. Tudo nessa ordem.

Não vou mentir que já te liguei algumas vezes nesse tempo, na tentativa de enganar o destino e ele mesmo se esquecer do que aconteceu. Mas a rotina é a mesma: o telefone toca até cair na caixa. Costumo não deixar recado, mas espero o bipe da secretária tocar. E é sempre a mesma indignação: por que você não gravou nenhuma saudação, nem ao menos o seu nome? Assim pode ser o telefone de qualquer pessoa. E é seu! Tinha de ter a sua voz! Eu não quero esquecer a sua voz. Odeio ter de fazer esforço para lembrar como ela era.

Fui promovida no trabalho e o São Paulo finalmente ganhou. Tô precisando de uma calça jeans. Achei que você gostaria de saber, vovô. Saudade, Bubu."

"Tava frio, isso eu lembro, porque você usava um gorro cinza, desses que tapam a orelha pra proteger. E você tava todo empacotado, com alguns casacos e aquele cobertor de lã rosa em cima de você.

A gente devia ter pensado que o melhor mesmo era sair daquela sala, que sempre foi o lugar mais gelado da sua casa grande. Só que o frio não incomodou. A gente passou toda a tarde conversando, comendo e dando risada.

Por que a gente não fez isso com mais frequência? Talvez porque você sempre foi muito disputado. Nos meses em que esteve doente, então... Quando o bom senso cruel diz o que para mim nunca fez sentido: 'prepare-se para se despedir'.

Nesses dias minha mãe te monopolizava, no sentido mais doce e amoroso que essa palavra pode ter. A vovó tava sempre por perto, preparando os pratos que você agora tinha desejo em comer. Com o Fabio eram conversas de trabalho e por trás delas a tocha de homem da casa sendo passada. Meu irmão te roubava para conversar sobre futebol ou para contar que decidiu ser vegetariano – promessa que não durou nem um dia inteiro. E minha irmã, essa é esperta, te levava ao cinema. Programa que hoje, tenho certeza, faríamos semanalmente juntos.

Mas nesse dia a família me deu licença para a tarde ser só nossa. Entre uma fatia de goiabada e outra, você me contou da sua mãe, minha bisavó Silvinha, voz rouca que eu tive a sorte rara de conhecer. Quando você ia visitá-la, na hora de ir embora ela dizia: 'Vem cá, filho. Fica um pouco mais, que eu preciso te falar uma coisa séria'. Ao atender o pedido, a vó Silvinha inventava uma bobagem qualquer para reacender a conversa. 'Era só pra eu ficar mais cinco minutos com ela, Maria.'

Você ficou em silêncio, com seu sorriso doce no rosto. 'E agora são esses cinco minutos que mais me fazem falta.' Eu prendi meu choro e você soltou o seu. Foi o nosso momento mais próximo, mais íntimo, mais nosso.

Hoje é seu aniversário e na minha cabeça eu revivo aquela tarde amarela. No segredo que você me contou, no gosto do pão caseiro da vovó e quando o resto da família se juntou a nós no começo da noite.

Eu tinha essa outra lembrança, da gente tendo essa conversa com os pés na piscina. Não sei mais se ela foi inventada por mim ou assaltada da minha infância feliz. Acho que inventei, tava frio naquele dia.

O que sei é que naquela tarde finalmente entendi o que é se despedir. E hoje percebo por que na luta do dia a dia os cinco minutos a mais fazem tanta falta. Espero que você tenha encontrado a paz do fim do mundo. Feliz aniversário, vovô."

"Há dois anos viajei para Maresias com meus amigos. Eles foram embora um dia antes de mim e, na última noite, fiquei assistindo à TV com o Fabinho na sala. Só nós dois. Bito é um menino sensível e sensitivo. Sempre falou de você com muito carinho e uma propriedade que assusta. Mas, quando a gente pergunta se vocês conversam, ele muda de assunto. Nesse dia, esperançoso depois do convívio de uma semana, perguntei de você para ele.

— Bitão, e o vovô, hein? Você fala com ele direto? Queria falar com ele...

Ele sorriu e olhou pra baixo, meio envergonhado. Depois, falou:

— Lucca, o vovô tá ali.

— Onde?

— Agora tá aí na sua frente. Todo de branco, sorrindo.

Eu estava sentado.

— Na minha frente, Bitão? Se eu me levantar, vou conseguir dar um abraço nele?

— Vai.

Levantei e fiz o movimento para te abraçar. Me sentei de novo.

— Lucca, o vovô tá fazendo um carinho na sua cabeça.

— Ah é, Bitão? Como?

Nessa hora, ele veio até mim e fez EXATAMENTE o mesmo gesto que você sempre fez: uma passada de mão rápida que desarrumava meu cabelo. Fiquei arrepiado da cabeça aos pés e – não sei como – segurei o choro.

— Vovô é demais, né, Bitão? Sinto falta dele.

— Sim. Lucca, ele falou que se você quiser ver ele, é só rezar que ele aparece. Em São Paulo ou aqui na praia.

— Ah, jura, Bitão? Brigadão, vou fazer isso.

Essa história me marcou muito. Foi a vez que você ficou mais perto de mim nesses quatro anos e, por alguns segundos, aliviou a saudade.

Aliás, você sentiu o abraço? Porque eu senti."

VOU TE CONTAR, OS OLHOS JÁ NÃO PODEM VER

AQUELE DAS CONVERSAS INACABADAS

Você não vai acreditar, mas sabia que existe uma antiga arte de fiar uma espécie de "seda marinha" chamada bisso? O mais inacreditável é que existe uma única mulher no mundo que sabe como produzir esse tecido mágico, que brilha como ouro à luz do sol.

Chiara, esse é o nome dela, mergulha no Mediterrâneo a cada primavera no início da manhã para cortar a saliva solidificada de uma variedade de um molusco que só vive ali. Ela aprendeu a arte de tecer a seda do mar com sua avó, ofício que a sua família fez ao longo dos séculos.

O mais bonito é que ela não comercializa as peças que produz. "Seria como comercializar a alma do mar", ela diz. Chiara expõe em museus de vários lugares pelo mundo. "Antes eram imperadores e reis que usavam o bisso. Hoje eu doo o tecido para pessoas pobres, mulheres jovens com necessidade que se aproximam para me ajudar. Jurei para minha avó e para o mar que eu conservaria a arte, a tradição e o fio da nossa história."

Achei isso tudo tão bonito. Encontrei essa história no meu bloco de notas onde separo assuntos que gostaria de conversar com você. Tem uns que nem lembro mais por que separei. Talvez moluscos e mergulhos no Mediterrâneo na primavera não te interessem.

Outra coisa que escolhi para te contar é que a Floresta Amazônica produz o que é chamado de *pó de fadas*, um pó finíssimo para formar a própria chuva. Não é mágico?

Também encontrei outro trecho de conversa que pensei em ter com você. Queria te contar sobre a história de um polonês chamado Witold Pilecki. Pilecki foi uma das poucas pessoas que conseguiram fugir de Auschwitz. Ele e um grupo de judeus recolhiam os piolhos, transmissores de febre tifoide que infestavam as pessoas no Campo, e colocavam nas roupas dos oficiais mais violentos. Assim, aos poucos, os piores agressores foram contaminados e morreram. Tipo um herói.

Encontrei escrito que a palavra "comemorar" significa: lembrar junto. De qual comemoração será que eu queria te contar? De uma que a gente comemorou junto ou de outra que ainda quero comemorar com você?

Da casa de Santiago tem pedaços para muitas conversas: que a casa está linda, que tem bananeiras e um limoeiro carregados no quintal, que encontramos uma caneta Bic enterrada na mozzarella da pizza que pedimos por delivery, que o teiú continua correndo de surpresa no jardim e a gente grita, que a Terezinha apareceu para ter uma "palestra com a mãe, que ela estava sumida porque teve uma doença que imita câncer, que ela gosta mesmo de cachorro da raça cachorro".

Por que agora as nossas conversas começam em um bloco de notas?

A LEI TEM OUVIDOS PRA TE DELATAR

AQUELE DOS PAPAGAIOS

Você não vai acreditar, mas durante alguns dias "estive" contraventora. No Brasil, não parece novidade. A diferença está nos verbos "ser" e "estar". Eu estive contraventora, porque infringi a lei só por algum tempo.

Bom, Ita, senta que lá vem história.

No feriado de novembro, a Bruna e eu estávamos saindo de casa. O Calu, guarda da rua que se autointitula "um amor de pessoa" – e que é mesmo –, me parou na guarita.

— Ô, comadre, você perdeu um papagaio?

— Não, mas eu AMO!

A Bruna entrou no carro e foi embora, sabendo que a chance de eu fazer alguma burrada era grande. O Calu continuou:

— É que a moça que trabalha naquela casa amarela encontrou um papagaio no meio da rua. Quase que os carros atropelam e os gatos do seu Jaime matam.

— Papagaio mesmo? Não tem papagaio em São Paulo. Deve ser maritaca.

— Não, moça, é papagaio mesmo.

— Ai, tadinho, deve ser de alguém da rua.

— Não é, não. Ela tocou em quase todas as casas desde sábado. Faltava a sua e mais uma. Deve ter caído de algum ninho.

— É meu sonho ter um papagaio.

— A moça que achou tem que tirar ele da casa da patroa. Ela chega amanhã de viagem e não gosta de bicho de pena.

— Então eu quero!

— Vai lá e fala que é seu!

— Vou mentir? E o papagaio vai me bicar, não me conhece.

— Oxe, não tem perigo, não. É só conversar com ele bem "devagarzinho". Eu vou lá com você.

Meu Deus, meu Deus, meu Deus, eu vou ter um papagaio.

O Calu tocou a campainha, a moça olhou pela janela. O Calu falou que eu era a dona do papagaio, a moça pediu para esperar um pouquinho.

Meu Deus, meu Deus, meu Deus, como eu invento que ele chama?

A moça trouxe o papagaio com as unhas encravadas nas mãos dela.

— Oi, oi, Zé... — falei e estiquei o braço.

O recém-batizado "Zé" veio no meu braço e subiu até o ombro. A chance de bicar meu olho era enorme.

— É Zé o nome dele? — perguntou a moça.

— É, sim! Por causa do Louro José.

Naquele momento, eu vivia uma personagem contraventora, mentirosa e espectadora do *Mais Você*.

— Coitadinho, quase morreu. Tinha três gatos atrás dele e ele correu para o meio da rua.

Agradeci muito e vim caminhando, segurando o papagaio pela nuca e pensando como ele seria recebido pelos seis: Bruna, Lucca, Maria, Folk, Indie e Miw. O dito popular "filhos, cachorros, gato, papagaio" nunca fez tanto sentido.

Chuvas de críticas da Bruna e do Lucca e apoio da Maria nos primeiros minutos, porque ela tem esse lado infantil persistente como o meu. Logo, ela também se rendeu à coerência.

— Mãe, não tem anilha, é contravenção, você pode ser presa e ter de pagar uma multa.

— É segredo, não contem pra ninguém! Nem para o Fabio!

Resolvi que o Zé ficaria solto no salãozinho aquela primeira noite, longe das garras da Miw. E que no dia seguinte levaria ao veterinário de animais silvestres aqui no bairro.

— Preciso ver se ele tá machucado! — justifiquei.

Naquela noite, o Zé comeu papa de banana e mamão na colher de chá e dormiu muito tempo no meu colo. Eu estava apaixonada.

Pedi para a Dani a gaiola da calopsita emprestada, já que a Neca vive solta dentro de casa e dorme na chuteira do Fabinho. Na verdade, ela é apaixonada pela chuteira prata e de sola amarela. Mas essa história fica para outro texto...

Enfim, levei o Zé ao veterinário. O veterinário me falou que havia, sim, uma "epidemia" de papagaios em São Paulo, por causa do desmatamento e crescimento desordenado da cidade. O Zé era filhote, tinha no máximo três semanas. Que dó, devia estar aprendendo a voar.

Na Vila Olímpia, a um quarteirão da avenida Santo Amaro, o veterinário disse que nunca tinha ouvido falar. O mais triste foi ele me contar que o Ibama está sem verba para mantê-los em viveiros apropriados ou reintroduzi-los rapidamente no hábitat natural. Então as aves são colocadas em gaiolas mínimas com muitas outras. Ou são vendidas ilegalmente – contraventores há em todos os lugares, até em uma casa na Vila Olímpia.

O veterinário me deu os telefones dos Centros de Triagem de Animais Silvestres (Cetas) e dos Centros de Reabilitação de Animais Silvestres (Cras). Voltei para casa arrasada. Sabia o que deveria fazer, mas não queria.

O Tonho, guarda da noite, me viu carregando a gaiola do Zé.

— Sabe que no Norte esses papagaios ficam no tronco dos umbuzeiros? Aqui na rua não tem umbuzeiro, mas tem uns papagaios desses.

— Você já viu igual a esse, Tonho?

— Já, sim, perto da casa do seu Nelson.

Meu Deus, meu Deus, meu Deus, eu não posso querer outro.

— Tonho, se você encontrar igual a esse no chão pega para mim. Assim, eles fazem companhia um para o outro.

Cinco horas da manhã, toca a campainha de casa. Assustada, olhei da janela do banheiro.

— Aconteceu alguma coisa, Tonho?

— Trouxe um papagaio pra você. Tava caído na rua.

Desci para buscar. *Meu Deus, meu Deus, meus Deus, eu vou ter dois papagaios.* Ouvi a Bruna e a Maria conversando da janela.

— O que aconteceu?

— Outro papagaio!

O outro papagaio não era bonzinho como o Zé. O outro papagaio bicou meu dedo. O outro papagaio era menorzinho. O outro papagaio virou "oto papagaio". Ótto para os íntimos.

Bronca em dobro e mais uma ida ao veterinário. Deviam ser irmãos. O veterinário fez a sexagem retirando uma pena. O Ótto era na verdade Ótta.

— Mãe, liga pra algum desses Cetas ou Cras ou liga no zoológico ou no Ibirapuera. O vizinho vai delatar a gente e você vai presa!

Liguei para vários lugares: no Parque Ibirapuera não aceitavam aves, o zoológico não aceitava mais animais – e eles ainda sofrem com gatos abandonados que matam as aves. A USP também não aceita. O Parque Ecológico do Tietê está com superlotação de papagaios. O rapaz pediu para eu esperar uns três meses e retornar a ligação. Claro, moço, por que não?

Enquanto esperava, construí um viveiro para eles. O veterinário me deu as medidas ideais e a tela apropriada. O Damião, guarda da rua da frente, e o Cosme, seu irmão gêmeo, construíram para mim.

— Vocês viram que eu tentei. O rapaz pediu para esperar três meses. O Zé e a Ótta precisam de sol, por isso o viveiro.

Coloquei troncos de árvores, vasos, balanço, poleiros. Além da ração com grãos, frutas secas e farinhas, eu colocava as frutas do quintal toda manhã: mamão, nêspera, romã, jabuticaba. Papagaios não podem comer abacate, tomate e semente de maçã.

Eu era muito feliz com eles ali. Só eu!

Por causa da Ótta, o Zé passou a também não gostar muito de mim. Ela, furiosa, voava para cima toda vez que eu entrava no viveiro.

O viveiro fica embaixo da janela do quarto das meninas. Aves acordam assim que começa a clarear. O Zé e a Ótta gritavam a partir das cinco da manhã, acordando a Bruna, a Maria e provavelmente o vizinho também.

— Mãe, o vizinho deve te odiar! Você tá parecendo aquela mulher das pombas do *Esqueceram de mim*. E vai ser presa!

O Temer não vai preso. O Aécio não vai preso. O Sarney, o Moreira Franco, o Serra nunca foram presos. Eu seria presa?

— Mãe, nada justifica, liga pra um Cetas de fora de São Paulo.

Cetas da Anhanguera, de Limeira, de Barueri. Todos superlotados de aves. Em um deles, o rapaz me disse que eu poderia tentar com um delegado ambiental a autorização para salvaguardar os papagaios enquanto não encontrava vaga.

— Foi o hominho que me sugeriu isso! Vocês estão vendo que estou tentando? Vou telefonar para o Fabio, contar que encontrei dois papagaios caídos do ninho e perguntar se ele conhece um delegado ambiental.

— Ele não vai querer te ajudar.

— Fabio, você conhece algum delegado ambiental? Eu encontrei dois papaga... eu sei... mas é que o Ibama... eu sei... eu sei... eu entendi. Tá bom, beijo. Não quer me ajudar. Mandou entregar num posto de polícia ambiental. Mas...

— Mãe, c-h-e-g-a!

Entreguei o Zé e a Ótta para a polícia ambiental. Fiquei muito triste, claro.

Justificativa para ficar com eles eu teria muitas. Assim como quem para só um minutinho na vaga de idoso ou de pessoa com deficiência. Assim como quem toma só uma cervejinha antes de dirigir.

Assim como quem desvia só uns milhõezinhos para comprar votos de um Congresso podre e o silêncio de um Judiciário parcial.

O viveiro vai virar uma horta. Já consigo identificar quando tem papagaios voando por aqui. Tem muitos. Torço para que escolham a minha washingtônia para fazerem o ninho.

Forço a imaginar que meus Zé e Ótta estão bem, felizes, em reabilitação para serem soltos em algum lugar lindo na Bahia.

Vi e vivi com dois passarinhos verdes. Dizem que é sinal de esperança e boa sorte. Por enquanto, só uma história para te contar.

VOCÊ PRECISA SABER DE MIM

AQUELE DA PERITONITE EM BUENOS AIRES

Você não vai acreditar, mas você precisa saber da piscina, da margarina, da Carolina, da gasolina. A piscina de casa tem estado sempre limpa, transparente, mas ainda fria. Acabaram-se os dias de ranário, como você brincava, quando ela ficava verde e cheia de folhas. Em muitos domingos, o Fabio faz um churrasco para a gente. O Fabio virou um churrasqueiro de primeira, sabia? Aprendeu tudo com a Dani. Ela também faz um churrasco delicioso. O cheiro chega até seu quarto? Quer descer? Pede.

A margarina é uma grande vilã da alimentação. Para fabricá-la, usam solventes de petróleo, ácido fosfórico, soda e depois ácido clorídrico, ácido sulfúrico e níquel. Por causa disso tudo, a margarina tem longo prazo de conservação, não fica rançosa, não pega fungos nem é atacada por insetos ou ratos. Bom, se nem inseto nem rato quer, imagina o que mais tem nessa tabela periódica comestível.

Queria te falar que definitivamente eu não gosto de carolina. Não importa o nome que se dê: carolina, profiterole, eclair ou bomba. Não importa a padaria onde se compre. Acho tudo ruim. Não gosto de doce de padaria. Não gosto de carolina.

E a gasolina? Ah, a gasolina! Quando você dormiu, o litro custava mais ou menos R$ 1,98. Hoje, doze anos depois, custa R$ 4,22 e subiu pela 14ª semana seguida nos últimos meses. Há algo de muito podre no reino de Brasília. Tão podre que nem solventes, ácidos, aromas artificiais conseguem esconder os fungos e os ratos.

Agora, você precisa saber de mim. Fim do ano fui com a Bruna, o Lucca e a Maria para Buenos Aires. Era uma viagem só nossa, nós quatro juntos, sem os amores ou a família. Eles organizaram tudo: casinha em uma vila em Palermo, um guia de sugestões e indicações feito especialmente por um amigo da Maria para ela, uma programação cultural e gastronômica deliciosa, dias de tempo lindo e calor.

No quinto dia, tive uma febre alta e fora de hora. Que se transformou numa ida a um hospital público para uma operação de urgência de apêndice rompido e uma peritonite.

Pela porta da frente, dei entrada em uma história de terror que até hoje ainda duvido que vivi. Médicos e enfermeiros não entendiam o que a gente falava e eu não entendia o porquê de aquilo tudo estar acontecendo.

Conheci o preconceito, a xenofobia e o medo. Senti tudo ao extremo: frio, calor, fome, sede, dor, culpa. Era como se estivesse em uma fenda do tempo. Os minutos pareciam horas arrastadas e eu pensava que nunca mais sairia dali.

Desde que você ficou assim, passei a ser a curadora da nossa família. Sou eu quem resolve as coisas para você, para a mãe e quem resolveu também para o pai. Quando se desempenha esse papel é difícil se sentir tão vulnerável e precisar ser cuidada por alguém.

Em todas as histórias fictícias há sempre o bem e o mal. Como nada do que eu estava passando fazia sentido, até duas personagens de livros que li na adolescência entraram na minha história. Com os mesmos nomes e as mesmas características.

Minha companheira de quarto era Lola. Como a personagem de *Éramos seis*, Lola era um anjo: generosa, solícita, carinhosa, de uma bondade infinita. Uma das melhores pessoas que conheci na vida. Tenho por ela imensa gratidão e amor.

Do outro lado da história, a enfermeira Lucíola, do mesmo jeito da personagem de José de Alencar. Uma mulher amarga, infeliz, que é chamada assim por ser o nome de um inseto que vive na escuridão à beira dos charcos. A inseta Lucíola fez de tudo para transformar meus dias nos piores possíveis. Ela achava que eu tinha ido para a Argentina justamente para me operar e tinha raiva, mesmo sabendo que não era verdade. Muitas vezes, me peguei imaginando o que falaria para ela quando finalmente tivesse alta. Depois, deixei pra lá.

Meus filhos foram insuperáveis. Não poderiam ter sido melhores. Odeio ter feito os três passarem por tudo o que passaram por minha causa. Ainda mais nas férias. Roubo um trecho da mãe dos Baudelaire, de *Desventuras em série*, para falar o que os três viveram e superaram nesse momento, contando um com o outro.

"Orgulho de saber que não importa o que aconteça nesta vida, que vocês três vão cuidar uns dos outros, com bondade, coragem e altruísmo, como sempre. E lembrem-se de uma coisa, meus queridos, e nunca esqueçam: que não importa onde estamos, saibam que desde que se tenham um ao outro, têm a nossa família. E vocês estão em casa."

Sabia que na massa da carolina tem margarina, que tem petróleo, portanto tem gasolina?

E nós, do que somos feitos? De charcos e piscinas. De Lolas e Lucíolas. De anjos e demônios. De forças e fraquezas. De partidas e chegadas. De medo e de amor. De ranço e de perdão. De solidão e de família.

Acho que só faltava te contar para exorcizar esses dias de dentro de mim. Tirei uma foto da vista que eu tinha da cama do hospital. Tirei a foto para me lembrar de nunca esquecer. E que, apesar de tudo, vivemos na melhor cidade da América do Sul.

EU TENHO FEBRE, EU SEI, É UM FOGO LEVE QUE EU PEGUEI

AQUELE DO ESTADO FEBRIL

Você não vai acreditar, mas eu ainda me aflijo com a sua febre azul, mesmo doze anos depois. Suas pontas dos dedos ficam geladas e arroxeadas, a respiração difícil, o olhar distante, a presença volátil. Não gosto.

O desfecho é sempre o mesmo: hora de ir para o hospital. E que difícil é aquele quarto andar. A mesma UTI, o mesmo cheiro. Mistura de éter e saudade.

As cadeiras em que a gente se sentava para ficar mais perto de você agora deram lugar a uma brinquedoteca. A grade oval ficou mais alta e envidraçada e a gente ainda vê o céu quadriculado se olhar para o teto. Como é que o céu pode ficar azul quando alguém está na UTI?

Você ficou muito tempo dessa vez. Quase um mês. E tanta coisa aconteceu. Passou meu aniversário. Passou o equinócio de outono. O sol entrou em Áries, os dias começaram a ficar mais curtos e as noites mais longas.

As noites sempre ficam longas com você no hospital. A mãe fica descolorida, uma febre pálida, branca, fria. Ver seu quarto vazio sempre deixa ela assim.

As visitas diárias ao hospital cumprem um ritual triste. Ela cobre seus pés, confere a temperatura, passa a mão no seu cabelo muitas vezes, aperta a sua mão. Chama você por apelidos que nunca te chamou na vida, procura mais um santinho na bolsa, pede para eu colocar uma música para você.

— Coloca aquela do Oswaldo Montenegro que ele gosta.

Eu sempre sei qual é. Ela canta baixinho no seu ouvido: *Quero ver os sonhos todos nas janelas. Quero ver você andando por aí.*

Ela chora na hora de ir embora. E você chora também, eu acho.

Com *as águas de março fechando o verão* outras febres vieram, não suas, mas causaram muita dor.

Uma febre vermelha levou Marielle, sintoma de uma doença atual, o ódio. Ela lutava por diferentes causas, direitos das mulheres, inclusão social, antirracismo. Por causa disso tudo foi executada, num país em que matar virou banalidade.

A febre amarela levou Marília, professora que trabalhou na escola e que dava aulas na Casa 345, um coletivo artístico criado por amigos queridos. Marília voava, especialista em linguagens aéreas. Essa doença virou de ponta-cabeça muitas vidas, e é resultado da política do descaso que tomou o nosso país.

Um corpo doente muitas vezes manifesta que algo está errado por meio da febre. O estado febril nada mais é do que um alerta silencioso, um aviso do que está por vir, um pedido de ajuda. Tem casos em que nem compressas de água fria nem antitérmicos dão jeito. Nesses dias, Fernando Pessoa é remédio: "Se escrevo o que sinto é porque assim diminuo a febre de sentir".

UMA MESA NUM CANTO, UMA CASA, UM JARDIM

AQUELE DA MUDANÇA DA ESCOLA

Você não vai acreditar, mas você sabe que eu nunca tinha reparado que a sombra da árvore na frente do Fundamental 1 da escola parece que abraça o muro? Ali da calçada em frente você não sabe onde começa o galho e onde termina a sombra do galho. Parece um cenário, é bonito. E como é que a gente não perde tempo para ver, para estar e para saber o que é de verdade, o que é real?

Depois de anos, não vou mais trabalhar ali. Não fui mandada embora. O que não vai mais existir é esse prédio do Fundamental. Prédio não é bem a palavra. É uma junção de casinhas e quintais que formavam uma escola. Mais ou menos como o Colégio Palmares quando a gente estudava lá.

Nesse predinho adaptado cresceram árvores, minhocas e memórias. E agora? Como será que as marias-fedidas vão se acostumar com os silêncios? Como é que é que vai ser para as lagartas não precisarem fugir dos pés para serem borboletas? Para quem os tatuzinhos farão a mágica de virarem bolas?

Não sabia que teria saudade antecipada. Não sabia que sentiria falta do passarinho-logotipo em cima do muro. Será que o sabiá sabia? Ou ele também se pergunta para onde foram os Tiagos, as Bias, as Luísas e os Edus? Para onde correram tantas crianças?

No meio das férias, subi a rua e parei em frente. Reparei. Daqui a pouco tempo não vão ter a tabela de basquete vista de fora, o terraço na frente da sala 1 de inglês, o chão de pedras da praça.

Vi pelo portão aberto uma mesa de pernas para o ar. As mesas de escola dão cambalhotas.

Sobrarão bancos vazios, areia sem castelinhos, folhas amarelas caídas nos caminhos.

"Por que se suicidam as folhas quando se sentem amarelas?" Perguntas como essa do Neruda não estão guardadas nas prateleiras da biblioteca, mas há outras tantas questões universais dos pequenos poetas cotidianos perdidas nas frestas de intervalos e recreios:

— Se eu me contorcer eu viro judia?

— Caxumba é instrumento musical?

— Quando você escutou que eu caí, você sofreu?

— Vou te trazer um presente no Dia dos Professores. Tem de ser vela ou pode ser uma geladeira?

— Sabia que eu sei fazer abacate? — e abre um espacate.

— Por que tem gente alérgica a tomate e mamão?

— Perpétua significa muito tempo?

— Quando os pais se separam a gente pode gostar do pai igual?

Quem sabe no lugar onde moraram as pernas de pau haverá lugar para essas e outras tantas lembranças.

Lembro-me do dia, Ita, em que você foi lá me avisar que o pai tinha levado um tombo e ia operar o ombro. Lembro que a Mariangela se engasgou no refeitório com uma batatinha e foi salva pelas manobras da Tina. Lembro-me da sala onde eu estava dando aula quando recebi a notícia que a Isabella nasceu. Lembro-me das músicas, das cirandas, das fogueiras e dos cafés.

Fica combinado que os novos moradores vão ouvir um sino fora de hora, um bumbo, um surdo e um caxixi. E eles acharão que foi sonho, mas só a gente saberá que não. Segredo.

Em agosto, na volta às aulas, ainda teremos dias incertos. Para Mia Couto, "a incerteza é uma ponte entre o que somos e os outros que seremos".

E eu volto para te contar.

PÁTRIA, FAMÍLIA, RELIGIÃO E PRECONCEITO

AQUELE DA ELEIÇÃO DO RIDÍCULO TIRANO

Você não vai acreditar, mas é isso. *Quebrou. Não tem mais jeito.*

A intolerância travestida de patriotas, cidadãos de bem, tementes a Deus.

O discurso agora é este: só presta se for o meu país, se for uma família como a minha, se for a crença no meu Deus.

"A vida saberá nos julgar não apenas pelas 'perversidades' que acreditamos poder evitar, mas também pelas 'tolices' que nos permitimos", como escreveu o rabino Nilton Bonder em *A alma imoral*.

Que tristeza. Ainda não estou acreditando.

Quando eu falava dessas cores mórbidas, quando eu falava desses homens sórdidos, quando eu falava desse temporal, você não escutou...

VOU TE FAZER UM PEDIDO
AQUELE QUE A MARIA TE ESCREVEU

Você não vai acreditar, mas quando os dias, os meses, os anos me engessam e a esperança escapa, eu preciso encontrar pérolas inesperadas de presente no caminho. Em um domingo, a Maria me deu uma pérola das grandes. Mentira, deu para você, Ita. Talvez nesse dia ela estivesse triste, com saudades. Faz parte. "Ostra feliz não faz pérola", como diz Rubem Alves.

"Gosto de ficar olhando para uma foto sua. É provavelmente um domingo, daqueles em que você fugia para o litoral norte de São Paulo e saía para correr com os seus pensamentos.

Faz mais de doze anos que você não escapa para a praia e *deixa para trás sais e minerais evaporarem*. Devia ser proibido isso do coração de quem a gente ama parar de bater, mas acontece. E na decisão de ir ou ficar, você ficou.

Hoje eu acordei com você na cabeça depois de um sonho lindo em que via teu sorriso largo lá em Santiago, na casa que você nos deixou de presente.

É que ontem eu tive que fazer um exercício de memória emotiva, em que a gente reabita um momento da nossa história que tenha sido um divisor de águas na vida. E o meu foi ver você na cama pela primeira vez, aos meus 14 anos.

Sei que naquele momento criei raízes. De amadurecimento instantâneo, de medo, de um apego imenso à nossa família. Mas *o tempo é um dos deuses mais lindos*. Ele amansou a dor.

Fez a minha mãe criar o blog onde ela te conta como está o nosso mundo desde que você dormiu.

Os textos saem em domingos como esse de hoje. Bálsamo.

Tempo, tempo, tempo, tempo.

E se a vida nos deve algo – e depois dessa eu me sinto no direito de acreditar que sim –, só peço que seja atendido meu pedido da sua alma permanecer livre.

Isso, como borboleta. Como no meu sonho.

Arrebenta esse escafandro, porque é fim de tarde de um domingo de sol, dia bom para correr na praia.

Minha alma vai acompanhar a sua, que eu tenho muita coisa para te contar."

DÁ SAUDADE DE LEMBRAR DE ONDE A GENTE IRIA

AQUELE SOBRE O SONHO EM QUE VOCÊ MORREU

Você não vai acreditar, mas hoje sonhei que você morria. Alguém me avisava: "o Itamar faleceu", e eu achava que aquele verbo não combinava com você.

No sonho, eu arrumava as suas coisas e as coisas que você me deu. Entre elas, aqueles dois pratinhos de comer cachorro-quente. Sua cara. Quem precisa de um pratinho em forma de cachorro, com lugar para salsicha, mostarda e ketchup? Nunca usei, mas eles estão guardados há trinta e um anos e passaram, incólumes, por todas as mudanças e doações.

Você faz muita falta.

Hoje faz quatorze anos que você dormiu. O Lucca e a Maria tinham quatorze anos. Então metade da vida deles você está dormindo.

Tanta coisa pra viver... Com eles, comigo.

Outro dia mostrei para o Derek umas fotos antigas nossas. Perguntei se ele sabia quem era quem. Ele achou que eu fosse a Bella. Mostrei uma foto sua. Ele não sabia quem era. Contei que era você. Ele me perguntou se você era de verdade.

Entendi o que ele quis dizer. Na foto você sorria, de braços cruzados, em pé. O Derek nunca te viu em pé. Nunca te viu sorrindo. Nunca ouviu a sua voz. Parece mentira. Você não é um tio de verdade. Ele só tem os anos do seu sono profundo, da sua imobilidade, da sua quase morte.

Fico pensando que a gente morre mesmo de algumas maneiras durante a vida. Há uns meses, eu morri como professora da Viva. Saí da escola. Aquele passarinho não me pertence mais.

Também morreu minha capacidade de gerar filhos. Tirei o útero. Briga longa entre o tempo e o desejo inconsciente de múltipla maternidade. Sangrei, mas entendi que outros filhos podem estar por aí e basta apenas encontrá-los. O amor é gerador.

Eu morri como pessoa que tem esperança de um país mais justo a curto prazo. É uma dor de indignação, sabe? *Quando a saudade vem*, queria poder te falar sobre esse Brasil, mas agora não é a hora.

Escrevo daqui do hospital, o mesmo hospital de quatorze anos atrás. Hoje você veio trocar a gastro de alimentação.

Por que hoje? Para fechar ciclos? Revisitar lugares? Encontrar um caminho de volta? Não sei. Morreram em mim as respostas para tantos questionamentos.

Quatorze anos é tempo demais para esperar. Quatorze anos é tempo demais para tantas mudanças e doações.

Quatorze anos. *Nem lembro mais de nós.*

ME ATRAPALHO, DESCONFIO DOS EFEITOS DESSA AUSÊNCIA

AQUELE SOBRE O DR. IRAN

Você não vai acreditar, mas eu tenho tanto pra te falar e ainda assim tenho estado quieta. As palavras me confundem e me escapam. Invertem a ordem, a dor, a falta. Elas se enroscam em sentimentos contraditórios. Fingir que não dói mais é uma mentira que insisto em me contar.

Você anda às voltas comigo. E me entrega presentes sutis. Você sempre foi dado a sutilezas. É presente uma virada de cabeça inesperada e um olhar profundo na minha direção. É presente uma história inédita de um amigo do bairro sobre você. É presente encontrar uma fotografia sua com um amor do passado. É presente uma mensagem do Fabinho dizendo que ele se emocionou com os textos do blog: "senti sua voz e sua dor enquanto eu lia, tia Bê".

Um dos presentes mais significativos que você nos deu foi o dr. Iran. Olha lá de novo suas sutilezas. Conhecemos o dr. Iran enquanto você dormia. Fomos apresentados por sua causa e não por você. Foi ele quem nos acolheu naqueles primeiros dias.

Quando você estava no hospital, lembro que eu tinha muito medo do que eu iria escutar a cada dia. E cada vez que um daqueles neurologistas se aproximava, minha vontade era de fugir. Eles não escolhiam as palavras.

Assim que nos encontrou pelos corredores do hospital, dr. Iran colocou o pai, a mãe, o Fabio e eu numa salinha e pediu que a gente perguntasse o quisesse sobre você. Depois fez a mesma coisa com a Bruna, com o Lucca e com a Maria. E ali ele ouviu a gente por muito tempo. Por muitos dias. Não foi o que ele falou, mas como falou que fez toda a diferença.

Ele cuidou de você e de nós. As metáforas das suas melhoras eram o empilhar de tijolinhos. Você ergueu muros, mas não foram suficientes. Você construiu pontes. Acho que a mais sólida delas leva ao dr. Iran.

PREPARANDO AQUELE FEIJÃO PRETO

AQUELE SOBRE A MÃE NA COZINHA

Você não vai acreditar, mas a mãe me pediu de presente de aniversário para eu deixá-la cozinhar. Tem sido difícil negar. Ela não pode mais. A cozinha virou um lugar perigoso, por causa da falta de equilíbrio.

Tenho muitas memórias da mãe na cozinha. Lembro-me de quando ela fazia nhoque em casa. Lembro-me da bancada de pedra enfarinhada e as cordas de batata compridas perto do fogão. Lembro-me da mágica dos nhoques surgindo quando ela cortava a massa e empurrava os pedacinhos para longe. Lembro-me do ruído do metal da faca arranhando a bancada. Lembro-me das mãos dela sujas de farinha. Lembro-me de preferir os nhoques assim a depois de cozidos. Lembro-me do gosto, da massa embolar na boca. Nhoque na manteiga era minha comida preferida. O Fabio preferia pastel de queijo e você lombo com purê de maçã – o Fabio e eu sempre tivemos o gosto mais ordinário, você sempre foi mais sofisticado.

Lembro-me do cheiro da sopa de talos de salsão e batata que a mãe fazia na nossa infância. O cheiro morno, as três batidinhas com a colher em volta da panela, um pouquinho do líquido para experimentar na palma da mão. O pai adorava essa sopa. Nós, não. Mas eu amo esse cheiro até hoje. O filme *Como água para chocolate* ensina que "la vida sería mucho más agradable si uno pudiera llevarse a donde quiera que fuera, los sabores y olores de la casa materna".

Quando você dormiu e passou a só se alimentar das dietas, a mãe errou muitas vezes a mão na cozinha. As comidas ficaram sem gosto ou apimentadas demais. O doce de abóbora com coco ficava muito duro e a mousse de chocolate mole e aguada. Ela caprichava nas gelatinas e nos cremes que você podia comer bem pouquinho. Até que você se engasgou e o médico achou melhor suspender.

E ela salgou o feijão.

MAS A VIDA ANDA LOUCA, AS PESSOAS ANDAM TRISTES

AQUELE DA PANDEMIA

Você não vai acreditar, mas eu não acreditava que você ainda podia me ensinar alguma coisa. Achei que já estivesse tudo posto, aprendido nesses quase quinze anos de sono profundo.

Era você aí no quarto, o irmão que resolveu *morar no interior do meu interior*, e eu e os nossos saindo para ver e viver o que você não pode mais.

Mas acontece que de repente tudo parou. O mundo, o Brasil, o hoje e o amanhã também. Talvez a vida real tenha decidido se inspirar em você e seguir seu ritmo, suspender o tempo, adiar os planos, enfrentar o imprevisível.

A sua quarentena já dura quase quinze anos. A minha, já faz mais de quinze dias.

E o que você tem feito? Como tem feito? Já encontrou respostas para as suas perguntas? Tem ensinamentos para me passar?

Tenho pensado que viver contido e parado é como dar um "zoom in" na vida de uma hora para outra. Nós no Universo. Na Terra. Na América. No Brasil. Em São Paulo. Em casa. Dentro de nós.

Para ter um "zoom out", é preciso que estejamos juntos na mesma sintonia. Mas como, se tantos outros não têm nem casa para sair? Ou entrar. Ou ficar. Como, se ainda tem quem pense que o que importa é o individual e não o coletivo? O vírus, ao nos igualar, escancara como somos desiguais.

Me ajuda a tentar descobrir essas respostas. Me conta qual segredo você guarda. Como podemos viver além dessa condição enclausurada, paralisante? Como lidar com os próprios fantasmas, medos, questionamentos que surgem entre um recomeço e outro?

Você também sente tudo isso? Ou consegue escapar num pensamento qualquer?

Ando mais reflexiva do que o normal. Acho que porque nesses dias a gente se vê obrigada a se olhar nas telas, em reuniões de trabalho ou com amigos. Fico pensando há quanto tempo a gente não se encarava.

Encontramos manchas e cicatrizes. Descobrimos semelhanças e diferenças. Contabilizamos privilégios e injustiças. Tem valido a pena não olhar o outro? Tem valido a pena não olhar para você mesmo?

Por que você me olha? Você já sabe o que me dizer? Tenho saudade do seu olhar. Tem um olho que não está, meus olhares evitam.

Eu aprendi que nessa nova rotina a gente se perde. Não se sabe se já são 14h30 ou 17h23. Domingo ou quinta-feira. O dr. Ayres dizia que no seu estado a pessoa fica assim também, sem ter noção de tempo e espaço. Então você não sabe que já passou tanto tempo desde aquele dia. Talvez ache que a dor no peito foi hoje de manhã e que agora já anoiteceu. Ou quem sabe ainda pense que está dentro do carro, procurando vaga para estacionar, ligando o pisca-alerta na esquina do hospital.

Para onde você estava indo? E quais lugares visita agora?

Ouvi dizer que alguns cientistas trabalham com a hipótese da existência de vida nas nuvens de Vênus. É lá que você passa suas tardes eternas sem saber se são 17h23 ou 14h30? Quinta-feira ou domingo? Eu espero que sim.

Eu te espero.

DEIXAR VOCÊ IR NÃO VAI SER BOM

AQUELE SOBRE EUTANÁSIA

Você não vai acreditar, mas há dois meses uma pesquisadora de um programa do GNT me procurou. Ela conhecia as nossas conversas e queria saber se eu gostaria de participar de um episódio que discutia a eutanásia.

Como eu falaria sobre esse assunto tão delicado? Nesses anos todos tenho aprendido a falar de amor, memórias, ausência, resiliência, infinitude, esperança, raiva, desesperança, fé. Mas nunca sobre isso.

Quem sou eu pra julgar a sua vida ou a hora da sua morte? Quem disse que sei se a minha vida é melhor que a sua? Só o que sei é que nossas vidas são absolutamente diferentes. Já te disse uma vez, a minha me parece melhor, mas a sua eu desconheço. Conviver com o diferente será que também não é isso?

Ao mesmo tempo, quem sou eu para julgar quem encontrou na eutanásia a saída para aquele que sofre de modo insuportável e fez desse gesto um genuíno ato de amor e compaixão?

Por isso tudo, decidi que não iria ao programa. Não tenho repertório nem clareza ou propriedade para falar sobre.

O que tenho é um irmão e uma mãe que morre por ele.

Falei para a pesquisadora que você está em estado vegetativo persistente ou em coma vígil. Expliquei que seu único suporte mecânico é a gastro de alimentação. Nada de traqueostomia, respirador ou marca-passo.

Contei que, com o resultado daquele exame que provoca estímulos externos buscando respostas do cérebro, os médicos constataram que sua resposta era muito lentificada, mas não inexistente.

Falei daquela explicação fria e técnica: todas as peças do seu computador não queimaram, mas o computador não liga. Vai ligar? Não dá para saber. E que, claro, o tempo é seu inimigo nesta situação. Há quatorze anos seu computador está no modo soneca. Isso quer dizer que você não tem morte cerebral. Eu não poderia decidir por você, já que você está vivo.

Tem sofrimento? Tem, mas do nosso ponto de vista. Você não parece ter dor. Acho que pelo seu ponto de vista você tem escolhido ficar.

Há uns sete meses fui a uma sessão de microfisioterapia – uma técnica de terapia manual que busca tratar a causa de problemas ou patologias e ajudar o corpo a promover a autocura. Perguntei para a fisioterapeuta se você se beneficiaria com uma sessão dessas. Ela disse que para conseguir resultados era importante interagir com o paciente, o que não seria o seu caso.

Contei um pouco sobre você. Depois de me ouvir – invariavelmente choro –, ela me perguntou se eu não gostaria de te libertar. E que para isso só precisaria de uma atitude simples: falar perto do seu ouvido direito que você poderia ir embora se quisesse.

Naquela tarde, resolvi que precisávamos conversar.

Era setembro. Logo seria o aniversário da Bruna, então resolvi aguardar para ter essa conversa com você. Em outubro, aniversário do Fabio, da Bellinha e o seu. Comemorações e dor não combinam. Adiei.

Depois veio o lançamento do primeiro livro do Lucca e achei que você gostaria de participar dessa alegria por perto – e eu nem consigo imaginar quanto você se orgulharia dele. Novembro já é quase Natal e a mãe não mereceria essa data sem você. Nenhuma mãe merece. A conversa poderia esperar. Esperar até a chegada do Papai Noel e a ingenuidade do Derek em encontrá-lo.

No Ano-Novo sempre existem novas metas e desafios. Vai que você pulou sete ondas internas e tinha planos para 2020. Em fevereiro, a Maria lançou a Blogueirinha do Fim do Mundo e eu nem consigo dimensionar quanto você se orgulharia dela.

Depois veio o Carnaval. Os 14 anos do Fabinho. Meu aniversário e…

Bom, a verdade é que não tive coragem de falar até agora que você está liberado para partir.

Mas por que então só hoje eu quis contar essas coisas para você?

Nesses quarenta dias de isolamento, grupo de risco, vulnerabilidades, é você quem me vem à cabeça toda hora. Desde que começou tudo isso, você já quase precisou ir três vezes ao hospital. Não sei se é terrorismo do home care, não sei se é esse seu jeito destemido e surpreendente. Tenho que praticamente amarrar seu pé na cama hospitalar.

O que sei é que não quero te tirar de casa, porque sei que você não será prioridade para ninguém. E desde quinta-feira temos um novo Ministro da Saúde. O pouco que sei dele se resume a esta declaração assustadora: "Como temos dinheiro limitado, você vai ter que fazer escolhas. Vai ter que definir onde vai investir. Eu tenho uma pessoa mais idosa que tem uma doença crônica avançada e ela teve uma complicação. Para ela melhorar eu vou gastar praticamente o mesmo dinheiro que eu vou gastar em um adolescente que está com problema. Qual vai ser a escolha?".

Existem vidas que valem mais que outras? Existe o deixar morrer e o deixar viver?

Qual a sua escolha, Ita?

A NOSSA CASA QUERIDA JÁ ESTAVA ACOSTUMADA AGUARDANDO VOCÊ

AQUELE DO ÚLTIMO ENCONTRO

Você não vai acreditar, mas só faz quatro meses que fiz aniversário. Parece quase em outra vida. Dia 16 de março entramos, indefinidamente, em quarentena.

A gente desenhou um calendário na parede-lousa aqui em casa. A primeira ideia eram duas semanas de isolamento. Quadriculamos o primeiro mês. Já ampliamos até setembro. Não passamos juntos o aniversário do Derek, do Lucca e da Maria. Será que vamos nos encontrar no da Bruna, em setembro?

Naquele dia 7 de março, meu aniversário, a única preocupação era se faríamos um churrasco ou uma feijoada para comemorar. Deixei para a mãe escolher. Adivinha o que ela preferiu.

Além de nós todos, o Ziza estava lá com o João. Ele é mais da família do que muita gente. E eu convidei a Luna.

A Luna foi te ver pela primeira vez uns meses antes do meu aniversário. Acho que ela estava sem coragem. Ela e eu nos conhecemos para desenvolver uma série que nunca aconteceu, baseada no que estamos vivendo já há quatorze anos. Isso foi em 2015. Nos encontrávamos no mínimo duas vezes por semana para escrever o projeto, mas, mais que isso, para conversar, organizar meus sentimentos, falar sobre você. Sinto falta das nossas comadragens, minhas e suas e as minhas com a Luna, minha amiga genial.

Fiz o convite da comemoração no grupo da nossa família: "Tô com saudades da gente junto, primeira vez de todos nós em 2020. Os aperitivos serão servidos a partir das 11h30. Vai ter música, a gente pode jogar Cidade Dorme e cada um só pode usar o celular três vezes durante o encontro".

Como foi bom! A feijoada estava deliciosa, como há muito tempo não lembrava. Ficamos juntos até a noite. Foi como um óleo essencial de nós mesmos. Teve violão e cantoria, dança e velhas coreografias, risadas e memórias, aperitivos em volta da mesa retangular e sol, muito sol. Mãe, irmão, filhos, sobrinhos, amores, o Ziza, a Luna, cachorros, flores e fotos. E você lá em cima. Seguro.

Fazia tempo que não ficávamos tão conectados uns aos outros durante um dia inteiro. As diferentes rotinas, o tempo sempre apressado, os olhos que não saem do celular sempre atrapalham esses reencontros. Acho que o último aniversário comemorado assim, com tanta presença e entrega, foi o seu, há alguns anos. Caiu um temporal em São Paulo naquele dia. Chuva forte o dia todo. A mãe me pediu para levar seu bolo. Trânsito e árvores caídas no bairro e a casa sem luz há muito tempo. Os telefones sem sinal, em silêncio. Escureceu, acendemos velas, as velas acabaram, conversamos no escuro. Estávamos ali só para você. Percebemos que era também por nós. Foi aquele dia que você experimentou um pouquinho da calda do bolo.

Me lembro sempre desse dia. Como agora me lembro do nosso primeiro e último encontro em 2020 até agora. Depois entramos nesse filme de ficção científica sem prazo para acabar. Talvez o único indício dos tempos difíceis que teríamos pela frente foi quando a mãe se engasgou na hora da sobremesa. Será que era um mau presságio?

Tão estranho isso tudo que estamos vivendo. A nossa casa agora parece um lugar desconhecido, campo minado, com medo de corrimões infectados, degraus inseguros, distância e solidão.

Hoje a preocupação é quando vou poder ver vocês de novo. Os médicos, seu e da mãe, pediram que vocês fiquem o mais isolados possível. Quase impossível.

Vi a mãe três vezes de longe, no jardim da frente. De tão longe que ela, sem óculos, achou que eu estava com a boca aberta ou usando um batom muito forte ou tivesse exagerado no sol sem filtro. E eu só estava usando uma máscara vermelha de pano.

Ter de, a qualquer hora, decidir se você vai para o hospital se tiver alguma coisa é que me apavora. O hospital decidir se tem alguma coisa para fazer por você me agonia.

Nunca imaginei viver isso tudo. Há quatro meses, a gente estava tão especialmente feliz.

Ah, Ita. Já estou com saudades antecipadas. E medo. Muito medo.

E ME LEMBRO DE VOCÊ, DIAS ASSIM, DIAS DE CHUVA, DIAS DE SOL

AQUELE SOBRE OS DIAS DE ISOLAMENTO

Você não vai acreditar, mas dois marimbondos pensaram em começar uma casa em um quadro na parede do meu quarto. É um quadro de flamingo com bolinhas pretas ao fundo. Não sei se isso interferiu na escolha. Acho que sim. Precisei dissuadi-los dessa ideia. Com uma toalha e um travesseiro como escudo, eles voaram pela janela, contrariados.

Como hoje choveu não precisei regar as plantas. Por outro lado, a roupa molhou no varal. Tenho certeza de que sou mais feliz nos dias de sol.

O manjericão reviveu. Precisa de tão pouco para ficar verdinho de novo. Sabe que se você prestar atenção, o manjericão se comunica com você? Sim, porque você molha e ele exala o perfume imediatamente.

Descobri que os trevos-de-quatro-folhas se fecham no começo da noite. Eu não sabia. A sorte também adormece.

Mexendo no jardim, acabei encontrando um anel que eu nem lembrava que tinha sumido. Um elo perdido.

Tem duas teias enormes, com duas aranhas enormes, no meu quintal. Elas têm amarelo nas costas e patas listradas. Uma delas ganhou até nome, Adelaide. Fizemos um pacto silencioso: elas não descem de lá e eu não as tiro dali. Adelaide chegou a extrapolar os limites e lançou a sua teia no varal. Empurrei com o pano de prato. *Disciplina é liberdade.*

Finalmente consegui que os passarinhos viessem comer as frutas que deixo na minha varanda. Sabiás, bem-te-vis, maritacas. Dá uma felicidade. Agora já sei que eles preferem o mamão, porque as mangas e as bananas não fizeram sucesso. Eu como a polpa e eles as cascas e as sementes, que depois caem no jardim e nascem as frutas que vou comer novamente. Isso é tão *O Rei Leão*.

E acredita que é mesmo verdade que os últimos mamoeiros ficariam baixinhos, já que a do Carmo plantou ajoelhada as sementes? Quando ela voltar, depois da pandemia, vai ficar muito feliz em saber. Colhemos vários mamões só levantando o braço. Isso é tão mágico e mostra que a gente não sabe de nada mesmo.

Talvez eu não limpe tão bem a casa. Falo isso porque tenho reparado em insetos que nunca tinha visto por aqui. Como aquelas traças chegam tão rápido nos cantos? Elas se arrastam até lá? Voam e preparam um casulo pendurado? Estouram que nem pipoca? Bicho besta as traças.

Semana passada, vi pela janela um carro estacionado aqui na frente. No teto do carro, uma escultura grande de um inseto com uma trouxa de roupas nas costas. Achei que fosse carro de bufê infantil, mas não – era um carro de controle de pragas. Um cupim de mudança é uma imagem bem pouco poética.

Sabia que eu uso todos os dias aquela sua panela wok? Sim, roubei. Foi com ela que me aventurei na cozinha nessa quarentena. Tem dado certo. Finalmente faço uma comida comível.

Tenho mais simpatia por joaninhas redondas. As ovaladas parecem besouros disfarçados. Não acredito que realizam desejos. Pode ser puro preconceito.

A alegria atende pelo nome de Ska, cachorro que herdei do Fabio, depois que os quatro dele começaram a brigar disputando o espaço e o coração da família. Para evitar o pior, a Dani achou por bem dar para a gente o Scar. Ele estreou por aqui como Ska, já que em casa todos os cachorros têm nomes de estilos musicais: Jazz, Folk e Indie. Só faltava ele para deixar a nossa vida completa e em harmonia. Os dias pandêmicos teriam notas ainda mais tristes e desafinadas sem a presença dele.

Minha primavera nunca esteve tão bonita. O outono já vai acabar e a gente viu a estação passar pela janela. Que privilégio estar em casa. Ter casa. Frei Beto chama isso de loteria biológica.

"No outono as árvores aprendem a difícil missão de desapegar, deixar ir. Na primavera elas entendem o motivo." Li essa frase, achei bonita, guardei e não lembro de quem é. Não foi agora, porque não tenho conseguido ler nada esses tempos.

Bom, acho que é isso. Falar de amenidades cotidianas silencia de alguma forma o barulho interno que a sua lesão na perna e a tragédia das 44 mil mortes me causam. As duas vão demorar para cicatrizar.

DEUS FARÁ ABSURDOS CONTANTO QUE A VIDA SEJA ASSIM

AQUELE SOBRE O ALINHAMENTO DOS PLANETAS

Você não vai acreditar, mas hoje meu relógio apitou às 5h23. Da varanda do meu quarto fui procurar os cinco planetas visíveis, um fenômeno raro. Mercúrio, Vênus, Marte, Júpiter e Saturno se encontrariam uma hora antes do nascer do sol. Em 2005, o ano em que você dormiu, eles também estiveram ali. E eu não vi.

Há quanto tempo eu não olhava para o céu! Há quanto tempo eu não via o sol nascer! Sabe que a Bruna me mostrou um aplicativo chamado Star Chart? Você aponta o celular para uma estrela e descobre o nome dela, vê as constelações, descobre os planetas. Incrível.

E foi assim. Quando sosseguei o olhar e me entreguei à escuridão, Vênus apareceu brilhante, Marte no meio do céu, Saturno e Júpiter atrás dos prédios e, portanto, invisíveis para mim, e Mercúrio subindo antes do Sol. Mágico. Sensação de viver na vida real as bolinhas de isopor espetadas por palitos nas placas brancas das aulas de Ciências. A Ciência é sempre maiúscula.

Me levantei cedo para ver a madrugada, porque busco ainda explicações paranormais para entender você. É como se eu procurasse as pedrinhas brancas que João e a Maria jogaram no caminho para poder encontrar você.

Como a pandemia era uma realidade tão distante – quanta ingenuidade! – depois de ela acontecer acho tudo possível.

A sua lesão na perna parece a Via Láctea. As cores. O formato. Demorei a entender o que ela me parecia. Confesso que também me lembra a representação artística de um buraco negro. Ele que é resultado da morte de uma estrela. Ele que, apesar de invisível, suga tudo e nem mesmo a luz consegue escapar.

Agora em maio, surgiu o indício de um possível universo paralelo que funciona num tempo contrário ao nosso. A explicação é que no momento da explosão do big bang, dois universos foram criados. Um é o nosso. O outro, sob a perspectiva do tempo na Terra, está indo ao contrário. É lá que você está, voltando o tempo para trás?

Juntei minhas pecinhas nesse quebra-cabeça sobrenatural e em que sempre sobram buracos. Pensei assim: em 2005, os planetas ficaram visíveis e você dormiu. Em 2020, de novo os planetas no meio do céu e no meio de uma pandemia que tem sugado tudo e é impossível ainda ver a luz na escuridão. O medo é de sossegar o olhar e se acostumar com os invisíveis, morrendo como estrelas, em uma constelação de histórias perdidas.

E então penso, Ita, que você, vivendo numa realidade distante, nesse universo paralelo onde o tempo corre ao contrário, decide abrir na própria carne o portal em forma de Via Láctea e finalmente voltar *para realinhar as órbitas dos planetas.*

Volta, Ita, a gente ainda precisa de você. Talvez estas palavras sejam feitas para você:

"Não te rendas, por favor, não cedas. Mesmo que o frio queime, mesmo que o medo morda, mesmo que o sol se ponha e se cale o vento. Ainda há fogo na tua alma, ainda existe vida nos teus sonhos."

Só vem...

MEU AMOR ALIVIA E ACALMA, É O REMÉDIO PRA ALMA PRA QUEM QUER SE CURAR

AQUELE SOBRE A LIGAÇÃO DE VOCÊS

Você não vai acreditar, mas na medicina chinesa o pulmão é onde mora a alma. "O pulmão está intimamente ligado à essência, que liga a mãe e o novo ser formado. Assim, é o primeiro a vir existir após a concepção."

Trocando em miúdos, você e a mãe estão intimamente ligados. Desde antes do nascimento até essa contínua eternidade. Vocês dois separados por ruas e postes, mas com um visível fio invisível entrelaçado.

Almas gêmeas e todos os outros clichês.

Uma semana de conversas difíceis sobre destinos.

Para Freud, na ligação entre a mãe e o filho não cabem interferências. Para vocês dois, com pneumonia, essa ligação é um pacto silencioso do qual o Fabio e eu não fazemos parte.

Vocês estão decidindo o que fazer. Agora nos cabe pedir e esperar.

Quantas esperas… Há quinze dias. Há quinze anos.

Você não é dado a previsões. Sempre prefere ser surpreendente. Pode ser hoje ou nunca mais.

Confesso que você me tirou um pouco da mãe, eu precisava te dizer.

Li que a esperança tem seus limites. Acho que da minha caixa de Pandora ela escapou.

A vida há de ser muito mais do que um corpo desobediente. Dois corpos desobedientes. E esperas.

"Os pulmões são diretamente afetados pela tristeza, na sensação de aperto do peito e dificuldade de respirar."

Eu peço alívio, calma e cura.

MEUS OLHOS MOLHADOS, INSANOS DEZEMBROS

AQUELE EM QUE ME DESPEDI DELA

Você não vai acreditar, mas a conversa não é com você.

Mãe, me atrapalho com as luzes de Natal começando a aparecer nas noites da cidade. Falo também das tâmaras e uvas-passas em destaque nos mercados. Porque sempre vai faltar você nesse cenário.

As flores da yucca trouxeram o cheiro de outros verões. Já estaria na época de você fazer listas: das frutas frescas, das coisas para as farofas, dos purês, das rabanadas, das sobremesas, dos 374 presentinhos.

A roupa do Papai Noel sempre foi nosso maior desafio: como ela sempre some de um ano para o outro? Será que ele existe afinal? Por que deixamos para a última hora? Onde estão os óculos, as botas, o cinto, o saco? Lembro que há três anos a barba foi uma peruca da Frozen adaptada, era o que ainda tinha na loja.

Não dou conta de montar a árvore e espalhar os seus enfeitinhos pela casa. Talvez a gente crie outras memórias e coma hambúrguer ou japonês na noite de Natal. Nada vai ter o mesmo sabor.

Sinto falta quando tenho alguma dúvida, alguma dor. Você sabia sobre todas as coisas: a infusão das folhas de arnica no álcool, a compra de mandiocas nos meses sem a letra R, o dia de cada Nossa Senhora, a nódoa de cada fruta, quando e quanto molhar as diferentes plantas, como ficar muito amiga de alguém que acabou de conhecer, em que momento contar que você é irmã do Zé de Abreu.

Essa sua sabedoria do interior e que repetida tantas vezes se tornou Ciência. Queimar folha benta nos dias de temporal, cobrir os espelhos, falar "Santa Bárbara" a cada raio cortando o céu, cantar para atrair vaga-lumes – "vaga-lume tem teem, seu pai tá aquiii, sua mãe tambééém" –, desvirar sapatos para a mãe não morrer. Não desviro mais os meus.

Onde vou guardar as personagens das histórias da sua infância? O Pecó, a Bepa, a Belém, o Chico pó de arroz, o Tunim pipoqueiro, as irmãs Guatapará? O Quinzinho e a Nena, trabalhadores da Planalto e pais do Jaiminho, menino com quem você brincava e que morreu de tifo – achava triste que por causa da morte dele, para sempre você teve um aperto no peito no horário que tocava o sino da matriz. O Ita dormiu nesse horário. Suas lágrimas então eram velhas e antecipadas?

Gosto de imaginar que todos os seus medos desapareceram nesse outro lugar e então você só está feliz.

Será como na sua história favorita: Elvira no País das Maravilhas. *Seu gatinho vai ter um lindo castelinho e andar todo bem vestidinho nesse seu mundo só seu.*

Você vai vestir a faixa de rainha dos jogos abertos, comer goiabada e bala de nozes e visitar um pomar cheio de ameixa do Japão, caju, limão-cravo, mexerica, macaúba e cabeludinha.

Não existem tempestades com relâmpagos e trovões por aí. Só chuvas rápidas de verão que molham a grama e fazem subir um cheiro de terra molhada, aroma que se chama petricor.

E quando as chuvas demorarem você vai regar os jardins, especialmente os manacás – por que nunca te plantei um manacá?

Você vai ver de novo o pôr do sol da praia de Copacabana. E de novo. E de novo. E mais uma vez. E vai parar em todos os camelôs e comprar argolas prateadas e óculos de sol.

Como o Jack espera a Rose nas escadas do Titanic, o pai te recebeu nos degraus da eternidade, lindo, feliz em te ver e, de mãos dadas, vocês vão encontrar o Itinha, a vó Gilda, o Raul, o Rodrigo, a tia Clara, a tia Zita, a tia Irene, a tia Amélia, a tia Maria Gilda…

A vó Silvinha vai abrir a porta e dizer: "Meu Deus, que moça colorida!". E você vai estar de vestido coral plissadinho.

Fly away, skyline pigeon, fly. Towards the dreams you've left so very far behind.

Como eu amo ser sua filha. Agora voa em direção aos sonhos que você deixou para trás.

WOULD YOU KNOW MY NAME IF I FOUND YOU IN HEAVEN?

AQUELE SOBRE INDEPENDÊNCIA E MORTE

Você não vai acreditar, mas você morreria no dia 16 de setembro, quinze anos atrás, no final da tarde. Eu pendurava fotos antigas na parede da minha casa um pouco antes do telefone tocar. Era um dia comum. Comum demais para morrer.

E então você deixou para morrer no meio de uma pandemia, numa "emergência de saúde pública de âmbito internacional". Deixou para morrer em uma data comemorativa, feriado nacional. Deixou para morrer no dia 7 de setembro, o número da perfeição e que integra os dois mundos.

Sua independência e morte. Pausa para suspirar. Mas não foi em vão.

Porque durante muito tempo eu pensava assim. Se você não acordasse teria sido só dor, espera e fim. Teria sido em vão. Mas não sinto mais desse jeito. Tem lágrima, mas são salgadas, não amargas.

As nossas conversas trouxeram para perto tanta gente, tanto afeto, tantas histórias.

Você foi leitura aos domingos. Você inspirou música, reportagem na imprensa. Você fez amigos desconhecidos. Você virou este livro. Você virou oração.

Você é minha pedra, Ita.

O que aconteceu com você clinicamente nos últimos dias foi gatilho para acionar o Protocolo de Londres. Sabe o que é isso? Uma investigação profunda para não acontecerem faltas ou incidentes nos serviços de saúde. Em outras palavras, até quando você partiu, socorreu quem ainda precisa de ajuda médica. Você fez pelo outro.

Claro que tem dor. Na última quarta-feira, no próprio dia 16, foi o dia de desmontar seu quarto. Levaram a cama e a cadeira de rodas. Doei as roupas, as mantas e os cobertores. Guardei as fotos do quadro de ímã. Há quinze anos, eu pendurava fotos. Você foi generoso em esperar tanto tempo para eu poder aprender a me despedir.

A saudade é arrumar o quarto... Foi mesmo mágico a mãe ter ido embora antes de precisar cantar o fim desse verso. Ela não merecia perder você duas vezes. Ninguém merece. Pode parecer mentira, mas ela sempre disse que vocês tinham um combinado: iriam embora juntos. Muitas vezes vi ela sussurrando no seu ouvido sobre isso.

Eu ouvi tanta coisa bonita sobre a partida de vocês dois ter sido tão próxima. Nem quarenta e oito horas depois de você a mãe também foi embora. Uma querida me disse que era como o último capítulo de uma temporada de uma série, que faz chorar, mas que pensar em você e a mãe acordando juntos é "o fim mais lindo que alguém poderia imaginar".

A mãe era o seu anjo da guarda – e eu que sempre pensei que você fosse o dela.

Na conversa "Almas com perfume de jasmim", eu contava sobre os seis sobrinhos: os meus três e os três do Fabio. "Sabe, as meninas são mulheres alfa, fortes, inteligentes, decididas. Os meninos, os três, são anjos disfarçados." Tem coisas que não mudam.

A Bruna coloca os verbos da minha vida e da vida de quem ela ama no passado: "já comprei, já resolvi, já levei…", deixando os dias e o pretérito perfeito.

O Lucca transforma os dias em poesia, mesmo os da pandemia, mesmo os muito doloridos, mesmo os mais banais. Ele me empresta as asas e a coragem.

A Maria traz um novo olhar sobre as coisas e me orgulha em cada decisão. Se perdendo nos olhos-d'água, a gente pensa no que nem poderia imaginar. Nesses dias, ela me pegou pela mão.

A Bella é a mais ponderada de todos nós. Ela suaviza a passionalidade dos Bopp, vê os dois lados em tudo, é evoluída e alquimista.

O Fabinho fala exatamente o que cada um quer ou precisa ouvir. Ele sabe como ser surpreendente.

O Derek é câncer, com ascendente em câncer e lua em câncer. Preciso dizer quem será o guardião da família?

A gente vai precisar aprender os natais sem vocês, os aniversários, os almoços de domingo, as celebrações todas. Vai doer, mas temos as mãos uns dos outros.

Esqueci de dizer que chorei quando vi no seu armário aquele All Star branco, de cano alto, que o médico pediu para comprar quando você dormiu. Você nunca usou, mas soube ali que nossos passos seriam diferentes.

Depois do All Star de cano alto, preciso dizer que tenho algumas conversas *que não terminamos ontem, ficou pra...*

CONTA COMIGO

"Por todas as semanas, e meses, e os anos –
sem fazer conta do se-ir do viver."

"Apertava o coração. Ele estava lá, sem a
minha tranquilidade."

"De que era que eu tinha tanta, tanta culpa?"

"A terceira margem do rio".
Guimarães Rosa. *Primeiras Estórias*, 1962.

TEXTO DO DR. IRAN GONÇALVES JUNIOR, MÉDICO QUE CUIDOU DO ITA E QUE SE TORNOU MUITO PRESENTE NAS NOSSAS VIDAS

A história conta que o bloco de mármore esculpido por Michelangelo para originar Davi ficou aguardando trinta e seis anos para ser utilizado.

O bloco foi adquirido dez anos antes do nascimento de Michelangelo e esperou pacientes vinte e seis anos para se deixar ser trabalhado.

Intimidou escultores com seu tamanho. Foi esquecido.

Aguardou, como os profetas do Velho Testamento, por aquele que estava por vir, aquele que reinstalaria a glória em Israel.

O tempo do homem não se confunde com o tempo apropriado a D'us.

Aguardou o que tinha que aguardar.

Não esperou em vão. Reconheceu a criatura anunciada e permitiu-se desnudar, mostrar as entranhas, mostrar sua glória, parir Davi.

Michelangelo, o parteiro, transformou pedra em sangue e carne.

Há quatorze anos, um amigo resolveu dormir, não como uma metáfora da morte, mas como um exemplo da vida improvável que se agarra e se desenvolve nas encostas dos penhascos e nas pedras onde as ondas arrebentam.

Quando se pergunta para ele o porquê dessa escolha, não responde.

Mudo como um bloco de mármore, guarda em mistério o segredo que não quer falar, afinal essa é a única forma de se manter um segredo.

É perturbador um segredo de família, todos queremos saber.

A intimidade cobra seu quinhão da privacidade, mas elas não se entendem muito bem. Não falam a mesma língua.

Era mais fácil com a esfinge: "Decifra-me ou devoro-te". O mistério era dito em alto e bom som e, convenhamos, não era muito difícil de ser interpretado.

Sem poder fazer a pergunta, resta apenas o aterrador "Devoro-te", sem nada mais, consequência cruel do segredo misterioso e silencioso.

É situação que angustia, é injusta, é cruel, é jogo sujo, sem o tal "fair play" que parece desculpar de antemão todas as agressões da partida que se inicia, do jogo da vida.

O "devoro-te" é para valer. A cada dia, a cada primavera, a cada aniversário, um pedaço dos que vivem esse mistério é consumido.

Ninguém quer ser devorado, há uma tendência à autopreservação nos seres. Não queremos sucumbir pela posse de um segredo, mas o risco existe e é palpável, onipresente, desafiador.

Há também uma grande caridade em alguns seres especiais que querem sempre defender os outros de serem devorados.

Desafiam o risco de perseguir o que não quer ser dito e tentam abrir uma trilha no caminho fechado do silêncio.

Há cinco anos, um desses seres especiais começou a cuidar para que a família não fosse devorada pelo mistério.

Começou a dizer o indizível em seus textos, desistiu de querer decifrar o indecifrável e passou a semear com seus escritos a calma que acalma a alma.

Semeou para os velhos, para os contemporâneos e para os da nova geração.

Nessa semeadura descobriu que não há pergunta, então não há resposta. Não há mistério, então não há segredo. Não há "Decifra-me", então não há "Devoro-te".

Há apenas aquela vida improvável dos penhascos e rochas.

Sem se dar conta, fez a esfinge muda falar ou, melhor dizendo, deu palavras a quem não tem voz, fez reviver a memória de quem se julgava morto.

Colheu muito. No início a gente não percebe quão rica é a colheita, depois percebe.

A vida do outro volta na calma que se aninha novamente na família.

Escrito assim pode parecer coisa fácil, coisa pouca. Não é. É processo duro de desmonte de expectativas e reconstrução de outras menos atraentes, mas quem pode dar um juízo de valor na vida do outro?

Os textos deram resultado, ficaram mais raros à medida que a paz se instalava e eles eram menos necessários.

Michelangelo esculpiu pedra, foi parteiro.

Bettina, profeta que espera o tempo propício, esculpiu sangue e carne, mas não foi a parteira, foi a parturiente.

Pariu toda a família novamente, pariu avó, mãe, pai, o irmão que dorme e o irmão que vela, pariu filhos e sobrinhos.

Aguardou o que tinha que aguardar. Não esperou em vão. Viva Bettina!

TEXTO DO ZÉ PAULO, AMIGO DO ITAMAR, MEU EX-MARIDO E PAI DOS MEUS FILHOS

Você não vai acreditar, mas o Zé Paulo te chamou de filho da puta. Da maneira mais bonita, doce e carinhosa que alguém poderia ter chamado. Olha só:

"Num jogo noturno de futebol de salão, jogando pela empresa de um amigo, após entrada dura do goleiro adversário, levantei e lhe dei uma peitada, de leve, só pra não deixar barato.

De imediato, ouvi improváveis sapatos sociais pisando firme na quadra. Era um amigo mauricinho do meu amigo boleiro que entrou na quadra pra me perguntar se eu estava bem e já arregaçando as mangas da camisa pra dar no sujeito-goleiro.

Rindo do inusitado, o acalmei dizendo que estava tudo bem, era coisa normal do futebol, não precisava brigar…

Foi assim que conheci o filho da puta do Itamar.

Pra ele me convidar para a festa de aniversário da irmã, que eu nem conhecia, mas com quem viria a me casar, foi questão de semanas.

De gargalhada fácil numa bocarra cheia de dentes, daquele libriano que não sabia dizer 'não' a ninguém, gentil, educado, solícito e bem-humorado, foi fácil ficar amigo.

Péssimo em pontualidade, excelente na morte do meu pai, cheio de superstições, sapatos, coletes, meias, perfumes e namoradas, o filho da puta do Itamar era capaz de, rezando um Pai Nosso, tirar a dor quando impostava suas mãos enormes, que então ferviam.

Tão médium quanto cagão, soubera ainda jovem que era um protegido quando não herdou nenhuma cicatriz após grave acidente de moto.

Tão inteligente quanto preguiçoso, jamais se furtava a ajudar as pessoas. Quaisquer pessoas sob quaisquer problemas. Assim poderia ter sido médico, advogado, economista, ou nenhuma das anteriores.

Quando nem os médicos sabiam do que se tratava, curou-se sozinho da hoje endêmica síndrome do pânico. Sem remédios. Apenas ar-condicionado no talo e Halls preto. Ambos ao mesmo tempo.

Primogênito mimado, era o Itamar III do clã dos Bopp.

Bom neto, honrando o sobrenome, tratava a todos dos que gostava como se fossem da família. Aliás, mal de família.

Por tudo isso – e quanto mais? –, apesar das conversas que tivemos, passei anos não entendendo por que o filho da puta do Itamar, mais do que tio dos meus filhos, resolveu levar uma vida medíocre.

Alguém grande não caberia numa vida assim.

E não coube.

Um libriano de tudo ou nada, hoje vive e não vive."

TEXTO DA PAULA ANDRADE DATE, MINHA AMIGA DE ADOLESCÊNCIA E MUITO AMIGA DO ITAMAR

Você não vai acreditar, mas hoje é a Paula quem conta comigo o mundo pra você. Ela é uma das pouquíssimas pessoas que continua me chamando do apelido que você me deu na adolescência: Alpert – e assim como é das poucas que chama a mãe de Mareu. Pra mim, ela sempre será a Andra, minha irmã de alma. Olha só:

"Para seguir na tradição da Alpert... Você não vai acreditar, mas eu ainda lembro da última vez que nos vimos antes d'eu me mudar para cá: foi no dia de Natal em 1995 e você já estava todo arrumado e perfumado para ir ver alguma namorada ou amigo – não sei, mas já naquela época a gente não se via muito. Coisa de virar adulto e ter que cuidar da seriedade da vida. Mesmo assim a gente se abraçou pelo Natal, pelas saudades e pela amizade, claro!

Depois só fui te ver já na cama, dormindo – depois dos tantos anos que fiquei sem ir para o Brasil. Soubesse eu que seriam todos esses anos, teria prolongado o abraço...

Também me lembro da primeira vez que visitei os Bopp (a minha memória me persegue!). Eu fui subindo aquela rua sem saída meio que pensando: como pode ser que sempre moramos tão perto e nunca nos conhecemos? Foi conexão imediata – o meu encantamento com o sorriso mais simpático da Mareu e a beleza da família que deixa a gente em transe. Os Bopp são assim! Daquele momento em diante só coisa boa: até viagem de centenas de quilômetros no porta-malas da Caravan, competição de quem consegue guardar mais biscoito recheado na boca, conversas que vão pela madrugada, sessões de vídeos, aulas de direção (foi você quem teve a paciência de me ensinar a dirigir!), festas, praia, risada, muita risada.

Como pode ser que você, sendo essa pessoa tão importante na minha vida, tenha ido dormir sem que a gente tivesse se falado por dez anos? Sem me dar boa-noite? Você ainda não conheceu as minhas filhas, o John...

Desde que você foi dormir, entrou na minha frequência de sonhos – sempre lorde, elegante e bonachão. Sempre feliz!

Muitas vezes me pego vendo carros novos sendo lançados e pensando como você vai gostar deste ou daquele modelo.

A Alpert escreve este blog[3] e eu vou aprendendo tantas coisas desses meus quase vinte anos de ausência – vai despertando a todos! Impossível não se mover com tamanha delicadeza das narrativas... (e ela achava que eu era a memória dela?)

Ita, eu lembro, lembro e lembro. Das coisas corriqueiras, do esguicho de garganta no cinema confundindo os que se sentavam na frente (nunca conheci ninguém que tivesse o mesmo talento), das partidas de voleibol que cortavam as pontas dos seus dedos, dos sustos que você gostava de dar...

Tem tanta coisa que você não vai acreditar – e coisas que a gente vai ter que verificar juntos, pois muitas delas eu estou descobrindo com você, através do blog.

E nós dois temos de agradecer a Alpert por essa iniciativa tão generosa ao nos emprestar essas memórias e a experiência pessoal dela nesse processo de despertar-nos todas as sensações. Te aguardo no próximo domingo!"

---

3. Texto escrito ainda na época das postagens na internet.

"Os tempos mudaram, no devagar depressa do tempo."

"A terceira margem do rio".
Guimarães Rosa. *Primeiras Estórias*, 1962.

UMA DESPEDIDA

Maria Bopp

Era 16 de setembro de 2005, uma sexta-feira. Minha mãe e irmã estavam em casa comigo, meu irmão estava na casa do meu pai. O telefone de casa tocou no andar de baixo. Eu estava com os cabelos encharcados diante do espelho, começando a me arrumar pra ir em uma festa, quando senti a reverberação de passos fundos e apressados subindo a escada. Isso antecipou a entrada desesperada da minha mãe no quarto, com o rosto pálido, olhos arregalados e voz seca. "O Itamar está no hospital". Eu e minha irmã tentávamos acalmá-la, em vão, enquanto ela se arrumava atrapalhadamente pra sair de casa.

No caminho, uma sexta-feira assustadoramente comum. Uma briga de trânsito, bares cheios de pessoas alegres, no outdoor uma propaganda com a Gisele Bündchen. Da janela pra dentro, minha mãe rezava alto, em pânico, com a voz desafinada. Lembro-me de cobrir meus ouvidos e esconder o rosto entre minhas pernas, desejando que tudo fosse um pesadelo. Na porta do hospital, encontramos meus avós e meu tio Fábio igualmente fragilizados e aos poucos fomos entendendo o que tinha acontecido. Meu tio Má se sentiu mal no trabalho. Correu pro hospital e enfartou nos braços do médico. Quarenta minutos de ressuscitação. O coração voltou a bater, mas esse tempo estendido de falta de oxigenação no cérebro deixaria prováveis sequelas neurológicas. Vi meu avô chorar pela primeira vez. Ouvi minha vó repetindo, aos soluços: será que ele sentiu medo? Com minha roupa de moletom verde escuro e o cabelo ainda úmido, olhei para a porta espelhada daquele hospital gélido e no meu reflexo vi uma menina já muito diferente daquela de quarenta e cinco minutos atrás.

Eu tinha 14 anos.

Um trauma como esse mexeria com as estruturas de qualquer família, mas pra muitas pessoas não necessariamente deixaria marcas tão profundas. Tem gente que tem uma relação distante e protocolar com os tios. É só aquele parente do pavê-ou-pacomê que você encontra nas festas de Natal ou o cara inconveniente que manda fake news no grupo da família. Mas não o Má. Ele era próximo, atento e generoso. Tá bom, rabugento também. Esquentado e doce, como todos os Bopp. Lembro-me das mãos imensas, da gargalhada de voz grave, do cheiro de perfume misturado com couro novo do banco dos carros.

Desde que me conheço por gente, almoçávamos todo sábado e domingo na casa da minha avó. Meus tios sempre estavam lá, muitas vezes emprestando suas figuras masculinas paternas pra mim e meus irmãos, três crianças de pais separados. Nos encontros da nossa pequena família, me sentia cercada por uma multidão. Somos muito unidos e sempre fui permanentemente acolhida, respeitada e incentivada. Uma vida de sorte.

Aquela sexta-feira 16 foi minha primeira noite de azar. O meu big bang de dores muito adultas. O coma é cruel. É uma perda diária. Um luto que não é bem um luto, de uma morte que não é bem uma morte, pois há uma vida que certamente não é uma vida. Suspensão, incerteza e uma impotência esmagadora.

Nos primeiros meses, até anos, tive fé. Mas quando via minha vó sussurrando no ouvido do filho, "vem almoçar, Ita", fui me endurecendo. Tive muita raiva. Por muitas vezes me perguntei se não teria sido melhor ele ter morrido naquela noite. Teríamos vivido um susto terrível, mas a dor não se dilataria tanto. Se algum enfermeiro contava que ele estava mais presente, que ele mexia os olhos ou balbuciava alguma palavra, eu me sentia gelar. Só queria que meu tio não tivesse nenhuma consciência de sua condição. Decidi parar de vê-lo pessoalmente. Não queria chamar seu nome ou pedir pra ele me escutar. Por que trazê-lo à margem se eu não tinha nenhum poder de tirá-lo do mar? Preferia deixar ele e minha esperança à deriva.

Me tornei absolutamente descrente. Até estar, mais uma vez, em frente a um bolo de aniversário e ao assoprar a vela, ouvir alguém gritar: "faz um pedido!". Passamos por quantas brechas ingênuas como essa ao longo da vida? Tem o pedido rápido após olhar furtivamente o relógio e ver que são 11h11. O desejo invocado com força, apertando um dedo contra o outro, depois de pescar um cílio na bochecha de alguém. O pedido cheio de esperança em cada uma das sete ondas. E tem também aquele desejo mais raro, e portanto muito valioso, ao testemunhar uma estrela cadente rasgando o céu. Durante quinze anos, eu fechava os olhos e não havia ceticismo ou resignação que barrasse o grito mais profundo e verdadeiro do meu coração: que o Má acorde. Como manda a superstição, mantive meu pedido em segredo pra não quebrar o encanto. Eu quis muito ter o meu tio de volta. Eu queria esse telefonema. O reencontro, as novidades, minha família em festa. Meu desejo não se realizou. Mas ele deu espaço pra outros milagres. A espera prolongada reavivou um dos maiores talentos da minha mãe: o de contar histórias.

Não que fosse uma novidade. Cresci com ela lendo *O Pequeno Nicolau* pra mim e meus irmãos antes de dormir, montando teatros caseiros com marionetes do folclore brasileiro, escrevendo peças de teatro pra oficinas da escola e pro mundo real. Mais que isso, minha mãe sempre teve a habilidade de transformar o cotidiano em fábula. Desde a maneira alegre que ela narra seus sonhos até como me conta, desde pequena, a história do porquê me chamo Maria. Como uma roteirista, ela junta um trecho de uma notícia que leu no dia, faz conexões inesperadas com alguma memória de infância e chora desavergonhadamente com o significado do enredo que ela mesma criou. Sou apaixonada pela maneira que a minha mãe enxerga o mundo. Admiro, sobretudo, como ela conseguiu transformar sua maior tribulação em poesia. Porque ver beleza no que é simples é fácil, difícil é achar naquilo que é complexo e impenetrável.

E assim foi com o blog. Minha mãe tomou seu tempo pra sentir o golpe. Vi ela perder o chão e o recuperar de volta quando finalmente colocou suas palavras pra andar. A cada domingo, um texto novo. Ríamos e chorávamos ao evocar memórias e presentes possíveis. Minha mãe se reacendeu. Durante a semana, ela nos mandava por e-mail a crônica recém-escrita e pedia sugestões. Lucca e eu dávamos alguns pitacos, mas a editora de todos os textos foi a Bubu. Eu confesso que adorava ser só mais uma leitora. Gostava de elaborar minhas angústias através dos olhos da minha mãe. Não só eu, mas milhares de pessoas diziam a mesma coisa. Eram inúmeros comentários de como o blog as ajudava a amenizar um luto, valorizar pequenos prazeres ou atravessar fases difíceis.

Minha mãe teve a coragem de abrir sua ferida porque foi assim que ela descobriu como curá-la. Os anos após a criação do blog foram infinitamente mais leves que os anteriores. Pode ser também pela bendita passagem do tempo, mas não tenho dúvidas que ao expor sua maior vulnerabilidade, minha mãe nos presenteou com um caminho mais curto pro alento e compreensão. E assim, em setembro de 2020, quando as mortes do Má e da minha vó chegaram de mãos dadas, as recebemos serenamente como velhas amigas que já nos davam sinais de sua visita.

Esse livro é a materialização do processo de restauração da minha família. E a concretização de um desejo. Diferente de mim, minha mãe desobedecia a superstição e sempre manifestava sua vontade de um dia publicar esses escritos. Mas perto do prazo de entrega, a percebi um pouco fragilizada, como há muito não via. Minha mãe hesitou diante do medo de uma nova despedida. Dessa vez, definitiva. Onde ela teria espaço pra contar sua novidade? O movimento natural seria dar uma nova entrada em um texto: "você não vai acreditar, Ita, mas estou realizando um sonho. O blog virou livro!". Gosto de pensar que de onde ele está, com o sorriso largo que só o meu tio tinha e o perfume inconfundível de quem agora vive com os anjos, o Má diria:

— Eu sempre acreditei, Bê.

Obrigada, mãe, por escrever não só um final feliz, mas o início-meio-e-infinito da nossa odisseia particular.

"Os tempos mudavam, no devagar depressa dos tempos."

"A gente teve de se acostumar com aquilo. Às penas, que, com aquilo, a gente mesmo nunca se acostumou, em si, na verdade."

"A terceira margem do rio".
Guimarães Rosa. *Primeiras Estórias*, 1962.

AGRADECIMENTOS

Assim como Penélope, também por anos esperei a volta do Itamar. Ainda que esperasse por Ulisses, Penélope não tecia porque esperava, ela fazia e desfazia da sua própria dor. Tecia para cuidar de si mesma.

Li uma vez que *a espera é uma contagem regressiva da esperança que Penélope coloca nos laços e nós de sua tapeçaria.*

Enquanto esperei, eu também escolhi os fios, combinei as cores, usei novas paletas, inventei as imagens, desatei os nós, amarrei outros, desfiz os caminhos, rasguei as tramas e criei muitos, muitos laços. Durante todo esse tempo precisei confiar.

"Confiar" é fiar junto. Aqui meu imenso agradecimento e amor por quem teceu essa espera comigo.

Pai e mãe, *eu sem vocês não tenho porquê, porque sem vocês não sei nem chorar. Sou chama sem luz, jardim sem luar, luar sem amor, amor sem se dar.* Mesmo na dor e mesmo na ausência, vocês me acolhem.

Bruna, Maria e Lucca, meus filhos, *depois de ter vocês, poetas para quê? Os deuses, as dúvidas, pra que amendoeiras pelas ruas? Para que servem as ruas, depois de ter vocês?* Por causa de vocês, tudo é sempre mais leve e divertido.

Fabio, *vai por mim, somos corpo e alma, meu irmão, meu par.* Você se multiplica.

Dani, cunhada-irmã, *o amor é como a rosa no jardim. A gente cuida, a gente olha, a gente deixa o sol bater pra crescer, pra crescer.* E você esteve comigo pra cuidar e fazer crescer tanto amor pelo Ita.

Isabella, Fabinho e Derek, meus sobrinhos amados, *eu penso em vocês desde o amanhecer até quando eu me deito. Seus olhos, meu clarão, me guiam dentro da escuridão.* Meu coração bate em outra casa também.

Giulia, minha Giubi, *seu olhar me tirou daqui, ampliou meu ser, quero um pouco mais.* Quero sempre você.

Luna, minha Luna azul, *you know just what I was there for, you heard me saying a prayer for someone I really could care for. Blue moon, now I'm no longer alone.* O Ita me trouxe você.

Amigos e amores dos meus filhos, vocês foram sempre a *onda do mar do amor que bateu em mim.*

Gi, Fabi, Ana, Cida, do Carmo, Renato, Seu William, França e Jair, cuidadores que viraram família, obrigada *por tanto amor, por tanta emoção.* Vocês foram meus olhos, meus braços e meu coração quando eu não podia estar por perto.

Paty, Sil, Mari, San, minhas queridas, *quem tem uma amiga tem tudo. É um ombro pra chorar depois do fim do mundo.*

Kau, amiga do Ita que foi antes dele, *abre a janela agora, deixa que o sol te veja, é só lembrar que o amor é tão maior.* Certeza de que ela abriu as cortinas pro Ita.

Fernanda, Luciano, Theo, Ana, Cristiano, Bia, Ique, Fer, João, Manuela e George, minhas primas e meus primos, quero vocês como minha família em *sete mil vidas, sete milhões e ainda um pouco mais. É o que eu desejo e o que deseja essa noite.*

Flávia Arruda, sabe que *certas canções que ouço cabem tão dentro de mim que perguntar carece como não fui eu que fiz?* E sinto isso com a sua arte, suas ilustrações, suas decorações e pinturas.

Dr. Iran, Zé Paulo e Paula, *tantas palavras que eu conhecia e já não falo mais.* Obrigada por dizerem por mim e para mim.

Amigas e amigos do Ita, *do início, do fim, do meio.* Principalmente os do fim, os que nunca desistiram do Ita.

Tia Regina, tia Helo, Suzy, Monica, Meire e Gilda, *diz a música "muito obrigado amigo, por você ter me ouvido".* E eu digo pra vocês, amigas amadas da minha mãe, muito obrigada por vocês que, além de ouvi-la, estiveram tão perto.

Renato K., *ainda me lembro do seu caminhar, seu jeito de olhar eu me lembro bem.* E vou lembrar e agradecer pra sempre o que você fez pelo Ita no hospital.

Zeco Montes, querido, *o seu coração é uma casa de portas abertas. Amigo, você é o mais certo das horas incertas.* Importante você me dizer que eu tinha um livro nas mãos, mesmo quando eu ainda não acreditava.

Aos meus alunos todos, principalmente *os passarinhos de toda cor, gente de toda cor, amarelo, rosa e azul* e que me aceitaram até quando eu estava tão triste.

À Editora Planeta, especialmente ao Mateus, meu mais profundo agradecimento e *vamos dividir os sonhos que podem transformar o rumo da história...*

Milly, há anos *todas as trilhas caminham pra gente se achar*, de diferentes formas, por tantas tramas do destino. Por isso, minha *metade inteira chora de felicidade.*

Flavia, *desde o início estava você.* Desde antes de o livro ser livro, eu queria o seu olhar, as suas escolhas, a minha capa perfeita.

E, por fim, queria dizer a vocês, leitoras e leitores do blog, que *quem divide o que tem é que vive pra sempre.* De tantos lugares, por meio de tantas mensagens, vocês dividiram comigo esse longo caminho e somaram esperança, carinho e força. Vocês viverão para sempre em mim, em nós. Muito obrigada.

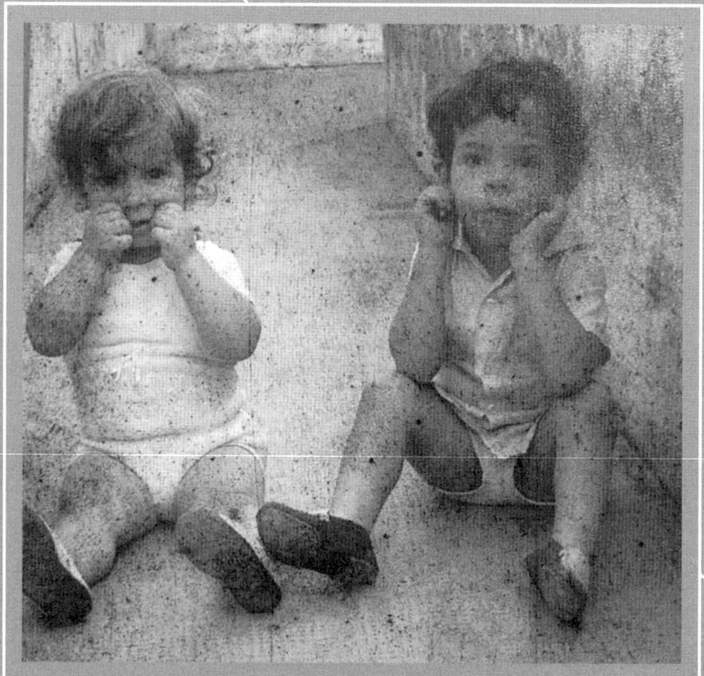

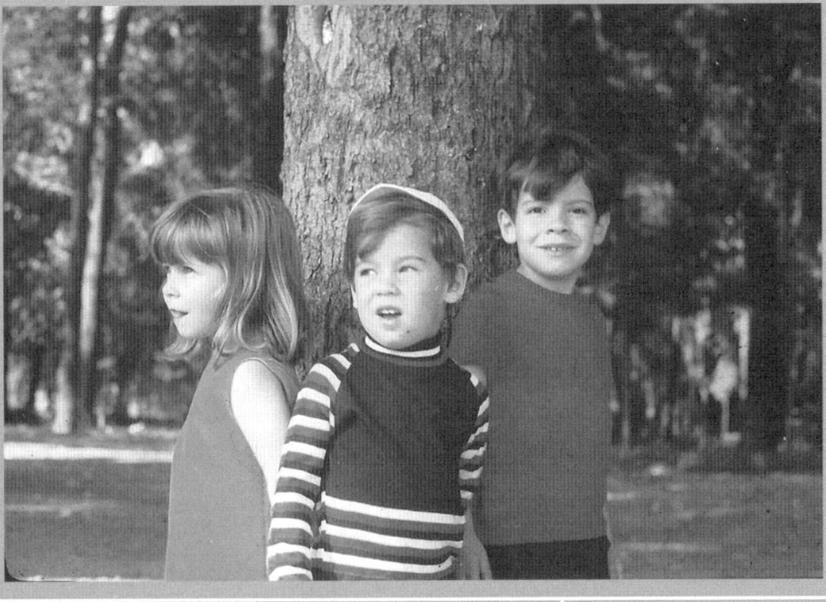

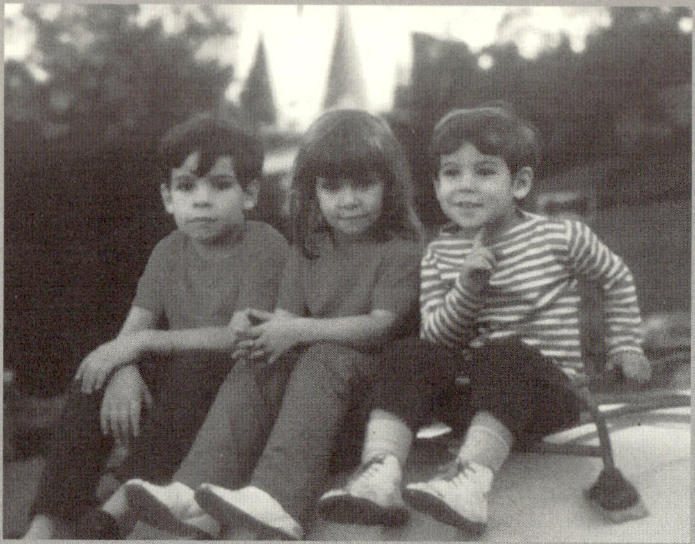

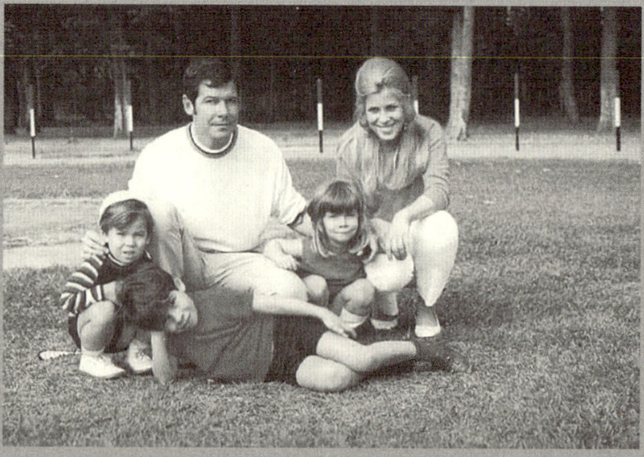

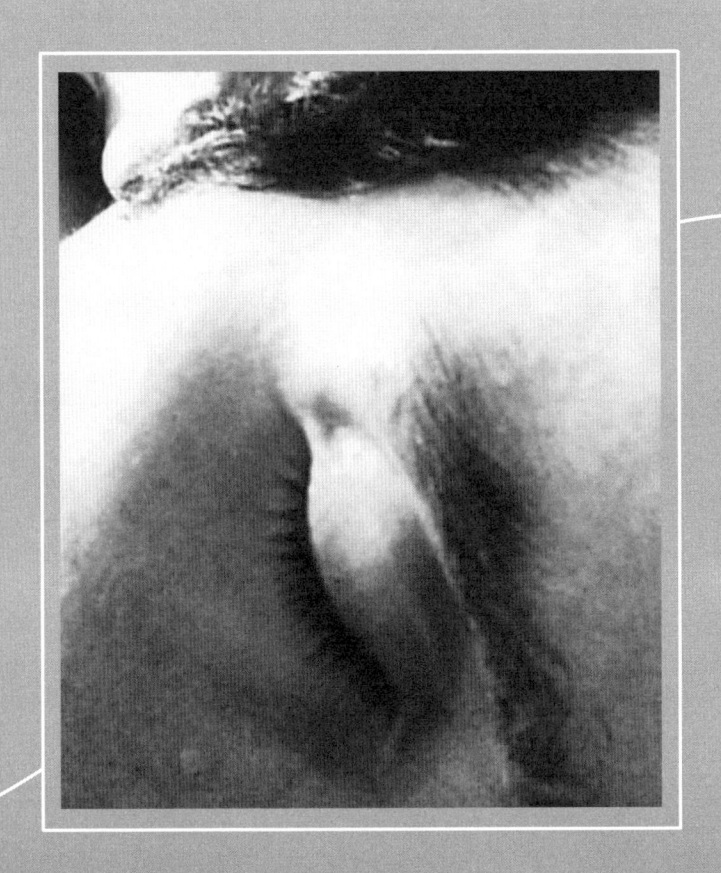

Acreditamos
nos livros

Este livro foi composto em Adobe Garamond Pro
e impresso pela Geográfica para a Editora Planeta
do Brasil em fevereiro de 2022.